26 stratégies pour GARDER ses meilleurs employés

Illustrations: Tracy Mitchell
Maquette intérieure: Joan Keyes, Dovetail Publishing Services

Données de catalogage avant publication (Canada)

Kaye, Beverly L.
26 stratégies pour garder ses meilleurs employés

Traduction de: Love 'em or lose 'em

1. Personnel - Rétention. 2. Personnel - Rotation. 3. Personnel - Direction.
I. Jordan-Evans, Sharon. II. Titre. III. Titre: Vingt-six stratégies pour garder ses meilleurs employés.

HF5549.5.R58K3914 2001 658.3'14 C2001-940397-6

DISTRIBUTEURS EXCLUSIFS:

- Pour le Canada
et les États-Unis:
MESSAGERIES ADP*
955, rue Amherst
Montréal, Québec
H2L 3K4
Tél.: (514) 523-1182
Télécopieur: (514) 939-0406
* Filiale de Sogides ltée

- Pour la France et les autres pays:
VIVENDI UNIVERSAL PUBLISHING SERVICES
Immeuble Paryseine, 3, Allée de la Seine
94854 Ivry Cedex
Tél.: 01 49 59 11 89/91
Télécopieur: 01 49 59 11 96
Commandes: Tél.: 02 38 32 71 00
Télécopieur: 02 38 32 71 28

- Pour la Suisse:
VIVENDI UNIVERSAL PUBLISHING SERVICES SUISSE
Case postale 69 - 1701 Fribourg - Suisse
Tél.: (41-26) 460-80-60
Télécopieur: (41-26) 460-80-68
Internet: www.havas.ch
Email: office@havas.ch
DISTRIBUTION: OLF SA
Z.I. 3, Corminbœuf
Case postale 1061
CH-1701 FRIBOURG
Commandes: Tél.: (41-26) 467-53-33
Télécopieur: (41-26) 467-54-66

- Pour la Belgique et
le Luxembourg:
VIVENDI UNIVERSAL PUBLISHING SERVICES BENELUX
Boulevard de l'Europe 117
B-1301 Wavre
Tél.: (010) 42-03-20
Télécopieur: (010) 41-20-24

L'ouvrage original américain a été publié
par Berrett-Koehler Publishers, Inc.
sous le titre *Love 'em or Lose 'em*

Dépôt légal: 2e trimestre 2001
Bibliothèque nationale du Québec

ISBN 2-7619-1599-2

Pour en savoir davantage sur nos publications,
visitez notre site: **www.edhomme.com**
Autres sites à visiter: www.edjour.com • www.edtypo.com
www.edvlb.com • www.edhexagone.com • www.edutilis.com

L'Éditeur bénéficie du soutien de la Société de développement des entreprises culturelles du Québec pour son programme d'édition.

Nous reconnaissons l'aide financière du gouvernement du Canada par l'entremise du Programme d'aide au développement de l'industrie de l'édition (PADIÉ) pour nos activités d'édition.

Beverly Kaye
Sharon Jordan-Evans

26 stratégies pour GARDER ses meilleurs employés

Traduit de l'anglais
par Normand Paiement

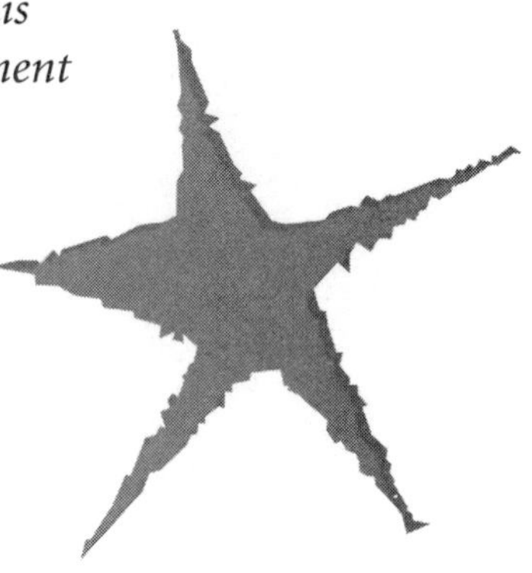

Préface

Dirigeants et chefs de service ont, nous en avons l'intime conviction, un rôle capital à jouer dans la chasse aux effectifs de talent. Nous croyons également que beaucoup d'entre eux baissent les bras sous prétexte qu'ils ne disposent pas des outils nécessaires pour retenir leurs meilleurs éléments. Dans la mesure où elle a trait aux salaires et autres avantages d'ordre pécuniaire, ils s'imaginent que cette question n'est pas de leur ressort. Or, rien n'est plus faux selon nous.

C'est ce qui nous a poussées à écrire ce livre à leur intention, en sachant que les directeurs d'entreprise sont très pris par leur travail, qu'ils doivent tirer le maximum des ressources à leur disposition et que le temps constitue leur bien le plus précieux. Les informations que nous avions à leur transmettre se devaient donc d'être à la fois concises et adaptées à leurs besoins. Nous devions mettre à leur disposition des stratégies éprouvées, fondées sur des données pertinentes et accompagnées d'exercices pratiques.

Nos recherches, qui ont duré environ deux ans, nous ont permis de recueillir des renseignements auprès de groupes témoins composés de diverses catégories d'employés de petites, moyennes et grandes entreprises. Nous avons également mené notre enquête auprès de nos cercles d'amis et collègues de travail respectifs. La question essentielle que nous avons posée à toutes ces personnes est à l'origine du premier chapitre de ce livre. Nous l'avons formulée comme suit : « Pourquoi restez-vous en poste ? » Après avoir comparé entre elles les réponses obtenues et les avoir confrontées à une série de facteurs clés, nous en sommes venues à la conclusion que les directeurs d'entreprise ont en main la plupart des éléments leur permettant de retenir les services de leurs meilleurs employés. Nous avons aussi effectué une partie de nos recherches sur Internet, tout en puisant dans diverses autres sources d'information : journaux, revues, livres, magazines, sans oublier certaines anecdotes qui nous ont été racontées en cours de route. Nous avons classé la somme des renseignements ainsi recueillis en vingt-six catégories qui forment chacun des vingt-six chapitres qui suivent, nous assurant au passage que le titre de chaque chapitre reflète exactement son contenu.

Histoire de tester les concepts que nous avons élaborés, nous les avons soumis à divers groupes témoins : directeurs du personnel, dirigeants d'entreprise et chefs de service, parents, amis, clients, époux et même voisins de siège dans l'avion. Après de longues discussions, nous avons apporté les modifications nécessaires à notre projet initial et sommes finalement tombées d'accord sur l'essentiel. Les vingt-six chapitres qui suivent sont le résultat de ces efforts.

Afin de rendre cet ouvrage le plus pratique et le plus utile possible, nous avons inclus dans chaque chapitre les éléments suivants :

1. **Des exercices.** Les cadres et autres dirigeants d'entreprise savent généralement en quoi consiste la lutte qu'ils doivent mener pour garder leurs employés de talent ; mais ils ignorent souvent comment faire pour en sortir vainqueurs.
2. **Des cas malheureux.** Basées sur des faits réels, ces anecdotes sont le fruit de quarante années d'expérience cumulées. Recueillies auprès d'entreprises d'envergure nationale et internationale, elles racontent comment un gros poisson peut parfois vous filer entre les doigts…
3. **Un extrait de lettre de démission.** Appelons cet employé démissionnaire J.A. (Nous ne vous dirons ni son âge, ni son sexe, ni même son occupation.) Il nous accompagnera tout le long de ce livre, afin que vous compreniez à quel point la stratégie développée à chaque chapitre (ou plutôt l'absence de stratégie, dans son cas) peut influer sur la décision d'un employé de quitter ou non son emploi.

4. **Des exemples à imiter.** Il s'agit parfois de stratégies que nous avons mises au point pour le compte de certains clients. Nous avons également reproduit des exemples de stratégies éprouvées publiées dans divers journaux, revues spécialisées et magazines à grand tirage.
5. **Des renvois.** Dans la plupart des chapitres, vous rencontrerez au moins une icône, placée dans la marge, qui vous invitera à vous référer à un chapitre qui développe plus spécifiquement un point précis. Vous devriez ainsi trouver rapidement, en passant d'un chapitre à l'autre, les notions que vous jugez plus utiles ou plus adaptées à vos besoins.

Le rôle du chef d'entreprise

Une bonne partie des informations contenues dans ce livre ne vous sont sans doute pas totalement étrangères. Mais vous n'avez probablement pas l'habitude de chercher à garder vos employés à l'aide des stratégies développées ici. Nous demeurons toutefois persuadées que vous avez le pouvoir d'influer sur leur décision de rester ou de partir, et nous pesons nos mots.

Nous vous demandons simplement...

✓ De considérer ce livre comme un guide pratique ;
✓ De le consulter en permanence ;
✓ D'écorner les pages au besoin ;
✓ De surligner les passages qui vous paraissent les plus importants ;
✓ D'insérer un signet au milieu des chapitres qui vous semblent les plus appropriés à votre situation et de laisser ce manuel en permanence sur votre bureau ;
✓ De prendre l'engagement de suivre les instructions contenues dans au moins un de ces chapitres.

Nous croyons fermement que cet ouvrage vous facilitera la tâche. Jour après jour, il vous aidera à rester en contact avec la réalité. Nous l'avons écrit à votre intention, parce que vous exercez une influence énorme sur la vie de vos employés. Une telle responsabilité mérite bien toute l'aide et tout le soutien nécessaires.

Remerciements

Nous avons des maris extraordinaires (tous deux sont ingénieurs), que notre sort, nos carrières et nos choix, même lorsque nous ne parvenons pas à nous décider, ne laissent pas indifférents. Sans leur patience, leur soutien et leurs précieux conseils, cet ouvrage n'aurait jamais pu voir le jour. Merci à vous, Mike et Barry.

Nous avons aussi le bonheur d'être toutes les deux mères de famille. L'appui indéfectible de nos enfants, leur enthousiasme et leur soutien ont constitué pour nous une source d'encouragements inépuisable. Merci à toi, Lindsey, pour la patience dont tu as su faire preuve chaque fois que je t'ai demandé d'attendre un peu avant que je puisse m'occuper de toi. Quant à vous, Travis, Shelby, Matt et Kellie, je vous suis reconnaissante de toute la joie que vous m'avez apportée à ce jour. Vos succès, votre bonheur me ramènent constamment à l'essentiel.

Nous avons aussi le bonheur d'avoir des amis, des enfants (l'une de nous a des jumeaux, dont l'un a fait de l'excellent travail en relisant fidèlement notre manuscrit et en y apportant des critiques constructives) et des collègues de travail qui se sont penchés avec nous sur cet ouvrage et qui ont même défendu ardemment les principales stratégies qui y sont développées.

Nous voudrions remercier tout particulièrement Nancy Breuer, qui nous a aidées à nous exprimer à l'unisson, ainsi que Tara Mello, qui s'est rendue indispensable en plus d'avoir été la première à reconnaître que nos idées méritaient d'être publiées. Nous avons aussi eu la chance d'avoir à nos côtés Diana Koch, qui, en tant que directrice de projet, nous a permis de voir les choses sous un jour nouveau, ainsi que Marilyn Greist et Cindy Miller, qui ont été une véritable source d'inspiration et d'encouragements. Notre illustratrice, Tracy Mitchell, a réussi à prêter vie, par ses dessins, aux idées qui sommeillaient en nous. Quant à Matt Evans, internaute émérite, il a su nous transmettre ses compétences et son savoir-faire, sans lesquels il nous serait impossible de rester en contact avec nos lecteurs.

INTRODUCTION

Le départ de J.A.

Je m'en vais.
Je donne ma démission.
Je me suis déniché un nouvel emploi.
J'ai accepté l'offre qui m'a été proposée.
Pourrions-nous en discuter ?

Semblables propos vous donnent-ils un pincement au cœur ou vous mettent-ils mal à l'aise ? Vous n'êtes pas le seul dans un tel cas. Qu'il ait son bureau au sommet d'une tour, qu'il soit propriétaire de bistrot ou qu'il soit à la tête d'une organisation composée de bénévoles, tout responsable qui se respecte ne peut qu'être consterné en apprenant pareille nouvelle. Surtout si l'employé démissionnaire joue un rôle essentiel au bon fonctionnement de son entreprise.

Nous entendons par là, outre les plus talentueux de vos employés, tous ceux qui sont indispensables au succès de votre entreprise et à votre tranquillité d'esprit, et que vous ne pouvez vous permettre de perdre parce qu'ils sont fiables et compétents, et qu'ils comptent parmi les meilleurs éléments de votre équipe.

Tout comme J.A., un employé consciencieux dont le rôle est crucial et qui est payé en conséquence, et qui œuvre au sein d'une entreprise dont les perspectives d'avenir sont excellentes. Vous trouverez ci-dessous le texte intégral de la lettre de démission que J.A. a fait parvenir à son chef de service et à la directrice générale de la société pour laquelle il travaillait.

Lisez-la attentivement. Soulignez les points qui trouvent un écho en vous. Êtes-vous à l'abri de ce type de décision de la part d'un de vos employés ?

NOTE DE SERVICE

Dest. : Carlos et Madeleine
Exp. : J.A.
Objet : Entrevue de départ

Le service du personnel m'a remis aujourd'hui le formulaire d'entrevue de départ. Je ne l'ai pas rempli. Les questions qu'il contient ne me semblant pas appropriées, j'ai décidé de vous écrire cette lettre à la place. Je suis encore mal à l'aise à l'idée de partir. J'étais heureux de travailler avec vous et les autres membres de notre équipe. Mais il m'était impossible de rester. J'espère simplement que cette lettre vous permettra d'éviter que l'histoire se répète.

Carlos, je suis persuadé que vous êtes un chef de service efficace. Vos projets se concrétisent, vous atteignez vos objectifs et vous êtes entouré d'une équipe formidable. J'ai éprouvé beaucoup de satisfaction à vos côtés tant que j'ai eu l'impression d'apprendre les rouages du métier. Malheureusement, vous étiez trop occupé pour prêter attention à certains petits détails. Comme dire « bonjour ». Ou déléguer certaines tâches, ce qui m'aurait permis d'acquérir de nouvelles connaissances. Mais, à cause de la pression, vous coupiez au plus court en confiant certaines responsabilités aux employés les plus expérimentés. Comment peut-on espérer évoluer au sein d'une entreprise où l'on ne vous donne jamais la chance d'apprendre ? À quelques reprises, nous avons discuté de la possibilité pour moi de suivre des stages de formation, voire de préparer et de soumettre un plan d'action à la haute direction, mais ces projets sont tombés à l'eau. Un an plus tard, j'ai commencé à comprendre qu'ils ne verraient jamais le jour.

Madeleine, j'ai toujours eu de l'admiration pour vous. Vous possédez de grandes qualités de chef et vous savez orienter les efforts de Carlos, du personnel de notre service et des autres collègues de notre division. Quand je me suis joint à cette entreprise, il y a de cela quatre ans, j'ai été à ce point impressionné par la grandeur de son énoncé de mission et de son éthique commerciale que j'ai aussitôt eu envie d'y faire carrière, en espérant qu'elle serait longue et gratifiante.

Je dois admettre qu'avec le temps j'ai perdu mes illusions. J'ai pris la décision de partir au cours des deux derniers mois. J'ai trimé dur sur notre dernier projet. J'ai même dû reporter mes vacances. Toute l'équipe a fait des heures supplémentaires pour le mener à bien. Nous avons remis à temps un produit de qualité et atteint tous nos objectifs. C'est alors que la compagnie a décidé de mettre un terme à cette expérience. J'aurais très bien pu comprendre pareille décision ; les changements surviennent tellement rapidement de nos jours, tant chez nous qu'ailleurs. Mais personne n'a pris la peine de nous en informer. Nous avons continué à aller de l'avant pendant trois semaines avant que ne commencent à circuler les rumeurs selon lesquelles le projet était abandonné. Vous vous seriez donné la peine de nous fournir des explications satisfaisantes que nous aurions accepté l'évidence. Au lieu de quoi nous avons tous été frustrés et déçus de cette décision.

Il est vrai que mon nouveau travail est assorti d'un meilleur salaire, mais je ne vous quitte pas pour une question d'argent. J'ai besoin d'œuvrer là où je pense apporter une contribution valable à la société et où les gens éprouvent du respect les uns pour les autres. Je constate avec tristesse qu'on ne semblait guère faire de cas de mon travail ici.

Je vous remercie pour tout ce que vous m'avez appris. Et n'oubliez pas qu'une organisation minutieuse du travail, alliée à une stratégie de communication fondée sur l'honnêteté et le respect des individus, constitue encore le meilleur moyen de vous assurer le soutien indéfectible de vos employés.

Recevez mes meilleurs vœux de succès.

Avez-vous déjà eu un employé semblable à J.A. ? Un collaborateur efficace que vous n'aviez pas les moyens de laisser filer, mais qui est néanmoins parti tenter sa chance ailleurs ? Combien de fois vous êtes-vous alors répété :

« Si seulement j'avais su » ?
« Pourquoi ne m'a-t-on rien dit ? »
« Pourquoi n'ai-je pas vu venir le coup ? »
« C'était pourtant simple, j'aurais pu régler le problème » ?
« Pourquoi n'ai-je pas demandé ce qui n'allait pas ? »

Au lieu de vous lamenter, parcourez rapidement les vingt-six chapitres qui suivent. Choisissez ceux dont vous pensez qu'ils vous concernent directement ou qu'ils s'appliquent à l'un de vos employés.

Si vous ignorez de quelle manière retenir vos employés les plus talentueux, commencez par le premier chapitre intitulé **« Pourquoi restez-vous en poste ? »**

Et si vous n'êtes toujours pas convaincu que cette question relève de votre compétence, lisez le chapitre deux, intitulé **« Votre responsabilité commence ici ».**

Chapitre premier

« Pourquoi restez-vous en poste ? »

On ne m'a jamais posé cette question.

– J.A.

Poursuivons notre réflexion. Directeurs du personnel et dirigeants d'entreprise consacrent des heures à retourner cette question dans tous les sens. Groupes d'étude et consultants mènent des enquêtes à n'en plus finir à ce sujet. Ils scrutent même attentivement les solutions envisagées dans les entreprises des secteurs connexes, car tous cherchent la réponse à cette question. Certains parviennent parfois à mettre au point une stratégie, voire un plan infaillible. Tout cela dans le seul but de retenir les personnes clés – employés, chercheurs, collaborateurs, techniciens ou experts – qui font fonctionner les entreprises et contribuent ainsi à leur succès.

Nous n'irons pas jusqu'à prétendre que tous ces efforts, ce temps et cet argent sont mal utilisés. Mais nous avons remarqué que, bien souvent, on semble oublier l'essentiel. Quelqu'un a-t-il jamais pris la peine de demander à vos employés les raisons qui les poussent à continuer de travailler pour vous ? Quelqu'un a-t-il jugé utile de s'enquérir de ce qui pourrait inciter vos meilleurs éléments à se laisser tenter par des offres venues d'ailleurs ? L'avez-vous fait ? Pourquoi ? Pourquoi attendre le jour où un de vos employés vous annonce sa démission pour lui poser ces questions, alors qu'il serait peut-être resté si vous aviez pris la peine de l'interroger plus tôt ?

Posez des questions au lieu de tenter de deviner !

Immanquablement, chaque fois que nous suggérons de demander aux employés pourquoi ils demeurent en poste ou ce qui les incite à continuer d'œuvrer au sein de la même entreprise, les réactions ne se font pas attendre : « Vous n'êtes pas sérieuses », nous objecte-t-on. Ou encore : « N'est-ce pas interdit par la loi ? », « Qu'est-ce que je fais si on me donne une réponse qui me déplaît ? » De crainte de mettre leurs employés sur la sellette ou de leur donner des idées (comme s'ils étaient incapables de songer par eux-mêmes à partir !), directeurs d'entreprises et chefs de service préfèrent encore renoncer à prendre le taureau par les cornes.

Certains s'abstiennent de s'enquérir des intentions de leur personnel sous prétexte qu'ils sont de toute façon impuissants à changer quoi que ce soit à la situation. Ils craignent de soulever inutilement des problèmes, voire de faire naître des attentes qu'ils seront incapables de combler. Le temps est un autre facteur qui les rebute. Nombreux sont les chefs d'entreprise qui prétendent que les affaires courantes accaparent déjà tout leur temps. Leur priorité, c'est de réussir, pas d'écouter les griefs de tout un chacun, et encore moins de demander à chacun d'exprimer ses doléances. Si c'est votre cas, vous vous privez d'un des secrets essentiels de la réussite : oser poser des questions.

Jouer aux devinettes constitue un jeu dangereux

Si vous négligez d'interroger vos employés, si vous vous contentez d'essayer de deviner ce dont ils ont besoin, il se peut que vous tombiez pile à l'occasion. La prime que vous leur octroyez en fin d'année est susceptible de tous les combler de joie. Vous stimulez ainsi leur sens de la loyauté et du dévouement, du moins à court terme. Mais si le meilleur moyen de retenir tel employé consiste à lui donner la chance d'acquérir de nouvelles compétences, cependant que tel autre souhaiterait travailler à domicile, comment le saurez-vous si vous ne le leur demandez pas ?

Le fait d'interroger vos employés sur leurs désirs comporte des avantages indéniables. Vous leur donnez, ce faisant, l'impression que vous avez leur bien-être à cœur, que vous les appréciez et qu'ils sont importants à vos yeux. Il en résulte, dans bien des cas, un sentiment de loyauté et de dévouement accru à votre égard et à l'égard de votre entreprise. En d'autres termes, poser des questions doit s'inscrire dans le cadre même de toute stratégie visant à garder vos effectifs.

Dommage…

Un cadre supérieur nous a raconté cette histoire d'employée démissionnaire. Le dernier jour, chagriné par cette perte, il est allé la trouver afin de lui exprimer son regret de la voir partir. Il lui souhaita bonne chance, puis ajouta : « Si seulement nous avions pu faire quelque chose pour vous garder. » Il était en effet convaincu que le superviseur de cette femme avait demandé à cette dernière ce qui aurait pu la persuader de rester. Or, il n'en avait rien été et il était à présent trop tard pour changer le cours des événements. L'employée déclara qu'elle serait demeurée en poste si on lui avait permis de participer aux réunions des chefs de service, chose qu'elle jugeait essentielle au bon déroulement de sa carrière. Il aurait été facile pour cet homme d'acquiescer à une telle requête, mais comme il n'en avait jamais été informé…

Tout est dans la manière…

Quand et comment devez-vous aborder ce sujet ? Comment accroître vos chances d'obtenir des réponses honnêtes de la part de vos employés ? Il n'y a pas de formule magique ni de moment précis pour procéder. Vous pourriez profiter d'un entretien portant sur vos projets d'expansion ou sur leur plan de carrière (pour peu que vous organisiez de telles rencontres…) pour demander simplement : « Qu'est-ce qui vous incite à rester en poste ? Qu'est-ce qui serait susceptible de vous pousser à partir ? » Faites ensuite preuve d'ouverture et soyez attentif aux réponses qui vous seront données. Votre interlocuteur souhaite-t-il avoir l'occasion d'apprendre et d'évoluer au sein de votre entreprise ? Ou lui suffit-il d'une promotion et d'un titre ronflant pour avoir envie de rester ? À moins qu'il n'ait d'autres vœux à formuler ?

voir CHAPITRE 21

Après avoir écouté, vous devez donner une réponse. Celle-ci sera déterminante. Si vous répondez quelque chose comme : « Ce que vous dites là n'est pas réaliste », vous coupez aussitôt court à toute possibilité de dialogue et il est peu probable que votre employé se confie à vous de nouveau. Il pourrait même considérer qu'il est temps pour lui de se chercher un nouvel emploi.

Une autre approche possible

Peut-être l'idée de demander directement à vos employés ce qui les incite à rester en poste vous rend-elle mal à l'aise. Et il se peut que ces derniers hésitent à vous répondre franchement. Dans ce cas, essayez la méthode d'enquête « douce » que voici :

EXERCICE PRATIQUE

✓ Vous rappelez-vous l'époque où vous êtes demeuré assez longtemps au sein d'une même entreprise ? Histoire de relativiser les choses, « longtemps » peut signifier vingt aussi bien que trois ans. Tout dépend au fond de votre tempérament et de la nature de votre travail. Il peut s'agir de votre employeur actuel ou d'un employeur précédent.

Qu'est-ce qui vous a incité à demeurer en poste ? Notez par écrit les deux ou trois raisons principales qui ont motivé votre décision.

Dans la mesure où elles portent sur un emploi antérieur et non sur leurs besoins et leurs désirs actuels, il sera plus facile, pour certains de vos employés, de répondre à cette question. Il vous appartiendra ensuite d'en déduire que ce qui était valable hier l'est encore aujourd'hui.

Qui ne risque rien…

Le décor. Une entreprise de haute technologie basée dans la célèbre Silicon Valley a décidé un jour d'en avoir le cœur net. Elle s'est adressée, dans un style un peu différent mais pour des raisons similaires, à un groupe précis de talentueux employés. L'objectif étant de bien cibler les efforts visant à retenir leurs services, il convenait de s'assurer de leur loyauté en leur accordant ce qui comptait vraiment à leurs yeux. Voici comment on procéda.

La direction de cette société était consciente qu'un groupe d'employés risquait fort de prendre le large tôt ou tard. Ceux-ci recevaient une formation en vue de pouvoir installer un nouveau système informatisé d'intégration des données. Dès qu'ils auraient acquis un peu d'expérience, leur valeur serait inestimable aux yeux de la concurrence, qui ne manquerait pas de les convoiter. Les premiers « chasseurs de têtes » n'avaient d'ailleurs pas tardé à se manifester dès le début de leur formation. La direction comprit rapidement qu'un minimum de vigilance s'imposait, à défaut de quoi elle risquait de perdre ses meilleurs éléments. Dans d'autres entreprises, huit employés spécialisés nouvellement formés sur dix partaient avant même la fin de leur contrat initial, et parfois aussitôt après. Des sociétés concurrentes et des cabinets de gestion les dévoyaient pour la plupart en leur promettant apparemment des salaires faramineux.

La méthode. Plutôt que de chercher des solutions hasardeuses, la direction commença par demander à ses stagiaires ce qui pourrait les inciter à rester en poste et ce qui était susceptible de les pousser à partir. Trois conseillers externes ont eu un entretien confidentiel avec chacun des membres du groupe. Les réponses honnêtes ainsi obtenues ont permis aux dirigeants de l'entreprise en question de recueillir les informations souhaitées. Les stagiaires avaient une idée précise de ce qu'ils désiraient, et ce n'était pas forcément de l'argent.

Constatations. Nombreux furent ceux qui déclarèrent vouloir effectuer un « travail valorisant », une fois réalisé le projet en cours, plutôt que de devoir revenir à leur ancien emploi. Certains souhaitaient continuer à travailler en équipe plutôt que de travailler individuellement. D'autres émirent le vœu de pouvoir relever de nouveaux défis et continuer ainsi de progresser.

La décision. Dès que les dirigeants eurent pris connaissance de ces renseignements, ils entreprirent, en collaboration avec certains employés clés, de susciter au sein même de l'entreprise les occasions réclamées. Un an et demi plus tard, seule une femme, parmi ce groupe d'employés qualifiés, avait choisi de poursuivre sa carrière ailleurs, et ce en tant que consultante. Contre toute attente, et en dépit d'offres alléchantes faites par des sociétés concurrentes, tous les autres ont décidé de rester en poste.

EXERCICE PRATIQUE

✓ Demandez à chacun des employés de votre entreprise ou de votre service les raisons pour lesquelles il reste en poste. Notez les réponses obtenues sur des fiches individuelles ou informatisées. Relisez-les une fois par mois et réfléchissez à ce que vous avez fait entre-temps pour répondre aux besoins de chacun d'entre eux. Ces fiches vous aideront à ne pas perdre de vue ce qui est important aux yeux de vos effectifs et ce qu'il convient de faire pour les retenir.

Pourquoi la plupart choisissent-ils de rester en poste ?

Nos recherches confirment ce que d'autres ont déjà découvert relativement aux raisons qui poussent habituellement les employés à demeurer au sein d'une entreprise (et relativement aux stratégies à mettre en place à cet égard). Les motifs ne varient guère, quel que soit le secteur industriel ou le poste occupé. Les voici, classés par ordre de popularité et selon leur fréquence d'apparition (il est à noter que 90 % des personnes interrogées ont mentionné au moins un des trois premiers points parmi les trois ou quatre principales raisons expliquant leur désir de rester en poste) :

1. La possibilité d'apprendre, de progresser et d'évoluer.
2. Un travail intéressant et stimulant.
3. Un travail valorisant, qui permet d'apporter une contribution valable à la société.
4. La possibilité de travailler aux côtés de collègues exceptionnels.
5. Le sentiment de faire partie d'une équipe.
6. Un bon patron.
7. La satisfaction du besoin de reconnaissance.
8. La possibilité de s'amuser tout en travaillant.
9. Une certaine autonomie permettant d'avoir la maîtrise des tâches à accomplir.
10. Une certaine souplesse des horaires et de la tenue vestimentaire.
11. Un salaire et des avantages équitables.
12. Un supérieur qui sait motiver ses troupes.
13. La fierté d'œuvrer au sein d'une entreprise qui offre des produits et services de qualité.
14. Un environnement de travail agréable.
15. L'emplacement de l'entreprise.
16. La sécurité d'emploi.
17. Le sentiment d'être entouré d'amis et de former une grande famille.
18. La possibilité d'œuvrer dans un milieu à la pointe de la technologie.

Dans quelle mesure les réponses de vos employés correspondent-elles à cette liste ou en diffèrent-elles ? Découvrez ce qui compte vraiment pour eux. Trouvez ensuite une façon originale et adéquate de retenir leurs services.

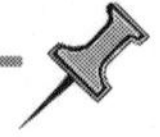

EXERCICE PRATIQUE

✓ Relisez la liste qui précède et voyez lesquels des besoins énumérés vous êtes en mesure de combler. Cochez chacun des éléments sur lesquels vous pouvez exercer une influence directe. Si notre intuition est bonne, vos pouvoirs sont beaucoup plus étendus que vous ne le pensez.

Autres questions à envisager

Jusqu'à présent, nous avons cherché, à l'aide de deux questions précises, à connaître les motifs qui poussent vos employés à continuer d'œuvrer au sein de votre entreprise. Mais rien ne vous empêche de formuler les choses différemment. Leurs réponses aux questions qui suivent vous permettront en effet de mieux cerner leurs besoins spécifiques et d'adapter en conséquence vos démarches en vue de les retenir.

Exemples de questions

✓ Avez-vous le sentiment que vos efforts sont appréciés à leur juste valeur ?
✓ Votre supérieur immédiat vous aide-t-il à atteindre vos objectifs professionnels en utilisant vos compétences à bon escient et en tenant compte de vos aspirations ?
✓ Votre travail quotidien vous stimule-t-il ?
✓ Vous a-t-on proposé une formation adaptée à vos aspirations ?
✓ Votre supérieur vous a-t-il aidé à mettre en place un plan de carrière ?
✓ Votre supérieur vous fait-il régulièrement et ouvertement part de ses observations à votre sujet ?
✓ Qu'est-ce qui vous embête le plus dans votre travail ?
✓ Qu'est-ce qui vous rendrait la tâche plus facile ?

Choisissez trois ou quatre de ces questions que vous pourriez poser tous les trimestres. Ce serait là un excellent moyen pour vous de rester vigilant.

Chez Bain & Co., les dirigeants tirent la sonnette d'alarme et marquent un temps d'arrêt chaque fois qu'un employé est mécontent. Ils se posent aussitôt la question : cet employé préférerait-il être affecté à un autre poste ? Existe-t-il un déséquilibre entre sa vie professionnelle et sa vie familiale ? Reçoit-il un salaire équitable ? Si cet employé est à la recherche d'un nouveau boulot, la compagnie lui offre toutes les chances de continuer d'évoluer au sein de l'entreprise plutôt que de le perdre[1].

RÉSUMÉ

N'essayez pas de deviner ce qui est susceptible de plaire à vos effectifs. Au besoin, demandez à une tierce personne de les interroger pour vous. Ce pourrait être le directeur du personnel, un consultant externe ou le chef d'un service connexe au vôtre. Effectuez un sondage éclair auquel vos employés pourront répondre par écrit ou par courriel, par exemple. Afin de préserver l'anonymat de chacun, demandez à quelqu'un de recueillir les réponses, de les réunir et de vous les remettre. Ou encore, utilisez la méthode que nous privilégions : posez vous-même vos questions à chacun de vos employés individuellement. C'est aussi simple que cela !

Le temps, l'endroit et la manière importent peu : l'essentiel, c'est d'oser interroger vos employés !

1. Gina Imperato, « 35 Ways to Land a Job Online », *Fast Company*, 16 août 1998, p. 140.

Chapitre 2

Votre responsabilité commence ici

S'il en avait réellement eu l'intention, mon directeur aurait sans doute pu me garder. Mais je pense qu'il n'a jamais cru que c'était son rôle d'essayer de me retenir.

– J.A.

Lorsqu'on leur demande quel est le meilleur moyen à leur disposition pour garder leurs meilleurs éléments, dirigeants d'entreprise et chefs de service s'empressent généralement de répondre : « L'argent. » Des études démontrent que 89 % d'entre eux sont fermement persuadés que c'est d'abord et avant tout une question de gros sous[1]. Ils estiment que la responsabilité de garder les employés de talent revient à la haute direction. Chaque fois que l'un d'eux démissionne, ils en rejettent le blâme sur les règlements ou la politique salariale de l'entreprise.

En réalité, *vous* détenez la clé du problème. Que vous soyez directeur ou chef d'équipe, vous êtes encore le mieux placé pour garder vos employés les plus talentueux. Vous avez en effet en main la plupart des éléments qui influencent le degré de satisfaction et de dévouement de vos effectifs. Or, un employé satisfait est un employé qui reste en poste. Les choses n'ont pour ainsi dire pas changé depuis vingt-cinq ans. De nombreux chercheurs qui ont étudié cette question[2] sont d'avis que les facteurs suivants sont les plus susceptibles de donner satisfaction aux travailleurs, et de les inciter par conséquent à demeurer au sein d'une entreprise : un emploi intéressant et stimulant, la possibilité d'apprendre, de progresser et d'évoluer, un salaire équitable, un environnement de travail agréable, la satisfaction du besoin de reconnaissance et le respect. N'est-ce pas ce que nous voulons tous, au fond ?

Tout dépend de vous

Un patron qui se soucie du bien-être de ses employés aidera les plus compétents d'entre eux à retrouver ces éléments gratifiants. Cela ne signifie pas pour autant que vous êtes seul dans cette galère. La haute direction de votre entreprise, les règlements en vigueur ainsi que son organisation interne et sa culture – sans oublier le service du personnel – influent assurément sur votre capacité à retenir les plus talentueux de vos employés. Malgré tout, si l'on en croit les études portant sur les motifs qui incitent les employés à quitter leur emploi et leur entreprise, c'est encore *vous* qui jouez le rôle le plus déterminant – et qui détenez par conséquent la plus grande part de responsabilité – à cet égard.

Dommage…

Il n'y a rien que je puisse faire pour empêcher l'exode de nos cerveaux. Nos concurrents offrent de meilleures conditions salariales et de meilleurs avantages. Nos chances de garder nos employés sont pratiquement nulles.

– Un gérant de pharmacie

Rien n'est plus faux ! Les rapports que vous entretenez avec vos employés jouent un rôle déterminant sur leur degré de satisfaction et sur leur décision de rester ou non. Selon une enquête, la satisfaction au travail est tributaire, dans 50 % des cas, des rapports qu'un employé entretient avec son supérieur immédiat[3]. En d'autres termes, les choses dépendent en grande partie de *vous*.

> *Dans la mesure où une telle chose existe, on peut dire qu'un employé fait preuve de dévouement à l'égard de son patron, de l'équipe dont il fait partie et du projet auquel il est associé. Cela n'a plus rien à voir avec la loyauté que les travailleurs éprouvaient autrefois à l'endroit d'une compagnie ou d'une marque de commerce. De ce fait, toute stratégie visant à retenir les services des employés doit résulter des efforts individuels des directeurs et chefs de service, et non pas seulement des responsables du service du personnel.*
>
> – Le président d'Aon Consulting Institute

Dans la ligne de tir

La plupart d'entre vous êtes responsables de diverses ressources que vous avez comme rôle de protéger et de faire fructifier. Or, de nos jours, vos ressources les plus précieuses sont constituées par votre *capital humain* et non par les *biens* que possède votre entreprise. Et comme seuls des effectifs exceptionnels sont susceptibles de vous donner un avantage marqué sur la concurrence, parions que vous êtes disposé, indépendamment des conditions qui prévalent sur le marché de l'emploi, à faire le nécessaire pour conserver vos meilleurs éléments. Le tout est de savoir comment vous y prendre.

Votre rôle est-il de sélectionner et de retenir les employés les plus talentueux ? On nous a raconté qu'un directeur général avait ponctionné de 30 000 $ le budget de fonctionnement d'un cadre qui avait laissé filer sans motif valable un employé exceptionnel. Que chacun assume ses responsabilités ! Nous ne voulons pas insinuer par là que les directeurs et chefs de service devraient être pénalisés chaque fois qu'un de leurs employés reçoit une promotion ou saisit sa chance d'acquérir de nouvelles connaissances. Il vous arrivera inévitablement de perdre à l'occasion des effectifs de talent qui choisiront de poursuivre leur carrière ailleurs. Nous sommes toutefois d'avis que les dirigeants devraient être tenus de rendre des comptes sur la qualité de leur gestion et sur leur capacité à créer un climat de travail stimulant, susceptible d'inciter leurs employés à se sentir appréciés et rémunérés à leur juste valeur, et à demeurer par conséquent au sein de l'entreprise.

Un mot aux cadres supérieurs

Lorsqu'un directeur vous rend compte de ses faits et gestes, considérez-vous qu'il est responsable de l'équipe qu'il dirige? Comment vous y prenez-vous? Peut-être connaissez-vous la maxime selon laquelle les gens agissent davantage en fonction des contrôles dont ils font l'objet que d'après les attentes placées en eux. Or, vous êtes en droit d'exiger que les efforts nécessaires soient faits pour garder vos meilleurs éléments, parce que ceux-ci constituent la véritable force de votre entreprise. Si vous avez des chefs de service sous votre responsabilité, il vous appartient de trouver le moyen de vérifier l'efficacité de leur travail ou de leur demander des comptes. Voici quelques suggestions à ce sujet.

EXERCICE PRATIQUE

Établissez un contrat moral avec eux:

- ✓ Dressez, par écrit ou sur support informatique, la liste des vingt-six stratégies contenues dans le présent ouvrage (aidez-vous de la table des matières). Ou demandez à vos collaborateurs de réduire cette liste à la dizaine de stratégies qui leur semblent les plus appropriées.
- ✓ Demandez à vos directeurs ou chefs de service de s'engager à en mettre deux en pratique au cours des six mois à venir. Qu'ils encerclent les stratégies de leur choix et apposent leurs initiales à côté avant de vous retourner une copie de la liste en question.
- ✓ Six mois plus tard, redemandez-leur le document original, qui devra être accompagné d'une brève description des actions menées en vue d'appliquer les stratégies qu'ils se sont engagés à mettre en œuvre.

ou

Utilisez une formule d'évaluation :

- ✓ Inscrivez sur un formulaire la liste des vingt-six chapitres de cet ouvrage. (Ou, comme précédemment, limitez cette liste aux titres de votre choix.)
- ✓ Demandez à vos directeurs d'évaluer leur performance, sur une échelle de 1 à 5, relativement à chacune des stratégies retenues.
- ✓ Demandez-leur ensuite (si vous en avez ou s'ils en ont l'audace) de remettre une copie en blanc de cette liste à leurs subalternes afin que ces derniers les évaluent de leur côté, toujours sur une échelle de 1 à 5.
- ✓ Récompensez ceux qui effectuent leur tâche avec sérieux et convoquez les autres à un petit entretien.

Encore un autre…

EXERCICE PRATIQUE

- ✓ Envoyez la note de service suivante (en l'adaptant à vos besoins) à vos subalternes. Collez-la sur la couverture de ce livre. Réunissez ces mêmes personnes deux semaines plus tard et écoutez leurs commentaires.

Dest. : Tous les membres du personnel dirigeant
Exp. : Votre directeur
Objet : Comment garder avec nous les employés les plus talentueux

Cette note de service s'adresse à tous ceux qui ont du personnel sous leurs ordres. *Je vous demande votre aide.* Je sais qu'une chasse aux employés de talent est actuellement en cours et je suis inquiet à ce sujet. Notre objectif est d'être les meilleurs dans notre domaine. Nous voulons non seulement survivre, mais aussi prospérer au cours des années à venir. Nos succès dépendent de notre capacité à recruter et à garder les meilleurs éléments. Nos employés constituent encore notre meilleur atout face à nos concurrents.

Je suis persuadé que vous jouez un rôle essentiel à cet égard. Même si les salaires et autres avantages pécuniaires sont des éléments à ne pas négliger, il n'en demeure pas moins que la décision que prend un employé de partir ou de rester repose sur d'autres facteurs qui relèvent en grande partie de votre champ de compétence.

Je vous invite par conséquent à lire le livre ci-joint. En cours de lecture, demandez-vous quels sont les moyens que vous mettez présentement en œuvre afin de retenir les services de vos meilleurs éléments. Choisissez ensuite une des vingt-six stratégies décrites et mettez-la en application. Notez les résultats obtenus et faites-moi part de vos observations.

Je vais organiser une série de réunions mensuelles à ce sujet. Nous discuterons alors des stratégies qui fonctionnent et de celles qui ne donnent aucun résultat. Prenez également connaissance des rubriques intitulées « Dommage... ». Je ne doute pas que nous ayons des anecdotes similaires à raconter. Nous tenterons de comprendre pourquoi de tels cas sont survenus... et de prendre des mesures pour éviter qu'ils ne se reproduisent.

Première réunion : salle de conférences à 8 h 30.

Si vous n'avez pas de directeur ou de chef de service sous vos ordres, il est de votre devoir de bien diriger vos employés les plus talentueux et de les retenir au sein de votre entreprise. Choisissez, parmi les stratégies présentées dans cet ouvrage, celles que vous pourriez appliquer dès à présent en vue d'accroître vos chances de garder vos effectifs.

Ils ont décidé de partir

Et alors ? Ne pourriez-vous pas simplement engager du nouveau personnel ? Certes, il est toujours possible de remplacer des effectifs de talent, mais à quel prix ? Selon de nombreuses enquêtes, le coût de remplacement d'un employé clé serait de 70 % à 200 % du salaire annuel de ce dernier. Une étude a même établi qu'il existe au moins trois raisons essentielles de mettre en place une stratégie visant à garder ses employés[4] :

1. La perte d'un employé se traduit par des coûts allant de six à dix-huit mois de salaire.
2. Il en coûte deux fois plus de remplacer un travailleur œuvrant dans le secteur de la haute technologie, un professionnel ou un directeur que tout autre type d'employé.
3. La perte de contrats et de clients entraîne des coûts supplémentaires difficilement comptabilisables.

voir CHAPITRE 14

Et même si vous avez les moyens de remplacer vos employés démissionnaires, serez-vous en mesure de leur substituer des personnes tout aussi compétentes ? Selon certains chiffres officiels publiés aux États-Unis, il y aura 151 millions d'emplois dans ce pays en 2006, contre 141 millions de travailleurs. Bon nombre d'entre eux auront deux emplois[5]. En février 1999, Alan Greenspan a déclaré qu'il est impossible de maintenir une croissance soutenue de l'économie à cause du facteur *humain.* Il n'y a tout simplement pas assez de gens pour faire fonctionner la machine économique américaine !

Pendant ce temps, on apprend que des sociétés comme *Amazon.com* font l'objet de poursuites pour maraudage. Il importe de retenir de tout cela que les employés de talent sont devenus une denrée rare et continueront de l'être. Si vous en comptez au sein de votre entreprise, vous avez tout intérêt à prendre vos dispositions pour les garder.

EXERCICE PRATIQUE

✓ Tenez-vous au courant des conclusions des plus récentes études portant sur les mesures à prendre pour retenir ses effectifs. N'oubliez pas qu'il est en votre pouvoir de mettre en œuvre la plupart des stratégies qui ont fait leurs preuves à cet égard.

- ✓ Si vous faites partie du personnel de direction, demandez à vos directeurs et chefs de service de vous rendre des comptes relativement aux actions qu'ils mènent pour embaucher du personnel compétent et le garder au sein de votre entreprise. Que vos exigences en la matière soient claires et précises et faites en sorte d'évaluer les résultats obtenus. Rappelez-vous que les gens agissent davantage en fonction des contrôles dont ils font l'objet que d'après les attentes placées en eux.
- ✓ Faites au moins un essai. Choisissez un des chapitres de ce livre et mettez la stratégie décrite en pratique. Évaluez ensuite le résultat. Modifiez cette stratégie en fonction de vos propres besoins. Puis passez à une autre.

RÉSUMÉ

Votre responsabilité commence ici. Vous avez la possibilité d'exercer une influence déterminante sur la décision de vos employés de rester ou non au sein de votre entreprise. Montrez-leur que vous vous préoccupez de leur sort, que vous ne les oubliez pas, que vous êtes attentif à eux, que vous êtes à leur écoute et que vous appréciez ce qu'ils font pour vous. Car si vous en êtes incapable, ils vous laisseront tomber tôt ou tard.

---

1. Marie Gendron, « Keys to Retaining Your Best Managers in a Tight Job Market », *Harvard Management Update*, juin 1998, p. 1-4.
2. Hay Group, « 1998-1999 Employee Attitudes Study », 8, *HR/OD*, 1er décembre 1998.
« Why Workers Quit », *Arizona Republic*, 26 juillet 1998.
« Money Can't Buy Employee Commitment, WFD Research Reveals », *Business Wire*, 4 août 1998.
3. « Study of the Emerging Workforce », Saratoga Institute, Interim Services, Inc., 1997.
4. « Retention Management : Strategies, Practices, Trends », American Management Association, Saratoga Institute, New York, 1997, p. 31.
5. John A. Challenger, « There Is No Future for the Workplace », *The Futurist* 32, 1er octobre 1998, p. 16-20.

Chapitre 3

Aidez vos employés à réussir leur carrière

Je n'ai jamais eu le sentiment qu'il y avait un avenir pour moi dans cette entreprise. Je ne m'attendais certes pas à ce que la voie soit toute tracée pour moi, mais j'espérais au moins que quelqu'un vienne un jour m'entretenir de mon plan de carrière.

– J.A.

J.A. avait sûrement un avenir au sein de son entreprise. Mais si cet hypothétique futur est resté enfoui dans l'esprit de son supérieur, jamais il n'a pu influer sur la décision de cet employé déçu. Si vous ne vous entretenez jamais avec vos effectifs de leurs plans de carrière, vos chances de les garder s'en trouvent diminuées d'autant.

Dommage…

Après s'être donné à fond pour une petite compagnie de publicité, un jeune graphiste a constaté un jour qu'on confiait des mandats plus importants à des confrères ayant moins d'ancienneté que lui. Déçu devant le peu de considération dont il faisait l'objet, il songea dans un premier temps à s'en ouvrir à son chef de service. En fin de compte, il se contenta de démissionner de son poste sans mot dire.

Son supérieur se serait donné la peine d'interroger ce jeune employé sur ses objectifs professionnels qu'il aurait pu découvrir qu'il avait mieux qu'un meilleur salaire à lui offrir. Peut-être aurait-il même suffi que ce chef de service témoigne un peu d'intérêt à l'égard du plan de carrière de son protégé.

Que faire ?

Trop souvent les directeurs évitent d'aborder cette question avec leurs employés. Quels prétextes invoquez-vous personnellement pour ne pas leur parler de leur avenir ?

- ✓ Personne ne connaît l'avenir, moi moins que quiconque.
- ✓ Les temps ne sont guère propices à cela.
- ✓ Je ne suis pas préparé à aborder cette question.
- ✓ Je ne saurais trop que dire à ce sujet.
- ✓ Nous venons à peine de restructurer notre entreprise. Il est prématuré de spéculer sur les chances d'avancement de tout un chacun.
- ✓ Je refuse de soulever un problème dont je ne connais pas la solution.
- ✓ J'ignore quelle est la situation exacte en dehors de mon service ; je ne suis donc pas en position de conseiller utilement mes subalternes à ce sujet.
- ✓ Je ne tiens pas à être mis en cause si un employé n'obtient pas ce qu'il désire.
- ✓ Pourquoi me mêlerais-je de cette histoire ? Personne ne m'a jamais aidé dans ma carrière.

Ce que souhaitent réellement vos employés, c'est de pouvoir s'entretenir avec vous de leurs compétences, de leurs désirs et de leurs idées. Ils attendent de vous que vous soyez à leur écoute. Ils n'espèrent pas forcément de vous que vous ayez des réponses toutes faites à leurs interrogations, mais ils tiennent à établir avec vous un dialogue fécond relativement à ces questions.

C'est *vous* qui êtes chargé de coordonner harmonieusement les efforts de vos employés. Si vos effectifs sont persuadés que vous avez leur développement à cœur, ils croiront que telle est aussi la volonté de la direction de l'entreprise pour laquelle ils travaillent. Vous trouverez dans ce chapitre les éléments qui vous aideront à mieux canaliser leurs talents individuels. Si vous souhaitez vraiment aider vos effectifs à mettre en œuvre un plan de carrière approprié, vous devrez appliquer les diverses mesures proposées de façon régulière.

Approfondissez la question

Votre premier objectif, en entamant le dialogue avec vos employés, doit être de recueillir auprès d'eux des renseignements qui vous permettront de mieux les connaître. Ceux-ci sont souvent mal à l'aise pour parler de leurs compétences, de leurs valeurs et de leurs intérêts. Engagez avec eux la conversation de manière à vous permettre – et à leur permettre également – de découvrir qui ils sont, tant sur le plan professionnel que personnel.

Afin de les inciter à se dévoiler, posez-leur des questions qui les amèneront à réfléchir à ce qui fait leur spécificité. Le plus difficile consiste à faire de l'écoute active, comme le ferait un chercheur soucieux de connaître les réponses à ses interrogations. Par conséquent, sondez les cœurs avec l'intention d'apprendre et de découvrir des choses.

voir **CHAPITRE 21**

EXERCICE PRATIQUE

Interrogez vos employés à l'aide des questions suivantes et approfondissez ensuite chaque réponse obtenue :

✓ Qu'est-ce qui vous rend unique au sein de cette entreprise ?
✓ Pourriez-vous me parler d'une réalisation dont vous êtes particulièrement fier ?
✓ Quelles sont les valeurs qui comptent le plus à vos yeux ? Lesquelles sont mises de l'avant au sein de cette entreprise ? Lesquelles ne le sont pas ?

- ✓ Si vous aviez à choisir entre travailler avec des gens, des données, des objets ou des idées, quelle combinaison d'éléments vous conviendrait le mieux ? Pourquoi ?

Commentaires bienvenus

Il est essentiel que vous aidiez vos employés à réfléchir sur ce qui fait leur valeur, sur les commentaires que font les autres à leur sujet et sur les domaines dans lesquels il leur serait utile de se perfectionner. Il est crucial que vous ayez ce type d'interaction avec eux.

Dommage (enfin presque)

Récemment, une responsable du service du personnel est passée dire bonjour à un employé qui avait été embauché le même jour qu'elle, environ six mois plus tôt. Aux plus hauts échelons de l'entreprise, on le considérait comme un fonceur doté d'un énorme potentiel et on ne tarissait pas d'éloges à son sujet. Elle lui demanda comment ça allait. Il répondit en haussant les épaules que ça n'allait pas trop mal, mais qu'il n'était pas vraiment heureux et n'avait pas l'impression de faire des progrès. Elle fut étonnée de découvrir que personne n'avait encore pris la peine de dire à cet employé à quel point il abattait de l'excellent travail. Lorsqu'elle lui fit savoir combien on était impressionné par son rendement en haut lieu, son visage s'illumina. Il ignorait totalement qu'on l'appréciait à ce point.

Quand avez-vous évalué le rendement d'un de vos employés pour la dernière fois ? Parions que c'était il y a un certain temps déjà, soit peu avant que celui-ci reçoive sa dernière augmentation de salaire. Nous vous demandons cette fois de vous tourner vers l'avenir et d'évaluer dans quels domaines ce même employé pourrait s'améliorer.

voir CHAPITRE 20

Les travailleurs souhaitent recevoir des commentaires accompagnés d'exemples précis de ce qu'ils ont accompli et savoir en quoi cela peut avoir une incidence sur leur avenir. Encouragez-les par conséquent à rencontrer les personnes, à quelque échelon que ce soit, les plus aptes à tracer d'eux un portrait réaliste et à leur indiquer comment gravir intelligemment et rapidement les échelons au sein de l'entreprise.

EXERCICE PRATIQUE

Préparez l'entretien que vous aurez avec chacun de vos employés en vous demandant :

- ✓ À quelles tâches doit-il se consacrer en priorité afin d'apporter une plus grande contribution à l'entreprise ?
- ✓ En vous appuyant sur la plus récente évaluation de son travail, que pensez-vous de ses chances d'évoluer au sein de l'entreprise ?
- ✓ Quelle opinion ses confrères ont-ils de lui ?
- ✓ Comment entendez-vous commencer cet entretien avec lui ?

Rappelez-vous les conversations pénibles que vous avez pu avoir avec certains employés dont les objectifs de carrière étaient, compte tenu de leurs forces et de leurs faiblesses, purement et simplement irréalistes. Or, *faute d'entendre la vérité par votre bouche, ils ont continué à se bercer de douces illusions !* Pourtant, les études le confirment, les employés veulent qu'on leur parle sans détours. Si vous souhaitez les garder, soyez donc franc et honnête avec eux.

Des tonnes d'informations

Afin d'aider vos effectifs à saisir leurs chances de progresser, vous devez les inciter à être à l'affût des mutations et des changements qui se produisent en dehors de votre service et qui sont susceptibles d'influer sur leur carrière. Il vous appartient de déterminer quelles divisions sont en plein essor et lesquelles stagnent au sein même de votre entreprise, ainsi que de vous tenir au courant des dernières exigences, en matière de compétences, du secteur industriel dans lequel vous œuvrez.

Dommage...

Léonore correspondait exactement au profil recherché par notre entreprise. Elle était jeune et disposée à utiliser ses compétences techniques aussi bien que ses connaissances en gestion. Elle souhaitait contribuer au succès de l'entreprise et avait même réussi à en accroître le chiffre d'affaires. Elle a décidé de se chercher un nouvel emploi le jour où elle a appris que des changements étaient imminents au sein de notre entreprise, parce qu'elle ignorait ce qu'il adviendrait d'elle. Son premier chef de service avait été une femme qui savait motiver les employés et les garder au cœur de l'action. Mais Léonore avait été mutée et travaillait depuis peu sous les ordres d'un directeur qui n'avait manifesté aucun intérêt pour son plan de carrière. Par conséquent, devant la menace qui planait et devant l'indifférence de son nouveau patron, elle décida de tenter sa chance auprès d'une petite société qui démarrait. Il était clair que sa décision n'était motivée ni par les conditions salariales ni par les avantages pécuniaires qu'on lui proposait. Elle avait simplement espoir de travailler pour un directeur qui la garderait « au cœur de l'action » et qui se soucierait de son avenir professionnel. Au terme d'un entretien de quatre-vingt-dix minutes avec elle, je lui ai demandé si elle était disposée à reconsidérer sa décision. Elle m'a répondu qu'il était trop tard.

– Un directeur du personnel

De toute évidence, un entretien avec son nouveau chef de service relativement à ses ambitions professionnelles aurait pu avoir un effet déterminant sur la décision de Léonore de tenter ou non sa chance ailleurs.

EXERCICE PRATIQUE

Vos employés sont-ils au courant :

- ✓ Des changements politiques, économiques et sociaux qui sont les plus susceptibles d'avoir des répercussions sur votre entreprise ?
- ✓ Des perspectives encourageantes aussi bien que des difficultés qui se profilent à l'horizon ?
- ✓ Des principaux changements qui se produisent dans certains domaines de votre secteur d'activité ?
- ✓ Des bouleversements que subira leur activité professionnelle au cours des deux prochaines années ? au cours des cinq prochaines années ?
- ✓ Des facteurs qui conditionnent les succès de votre entreprise ?
- ✓ De l'existence des revues professionnelles, bulletins et autres publications susceptibles de les renseigner sur les grands courants qui influencent le monde des affaires et votre secteur d'activité à l'heure actuelle ?

Ne vous croyez pas obligé de transmettre seul toutes ces informations à vos employés. Il est certes de votre responsabilité de les tenir informés de ce qui se passe au sein de votre entreprise. Mais en leur indiquant quelles sont les autres personnes capables de les éclairer sur ces questions, non seulement vous leur ouvrez des portes sur des perspectives nouvelles, mais vous contribuez à combler les besoins élémentaires de votre entreprise. Quand avez-vous agi en conséquence pour la dernière fois ?

Une multitude de choix

Il est essentiel à leur développement que vous aidiez vos employés à envisager plusieurs possibilités de carrière au sein de leur encadrement actuel. Le jour où ils sont capables d'analyser leurs objectifs professionnels en termes de besoins et de développement stratégique pour leur entreprise, tout le monde en sort gagnant.

Un mot d'avertissement, toutefois. Chaque employé demeure fondamentalement responsable de ses choix de carrière. Dans notre esprit, il est exclu d'imposer quoi que ce soit à quiconque dans ce domaine. Faites plutôt des suggestions que vos effectifs auront par la suite toute la liberté d'examiner et d'accepter ou non. Il est essentiel, même si cela est parfois difficile à admettre, que ceux-ci décident librement de l'orientation à donner à leur carrière. Pendant des générations, il n'y avait d'autre voie acceptable que celle qui consistait à gravir un à un les échelons de la hiérarchie. Or, il existe au moins six manières différentes de mener sa barque de nos jours. Demandez à vos employés comment ils envisagent leur réussite professionnelle. Il y a gros à parier qu'ils n'auront jamais eu auparavant ce genre de conversation avec un patron ! Posez-leur la question : « Vous a-t-on jamais proposé les choix suivants au cours de votre carrière ? »

voir CHAPITRE 7

- ✓ *Une mutation latérale*: implique un changement de poste, sans modification obligée du niveau de responsabilité.
- ✓ *Un changement prospectif*: il s'agit d'une démarche visant à explorer diverses possibilités et qui nécessite de répondre à des questions du genre : « Qu'est-ce que je sais faire d'autre ? »
- ✓ *Une période d'enrichissement*: signifie que le poste actuel permet à son titulaire de continuer de progresser et d'acquérir de nouvelles compétences.
- ✓ *Un réajustement*: il s'agit d'une rétrogradation permettant de concilier les exigences du travail et d'autres priorités. Ainsi, le titulaire d'un poste peut réintégrer celui-ci après avoir été temporairement promu gérant.
- ✓ *Un changement définitif*: implique que le titulaire d'un poste quitte l'entreprise pour laquelle il œuvre parce que ses compétences, ses intérêts ou ses valeurs sont incompatibles avec les exigences de son travail.
- ✓ *Un déplacement vertical*: consiste à gravir les échelons de la hiérarchie, comme cela se passait autrefois lorsque cer-

tains employés recevaient une promotion. Il s'agit toutefois d'une chose exceptionnelle de nos jours dans la plupart des entreprises.

Accordez si possible à vos effectifs la permission d'explorer ces possibilités en fonction de leurs intérêts, de leurs valeurs et de la contribution qu'ils sont susceptibles d'apporter à votre entreprise.

Plus diversifiés sont leurs objectifs professionnels, mieux cela vaut. *La pire des frustrations pour un employé (et la chose n'est pas si rare qu'on l'imagine), c'est de constater que son seul et unique plan de carrière est soudain contrecarré.*

EXERCICE PRATIQUE

Posez à vos employés les questions suivantes, qui toutes visent à les aider à préciser leurs objectifs professionnels :

- ✓ Possédez-vous suffisamment d'informations sur les activités et les projets de l'entreprise pour entrevoir les diverses possibilités qui s'offrent à vous d'y faire carrière ?
- ✓ Comment pensez-vous obtenir les renseignements dont vous avez besoin ?
- ✓ Avez-vous envisagé toutes les options qui s'offraient à vous au moment d'établir votre plan de carrière ?
- ✓ Est-ce que chacune de ces options comporte divers scénarios possibles ?
- ✓ Ne serait-il pas préférable pour vous d'entrevoir davantage de possibilités ?
- ✓ Vos objectifs personnels sont-ils compatibles avec les objectifs et les projets de l'entreprise ?

Une fois que vous aurez aidé vos employés à élaborer divers scénarios et à avoir d'autres projets en tête que de simplement gravir les échelons de la hiérarchie, invitez-les à dresser l'inventaire des compétences et des connaissances qu'ils doivent acquérir pour répondre aux exigences de chacune des options envisagées.

RÉSUMÉ

Le meilleur moyen de maintenir votre avance sur vos concurrents consiste à permettre à vos employés d'évoluer, de se perfectionner et d'acquérir de nouvelles compétences. Il est de votre devoir de les aider à reconnaître les obstacles susceptibles de les empêcher de progresser. Mais c'est à eux seuls qu'il appartient de les surmonter en passant à l'action. Encouragez-les à entrer en rapport avec des personnes capables de les aider à atteindre leurs objectifs.

Une entreprise qui néglige de prendre en compte les aspirations de ses meilleurs éléments ne peut espérer les garder très longtemps.

Chapitre 4

Traitez vos employés avec respect et dignité

Dans l'ensemble, j'avais le sentiment qu'on me respectait, mais ce n'était pas le cas pour tout le monde. Je me souviens m'être senti mal à l'aise le jour où un chef de service a humilié sa secrétaire devant plusieurs employés. C'était un manque flagrant de respect à son égard, mais personne n'a jugé utile de protester ou de réagir.

– J.A.

Si nous devions demander à vos employés leur opinion à votre sujet, que répondraient-ils ? Diraient-ils de vous que vous êtes un chic type, un fonceur, un patron consciencieux qui sait motiver ses troupes ? À moins qu'ils ne vous décrivent comme quelqu'un d'exigeant mais pour qui ils ont plaisir à travailler ? Si vous admettez que vos employés puissent avoir des comportements différents, de même seront-ils disposés à vous accepter tel que vous êtes, avec vos imperfections, certes, mais comme un être humain qui donne le meilleur de lui-même. Par contre, les employés de talent tolèrent rarement très longtemps qu'on leur manque de respect. Si vous souhaitez les garder à votre service, vous devez donc les traiter avec beaucoup d'égards. Non seulement vous devez savoir reconnaître chacune de leurs qualités personnelles, mais votre comportement à leur endroit doit témoigner en permanence de déférence à leur égard. Traitez-les au fond comme vous voudriez qu'ils vous traitent.

Dommage...

Nous avons perdu une de nos plus précieuses assistantes parajuridiques. Tous les avocats du bureau considérant qu'elle était indispensable, ce fut un choc quand elle nous a quittés.

Au cours de son entretien de départ, elle a déclaré que ce n'était pas pour une question de salaire ou d'avantages pécuniaires qu'elle avait décidé de se chercher un nouvel emploi. Ce sont plutôt les affronts qu'elle essuyait au quotidien, semaine après semaine, alors qu'elle s'efforçait de donner le meilleur d'elle-même, qui l'ont poussée à démissionner. On n'avait plus procédé à l'évaluation de son rendement (ni même songé à la possibilité de lui accorder une augmentation) depuis six mois; sa requête visant à joindre les rangs d'une association d'assistants parajuridiques traînait depuis six semaines sur le bureau de son directeur; on lui avait interdit d'assister à une formation (gratuite) qui aurait pu avoir des retombées positives pour tout le cabinet, sous prétexte qu'on n'était pas en mesure de la dispenser de travail ce jour-là; on n'avait pas pris la peine de la remercier pour tout le travail qu'elle abattait et les excellents résultats qu'elle obtenait; son directeur ne cessait de maugréer, de laisser libre cours à sa colère et de passer ses frustrations sur elle sans même s'en excuser. Elle est donc partie parce que, loin de se sentir respectée et appréciée à sa juste valeur, elle avait plutôt l'impression d'être exploitée et méprisée, ce que tout le monde avait d'ailleurs pu constater.

– Un membre d'un important cabinet d'avocats

Une telle chose pourrait-elle se produire à votre lieu de travail ? Avez-vous (ou quelqu'un de votre connaissance a-t-il) déjà démissionné pour des motifs semblables ?

Le respect des différences

Il est difficile de respecter et d'honorer les autres à moins d'accepter les différences (voire d'en faire l'éloge) qui existent entre les gens. Pouvez-vous imaginer à quel point vos employés seraient improductifs (et ennuyeux!) s'ils pensaient tous de la même façon, s'ils étaient tous identiques, s'ils partageaient tous les mêmes valeurs et avaient tous les mêmes compétences? La plupart des gens acceptent d'emblée l'idée que la diversité des talents et des opinions contribue à renforcer une équipe et à produire de meilleurs résultats. Mais nous devons aussi admettre en toute honnêteté que ces différences posent parfois problème. En réalité, loin de nous faire les apôtres de la différence, la plupart d'entre nous se contentent bien souvent de la tolérer.

Le Musée de la Tolérance de Los Angeles a trouvé une manière originale d'accueillir ses visiteurs. Dès qu'un groupe s'est formé dans le hall, les gens sont priés de se rendre dans une salle d'attente où débute la visite. Notre guide nous a alors dit: « Veuillez noter que ce musée comporte deux entrées. L'une d'elles porte l'inscription "rempli de préjugés" et l'autre "sans préjugé". Vous êtes libres de franchir l'entrée qui correspond le mieux à ce que vous êtes. » Il y eut une longue pause au cours de laquelle les visiteurs se demandaient quelle direction prendre. Au bout d'un moment, un homme se dirigea courageusement vers la porte sur laquelle se trouvait l'inscription « sans préjugé ». Quelques personnes le suivirent, cependant que le reste du groupe se contenta d'observer la scène. L'homme tourna le bouton, parut d'abord surpris puis devint rouge de honte en constatant que la porte était verrouillée. En effet, les visiteurs doivent impérativement emprunter la porte sur laquelle se trouve l'inscription « rempli de préjugés ».

– Sharon Jordan-Evans

Que pensez-vous de cette anecdote? Vers quelle porte vous seriez-vous spontanément dirigé? Comment auriez-vous réagi devant la porte fermée? Il est capital de prendre conscience de nos préférences et de nos préjugés, car qui n'a pas de parti pris? Ils se manifestent à tout propos, lorsque nous conseillons et guidons les autres, par exemple, ou lorsque nous devons choisir qui mérite une promotion, une récompense, une réprimande ou un poste (des études démontrent que nous avons tendance à embaucher les gens qui nous ressemblent). Lorsque vous aurez mesuré toute l'ampleur de vos idées préconçues, vous serez à même d'en évaluer les conséquences possibles sur vos effectifs.

> *Il est jeune et je suis plus âgée que lui. C'est un homme et je suis une femme. Il vient de la côte ouest des États-Unis, je suis de la côte est. Il fait de la course à pied et j'ai des kilos en trop. Qu'avons-nous comme points en commun et comment ferons-nous pour travailler ensemble?*
>
> **– Une directrice du marketing se confiant à un collègue de travail**

Pour que ces différences ne constituent pas un obstacle dans vos rapports avec vos employés, il importe en premier lieu de procéder à un examen attentif de vos convictions personnelles. Jusqu'à quel point faites-vous preuve de respect à l'égard des gens qui sont très différents de vous? Appréciez-vous à leur juste valeur leur contribution au succès de votre équipe? Jusqu'où êtes-vous prêt à aller pour les garder?

EXERCICE PRATIQUE

✓ Procédez à un examen approfondi de vos comportements et de vos préjugés. Avez-vous tendance à vous éloigner ou à vous rapprocher des personnes qui sont différentes de vous à cause de:

- La couleur de leur peau?
- Leur statut social?
- Leur éducation?
- Leur taille ou leur poids?
- Leur personnalité?
- Leur âge?
- Leur fonction?
- Leur sexe?

- Leur titre ?
- Leur accent ?
- Leurs origines ?
- Leurs compétences ?
- Leur mode de vie ?
- Leur orientation sexuelle ?
- Leur (complétez) ___________

✓ Observez comment vos préjugés influencent votre comportement au bureau. À qui avez-vous accordé une promotion pour la dernière fois ? À qui ne prêtez-vous généralement pas attention ? Qui avez-vous tendance à moins féliciter que les autres ? Avec qui êtes-vous plus aimable ? moins aimable ?

✓ Prenez la décision de modifier votre attitude. Soyez désormais équitable envers tous et évitez de faire preuve de discrimination comme vous en aviez l'habitude. Vos employés ne manqueront pas de remarquer ce changement de comportement.

✓ Considérez les différences entre vos employés comme un atout. L'auteur Roosevelt Thomas, qui agit en tant que consultant en la matière, définit la diversité comme le moyen de tirer le maximum des capacités de l'ensemble des travailleurs. Sachez par conséquent apprécier et utiliser à bon escient les points forts, le style et les compétences de chacun de vos employés.

Je déteste cette personne. Je dois apprendre à mieux la connaître.

– Abraham Lincoln

Souvent, les gens se rebiffent face au concept de diversité parce qu'ils s'imaginent qu'ils devront faire l'effort d'éprouver des sentiments qui ne sont pas les leurs. Or, il n'est pas nécessaire de modifier votre sensibilité à l'égard des différences pour pouvoir les apprécier. La question est plutôt de savoir de quelle manière vous entendez *agir* pour garder vos meilleurs employés.

De quel bois vous chauffez-vous ?

Histoire de vraiment traiter les autres avec respect et dignité, vous pourriez être amené à contrôler vos humeurs. Avez-vous jamais travaillé pour quelqu'un à l'humeur changeante, c'est-à-dire qui est bien disposé une journée et maussade le lendemain ? Il est certes normal d'avoir des hauts et des bas, mais c'est faire preuve de maturité que de maîtriser ses émotions afin d'éviter de blesser son entourage. Les gens à l'humeur exécrable ou qui ont en permanence des accès de colère sont tout simplement incapables de se contrôler. Ils ne se privent pas de déverser leur fiel sur leurs employés (ou les membres de leur famille), sans se soucier des sentiments de gêne, de colère, de vexation, d'humiliation ou d'indignité qu'ils provoquent autour d'eux.

voir CHAPITRE 10

EXERCICE PRATIQUE

- ✓ S'il vous arrive d'être d'humeur massacrante, prenez-en conscience et apprenez à vous maîtriser. Lorsque vous traversez des moments difficiles, retirez-vous dans votre bureau et faites une pause.
- ✓ S'il vous arrive de tomber à bras raccourcis sur un de vos employés, excusez-vous aussitôt auprès de ce dernier. L'erreur est humaine et la plupart des gens accepteront vos excuses, car elles sont un signe de respect.
- ✓ Si vous avez de sérieux problèmes émotionnels, consultez un psychologue ou adressez-vous au programme d'aide aux employés de votre entreprise.

Vos employés sont-ils invisibles ?

Mon ancien directeur ne me disait jamais bonjour. Il traversait le hall sans s'arrêter à ma hauteur, comme si je n'existais pas ou que j'étais invisible. Par contre, il saluait tous les vice-présidents. Ma nouvelle directrice, elle, me traite avec respect. Je sens qu'elle me considère comme un être humain, même si elle occupe un poste plus élevé que le mien. J'aime travailler dans cette banque.

– Une caissière

Les employés qui font référence au manque de respect les ayant poussés à se chercher un nouvel emploi parlent souvent de cette impression d'être à ce point insignifiants qu'ils se seraient crus invisibles. Peut-être êtes-vous simplement distrait quand vous passez devant eux sans les saluer, mais eux considéreront que vous leur manquez de respect.

EXERCICE PRATIQUE

✓ Soyez attentif à vos employés. Quand vous passez devant eux, prenez la peine de les saluer en les appelant par leur nom.
✓ Souriez à vos employés, serrez-leur la main, adressez-leur la parole et présentez-les aux autres employés de votre entreprise, y compris à ceux qui occupent un poste plus élevé. Ils se sentiront honorés d'un tel geste et n'auront pas l'impression d'être invisibles.

Accordez-leur votre confiance

Certains prétendent que la confiance est un don. D'autres affirment qu'elle doit se mériter. D'autres encore refusent tout simplement d'accorder leur confiance à qui que ce soit. Andy Grove, le président du conseil d'Intel, a d'ailleurs écrit un livre intitulé *Only the Paranoid Survive* (Seuls les paranoïaques s'en tirent). Voilà certes un titre accrocheur, mais il est difficile d'imaginer qu'on puisse vivre ainsi.

Nous croyons plutôt que si vous faites confiance à vos employés, ceux-ci s'en montreront dignes pour la plupart. Ils se sentiront honorés et respectés de voir que vous leur confiez des tâches importantes et de lourdes responsabilités et que vous les laissez accomplir certaines besognes à leur manière. L'inverse est également vrai, bien sûr. Si vous négligez de leur accorder votre confiance, ils sentiront que vous portez atteinte à leur honneur, que vous leur manquez de respect et que vous les sous-estimez. Et il y a gros à parier qu'ils vous quitteront à la première occasion.

Si vous en doutez, reportez-vous à l'époque où vous avez travaillé sous la responsabilité d'un directeur qui vous faisait implicitement confiance ; qui était sûr que vous réussiriez ; qui vous confiait des informations privilégiées ou des sommes d'argent. Quel sentiment éprouviez-vous ? Quelle était l'intensité de votre dévouement à l'égard de votre patron et de votre entreprise ?

Dommage…

Il était tout simplement incapable de nous faire confiance. On aurait dit qu'il était persuadé que nous voulions avoir sa peau, et c'est un peu ce qui a fini par se produire. Nous savions que nous étions dignes de confiance, mais nous nous sommes presque sentis coupables lorsqu'il a commencé à épier nos moindres faits et gestes. Nous devions lui rendre compte de notre emploi du temps à la minute près et de nos dépenses à cinq cents près. À la fin, notre travail était devenu trop humiliant. Tous les membres de notre équipe ont alors décidé de se chercher un autre boulot et un patron qui leur faisait confiance.

– Le directeur d'une firme d'ingénierie

Si seulement ce directeur avait pris conscience qu'il avait des employés dignes de confiance à son service. Loin de vouloir sa peau, ils cherchaient tout simplement à bien faire leur travail. Faire confiance à quelqu'un, c'est faire preuve d'énormément de respect à son égard.

EXERCICE PRATIQUE

- ✓ Jusqu'à quel point faites-vous confiance aux autres ? Êtes-vous d'avis que ce sentiment est un don ou avez-vous plutôt tendance à exiger des preuves avant de l'accorder aux autres ?
- ✓ Exercez-vous avec vos employés. Dites-leur que vous avez confiance en eux, agissez en conséquence et faites-leur *réellement* confiance. Donnez-leur des responsabilités puis laissez-les les assumer !

Ce qui est juste est juste

Des employés compétents laisseront inévitablement tomber un directeur qu'ils trouvent injuste. Dans leur esprit, un traitement inéquitable équivaut à un manque de respect. Quelle est votre manière de communiquer et d'agir avec vos effectifs ? Comment perçoivent-ils vos décisions et les changements que vous mettez en œuvre ? Qu'est-ce qui leur paraît juste ou injuste dans tout cela ? Êtes-vous à l'écoute de leurs suggestions et tenez-vous compte de leurs réactions ? Si vous ne le faites pas, vous êtes assuré de les perdre.

Y a-t-il quelqu'un ?

Certains directeurs sont tellement occupés qu'ils donnent parfois l'impression d'être inaccessibles. À moins que le ciel ne s'écroule devant leurs yeux (et encore !), il est pratiquement impossible d'attirer leur attention. Un employé vous demande le lundi s'il peut quitter un peu plus tôt le vendredi parce qu'il doit reconduire son fils à un match de hockey cet après-midi-là. Un autre a besoin de votre accord pour assister à une conférence qui aura lieu dans deux mois. La femme d'un troisième employé vient d'être hospitalisée par suite d'une maladie grave. Que décidez-vous ? Dans les trois cas, il est souhaitable de prendre une décision rapidement.

Malheureusement, trop de chefs de service débordés de travail se contentent de répondre au premier et au deuxième employés qu'ils vont réfléchir à la question, mais ils n'en font rien. Ces employés restent sur l'impression qu'on ne les prend pas en considération et qu'on ne les respecte pas. Ils sont placés face à un pénible dilemme : soit harceler leur patron, soit laisser tomber l'affaire (même s'ils n'oublieront pas de sitôt l'affront subi). Et que fait un directeur occupé dans le cas du troisième employé ? La plupart du temps, rien. Pour traiter un tel employé avec dignité, il faut pouvoir reconnaître à quel point sa situation est particulièrement difficile.

> *Ma mère, qui vivait à plus de 1 500 kilomètres, était sur le point de mourir du cancer. Au bureau, j'étais l'ombre de moi-même ; j'étais incapable de me concentrer sur mon travail tellement je me sentais coupable de ne pas être à ses côtés. Mon directeur m'a fait venir dans son bureau et m'a proposé d'aller rejoindre ma mère et de rester auprès d'elle le temps qu'il faudrait. Je n'oublierai jamais un tel geste. Je me suis sentie tellement valorisée et respectée que, depuis, je suis entièrement dévouée à cette entreprise.*
>
> **– Une secrétaire de cabinet de gestion**

EXERCICE PRATIQUE

- ✓ Soyez à l'écoute des besoins et des désirs de vos employés. Même si ceux-ci ont l'air de détails insignifiants, ils revêtent une grande importance à leurs yeux.
- ✓ Répondez à leurs requêtes sans tarder. N'attendez pas qu'ils vous harcèlent à ce sujet.
- ✓ Sachez reconnaître quand vos employés traversent des moments difficiles et prenez alors les dispositions nécessaires pour leur venir en aide. Ils vous le rendront au centuple.

RÉSUMÉ

Il peut sembler facile de faire preuve de respect à l'égard des autres. Après tout, c'est une simple question d'attitude, n'est-ce pas ? Il est vrai qu'on ne peut traiter les autres avec égard et respect que si on a des convictions solidement ancrées en ce sens. Mais encore faut-il que celles-ci débouchent sur des comportements et des gestes concrets. Comment jugez-vous les gens qui sont différents de vous ? Comment agissez-vous à leur égard ? Soyez à l'écoute de vos employés, ne laissez pas leurs requêtes sans réponse et, par-dessus tout, traitez-les comme vous voudriez qu'ils vous traitent : avec respect et dignité.

Chapitre 5

Enrichissez les tâches de vos employés

Mon boulot est devenu monotone. Cela dit, je faisais bien mon travail, mes clients étaient satisfaits, mes compétences étaient très appréciées, mais tout cela n'avait plus d'importance à la fin. Le train-train quotidien m'ennuyait et je ne voyais pas comment régler ce problème.

– J.A.

Il manque quelque chose. Où est passé le plaisir ? Qu'est devenue la perspective de croissance et de développement personnels ? À quel moment un emploi stimulant est-il devenu une simple routine ? À partir de quel moment la monotonie a-t-elle pris le pas sur la nouveauté ?

Personne n'est à l'abri de la monotonie

Malheureusement, vos employés les plus talentueux sont les plus susceptibles d'éprouver ce genre d'insatisfaction. En effet, ils sont par définition intelligents, créatifs, énergiques et dynamiques. Ils ont besoin d'un travail stimulant et d'occasions de se surpasser, d'évoluer et d'apporter une contribution valable au succès de leur entreprise. Si vos meilleurs éléments constatent que leur travail ne répond plus à leurs besoins, ils en concluront que celui-ci ne présente plus d'intérêt pour eux et ils se mettront en quête de nouveaux défis.

Certains employés, qui ne sont pas encore les grandes vedettes de votre équipe mais qui ont un énorme potentiel, peuvent choisir de rester en poste malgré les frustrations qu'ils éprouvent. Au lieu de chercher ailleurs un emploi stimulant, ils optent pour une politique de désengagement. Même si, physiquement, ils sont toujours à leur poste, dans leur esprit ils sont déjà ailleurs. Leur productivité baisse, soit parce qu'ils s'absentent souvent, soit parce que leur rendement devient médiocre. Ils ménagent désormais leurs énergies et leurs efforts en se disant : « À quoi cela me servirait-il de toute façon ? »

Il existe par conséquent deux types de réaction chez les employés insatisfaits de leur travail : ils quittent ou ils deviennent moins productifs. Dans un cas comme dans l'autre, il s'agit d'une perte en capital humain – susceptible d'être évitée – qui se produit au détriment de votre service et de votre entreprise. Les employés qui agissent de la sorte vous lancent le message suivant : *il y a un problème au niveau du travail lui-même.* Il peut s'agir d'un emploi rémunérateur qui offre

Dommage…

Je m'acquittais des mêmes tâches depuis sept ans lorsque ma compagnie a décidé de diversifier ses activités et de prendre de l'expansion dans un nouveau secteur. Je suis allé trouver mon directeur afin de lui faire part de mon désir d'en savoir plus long sur ces nouvelles activités et de donner ainsi une nouvelle dimension à mon travail en œuvrant, même partiellement, dans ce domaine. Je n'avais aucune idée de la manière dont la chose pourrait se réaliser, mais je savais que j'avais besoin d'un changement salutaire dans mon train-train quotidien. Lorsque j'abordai la question, il me répondit avec brusquerie : « On a déjà choisi ceux qui accompliront ces nouvelles tâches. Vous êtes plus utile pour nous là où vous êtes présentement. » La discussion était close. Six mois plus tard, je quittais cette entreprise.

– Un agent d'assurances

une bonne sécurité et comporte des avantages intéressants au sein d'une excellente société qui obtient d'importants contrats; l'employé peut être entouré de collègues qu'il respecte et avec qui il a plaisir à travailler, etc. Il est cependant possible que les tâches quotidiennes ne procurent pas l'excitation et n'offrent pas les perspectives de croissance et d'avenir que recherche un employé désireux de se donner à fond à son travail et de contribuer ainsi au succès de son entreprise.

À l'origine d'un gain de productivité

Un des moyens les plus efficaces de stimuler des employés consiste à *enrichir* le contenu de leur travail. Votre rôle à cet égard consiste à réorganiser leurs tâches de manière à ce qu'ils puissent satisfaire leur besoin de développement et de stimulation sans avoir à quitter leur emploi ou leur entreprise. La clé de cette opération délicate reste le changement, et celui-ci peut survenir soit au niveau de la méthode de travail, soit au niveau de la tâche à effectuer. Il en résulte que les employés sont amenés à accomplir des tâches ou à assumer des responsabilités nouvelles, ou encore à faire davantage appel à leur autonomie et à leur créativité.

Un travail dont le contenu a été enrichi:

- ✓ favorise et valorise une meilleure qualité de production;
- ✓ laisse aux employés la liberté de développer de nouvelles idées et de les mettre en pratique;
- ✓ favorise l'établissement et l'atteinte d'objectifs individuels et collectifs;
- ✓ permet aux employés de participer activement à la réalisation d'un produit ou d'un objectif;
- ✓ incite les employés à acquérir de nouvelles connaissances, à se surpasser et à entrevoir de nouveaux horizons;
- ✓ équivaut à un emploi porteur.

À l'usine Harley-Davidson de Kansas City, on a fait en sorte d'accroître la participation des employés et de leur faire connaître des expériences nouvelles, en permettant notamment aux ouvriers des lignes de montage de jouer un rôle actif dans la construction de motos encore plus performantes. Voici quelques exemples d'outils conçus par eux qui sont dorénavant utilisés dans cette entreprise :

- ✓ *des chariots qui pivotent de 360 degrés et s'ajustent à la taille des ouvriers chargés de transporter des pièces d'un poste d'assemblage à l'autre ;*
- ✓ *des roues spéciales, destinées à l'assemblage des cadres des motos, qui facilitent la tâche des soudeurs ;*
- ✓ *un pistolet électrique qui donne de meilleurs résultats que lorsqu'il fallait peindre les célèbres rayures de la marque à la main.*

Les employés ont désormais droit à des primes de rendement, sans compter qu'ils jouent un rôle crucial en ce qui a trait à l'organisation du travail, à la préparation des budgets et à la politique d'achat[1].

De nos jours, il est possible d'adapter un emploi aux besoins et aux objectifs spécifiques d'un employé avec le même soin que met un tailleur à confectionner un vêtement sur mesure pour un client accablé d'un défaut physique.

– David Ulrich et David Sturm

Comment enrichir rapidement le contenu d'un travail

Puisqu'un travail dont le contenu a été enrichi rapporte de tels bénéfices à l'entreprise, de tels emplois ne devraient-ils pas constituer la norme ? Il n'en est rien parce qu'aucun emploi et qu'aucun employé ne se ressemblent. Ce qui stimule tel employé diffère de ce qui en stimule un autre. Carole est malheureuse à l'idée de toujours recommencer les mêmes choses. Marc ne peut plus supporter qu'on lui répète comment

voir CHAPITRE 1

remplir ses rapports comptables. Linda constate que les logiciels mis à sa disposition comblent d'aise ses supérieurs, mais elle ignore totalement à quoi ils peuvent servir. Comment modifier les conditions de travail d'un employé de manière à les adapter aux besoins et à la personnalité de ce dernier ? Il suffit de le lui demander.

EXERCICE PRATIQUE

Posez à vos employés les questions suivantes afin de les aider à déterminer dans quelle mesure le contenu de leur travail pourrait être enrichi :

- ✓ Savez-vous que votre travail est important pour la compagnie ?
- ✓ Quelles sont les compétences que vous utilisez à l'ouvrage ? Quels sont les talents que vous possédez mais n'utilisez pas encore ?
- ✓ Qu'est-ce qui vous stimule et vous satisfait dans votre travail ?
- ✓ Dans quels secteurs souhaiteriez-vous avoir des responsabilités accrues afin de mieux accomplir vos tâches actuelles ?
- ✓ Qu'est-ce que vous aimeriez accomplir comme travail au cours des trois à cinq prochaines années ?
- ✓ Quels types de changements souhaiteriez-vous voir apportés à votre travail ?

Il s'agit de déclencher chez vos employés un processus de réflexion qui les amène à trouver des idées susceptibles d'améliorer leurs conditions de travail. Ces dernières varieront sans doute sensiblement d'un employé à l'autre. Voici néanmoins quelques exemples de demandes qui pourront vous être formulées :

- ✓ Davantage d'autonomie ;
- ✓ Davantage de *feed-back* de votre part ;
- ✓ Une participation accrue au processus de décision ;
- ✓ Davantage d'occasions de travailler en équipe ;

✓ Davantage de diversité au niveau des tâches;
✓ Des tâches plus stimulantes et davantage d'occasions d'acquérir de nouvelles connaissances.

Si un employé éprouve de la difficulté à formuler une réponse, aidez-le à exprimer ses idées. Ne lui mentez jamais sur les chances qu'elles ont de se réaliser. S'il compte sur une promotion qui ne pourra se concrétiser dans un avenir prévisible, ayez l'honnêteté de l'avouer et examinez aussitôt avec lui quels sont les autres moyens à votre disposition pour rendre son travail plus stimulant.

Vous disposez des outils nécessaires

Si vous constatez que vos employés réclament tous un travail plus stimulant et plus lucratif, ne désespérez pas pour autant. Sachez que vous disposez d'une foule de moyens presque magiques de rester maître de la situation. Les directeurs et chefs de service qui travaillent en étroite collaboration avec les employés qui se confient à eux ont en effet toutes les chances de trouver comment améliorer les conditions de travail de ces derniers. Voici à ce sujet quelques idées qui ont fait leurs preuves:

Comment rendre le travail de vos employés plus stimulant

voir CHAPITRE 15

✓ *Combinez diverses tâches entre elles.* Dans l'industrie de l'automobile, on a depuis longtemps découvert qu'un ouvrier qui effectue toujours la même tâche répétitive ne sera pas aussi stimulé et n'aura pas la même motivation qu'un ouvrier chargé de plusieurs tâches connexes, telles que peindre une voiture au complet plutôt que de simplement peindre les enjoliveurs de roues.
✓ *Formez des équipes.* Des équipes de travail autonomes peuvent être amenées à prendre différentes décisions, comme répartir le travail de manière à permettre à chacun d'accomplir des tâches diverses et d'acquérir de nouvelles connaissances tout en étant témoin du résultat de ses efforts.

- ✓ ***Mettez vos employés en rapport avec vos clients.*** Ainsi, un informaticien gagnerait à connaître les besoins réels de vos clients plutôt que de simplement intervenir en cas de panne. Affectez un de ces spécialistes à un service et mettez-le en charge du réseau informatique. Mettez-le au service d'un de vos clients, qui peut aussi bien être à l'intérieur qu'à l'extérieur de votre entreprise. Il est si rare que les employés aient l'occasion de rencontrer des clients !
- ✓ ***Procédez par rotation.*** Confier de nouvelles responsabilités à un employé peut l'aider à se sentir stimulé et valorisé. En outre, il acquiert alors de nouvelles compétences susceptibles de renforcer votre équipe. Craignez-vous que l'anarchie s'installe si vous procédez de la sorte ? Demandez leur avis à vos employés et laissez-les décider qui fera quoi et à quel moment. Vous serez surpris de l'efficacité avec laquelle ils se répartiront adéquatement le travail.
- ✓ ***Instaurez un système d'évaluation permanente.*** Ne vous contentez pas d'évaluer vos employés une fois par année. Faites en sorte que chacun de vos employés connaisse l'opinion de ses collègues et de vos clients à son sujet. Les employés ne demandent pas mieux que de savoir ce qu'on pense de leur rendement et un système d'évaluation permanente les aide à contrôler eux-mêmes la qualité de leur travail.
- ✓ ***Instaurez un système de participation généralisé.*** Lorsqu'ils prennent part aux décisions concernant la politique budgétaire et la politique d'embauche de leur entreprise, ou encore l'organisation du travail et les horaires, les employés se sentent investis d'un pouvoir qui les motive grandement. Le fait d'avoir une vue d'ensemble des choses les incite à apporter une contribution valable au succès de l'entreprise.
- ✓ ***Favorisez la créativité de vos employés.*** La créativité tend à disparaître si l'on ne fait pas appel à elle. Si vous demandez rarement à vos employés de réfléchir par eux-mêmes, ils perdront la capacité d'émettre des idées qui pourraient vous être utiles. Ils accompliront leur tâche dans l'indifférence,

sans aucune motivation. Il vous appartient donc de réclamer de nouvelles idées et de récompenser les plus créatives, ainsi que de donner à vos employés les moyens de laisser libre cours à leur créativité et de leur confier de nouvelles tâches qui leur permettront d'acquérir de nouvelles connaissances.

✓ ***Aidez vos employés à se fixer des objectifs.*** L'idéal serait que chaque employé se fixe des objectifs qui le stimuleront et l'inciteront à progresser. Vous pouvez leur demander, une fois l'an, de préciser dans quel domaine ils souhaitent s'améliorer, puis en discuter avec eux, soit en groupe ou individuellement, ou vous pouvez demander aux membres de votre équipe de se réunir pour se fixer des objectifs communs. Il peut s'agir d'objectifs aussi variés qu'entreprendre de nouveaux projets, mettre au point de nouvelles méthodes de travail, collaborer avec d'autres collègues à la réalisation de projets divers, prendre des décisions de manière autonome ou acquérir de nouvelles compétences.

La fixation des objectifs au sein de l'industrie pétrolière : dans le cadre de son programme destiné à favoriser le bon déroulement de leur carrière, une importante compagnie pétrolière a demandé à chacun de ses employés de se fixer au moins deux objectifs. Un comité de planification a ensuite été chargé d'aider ces employés à les peaufiner et à les mettre en œuvre. On a ensuite fait le nécessaire pour que la plupart de ceux-ci deviennent réalité[2].

Ces quelques idées peuvent contribuer à changer la nature du travail de vos employés, sans que ceux-ci aient à quitter votre service ou votre entreprise pour autant. Elles exigent de vous simplement que vous preniez le temps de les écouter, que vous gardiez l'esprit ouvert et que vous soyez disposé à tenter de nouvelles expériences.

RÉSUMÉ

Il n'est ni compliqué ni difficile d'enrichir le contenu du travail de vos employés. Mais vous devez pour cela rester attentif aux besoins de chacun d'eux, les encourager à exprimer leurs idées et mettre sur pied des projets stimulants chaque fois que cela est possible. Il vous faut toutefois comprendre qu'en aidant ainsi vos effectifs à améliorer leur sort vous éprouverez peut-être l'impression que la situation vous échappe. Soyez rassuré : votre ouverture d'esprit constitue, avec le temps, votre meilleure garantie de garder vos employés les plus talentueux.

1. Dana Fields, « At Harley, Workers are Boss », *Detroit News,* 12 juin 1998.
2. Beverly Kaye, *Up Is Not the Only Way,* Palo Alto, Californie, Davies Black, 1997.

Chapitre 6

Soyez bienveillant à l'égard de la famille

Ce n'est qu'un détail, mais c'est la goutte d'eau qui a fait déborder le vase. Je me souviens comme si c'était hier du jour où j'ai voulu assister au match de soccer dans lequel jouait ma fille. Mon chef de service m'a clairement fait entendre qu'il n'était pas question pour moi de quitter mon travail plus tôt sous aucun prétexte.

– J.A.

Comment ça va à la maison ? Comment va la famille ? Quand avez-vous pour la dernière fois pris un repas en tête-à-tête avec un membre de votre famille qui réclame votre présence ? Quelqu'un parmi vos proches se plaint-il de ne pas vous voir aussi souvent qu'il le souhaiterait ?

Les gens quittent leur emploi le jour où la pression devient telle au bureau qu'elle déteint sur leurs relations familiales. Vos employés vous laisseraient-ils tomber si vous les obligiez à choisir entre leur travail et leur famille ? La réponse est oui. Au cours des dernières années, les magazines d'affaires ont beaucoup insisté sur l'importance d'instaurer, au sein des entreprises, une « culture bienveillante à l'égard de la famille ». Mais qu'entend-on par là au juste ?

Les employés ne souhaitent rien de moins qu'un milieu de travail qui les aide à trouver un équilibre entre les exigences de la vie professionnelle et de la vie familiale, et non pas qui les force à choisir entre les deux. Il sera désormais de plus en plus difficile pour les entreprises qui ne répondent pas à cette attente de garder leurs meilleurs éléments.

Les employés de talent n'ont pas beaucoup d'efforts à faire pour dénicher un employeur qui offre un service de garderie ou en assume les frais, qui propose des horaires flexibles ou des programmes d'emploi partagé, de travail à domicile, de soins aux aînés et de congés de maternité (voire de paternité). Les entreprises qui ont une telle politique à l'égard de la famille laissent leurs employés décider de quelle manière ils entendent travailler, de leurs horaires et même parfois de l'endroit où ils veulent travailler. Elles permettent à leurs employés de faire face à leurs obligations familiales tout en restant productifs.

Si semblable politique ou d'autres programmes similaires existent au sein de votre entreprise, réjouissez-vous. Sinon, deux options s'offrent à vous. La première consiste à jeter les bases d'une telle politique en vous informant de ce qui se fait ailleurs, en communiquant ces renseignements à votre supérieur (ou au service du personnel) et en faisant des recommandations à ce sujet. Tâchez ensuite de faire remonter ces idées jusqu'au sommet de la hiérarchie de votre entreprise et d'en faire adopter quelques-unes. Que vous empruntiez cette voie ou non, un deuxième choix, plus pressant, s'offre à vous : devenir un directeur bienveillant à l'égard de la famille. *Vous* pouvez faire quelque chose pour faciliter la tâche de vos employés qui, ne l'oubliez pas, ont aussi une existence en dehors du bureau. Il en résultera que ceux-ci vous seront plus dévoués que jamais et seront moins portés à vous faire faux bond à la première occasion. Nous vous encourageons à aller dans ces deux directions.

Qu'est-ce qu'une famille et quelles sont ses exigences ?

Qu'entendons-nous par le mot « famille » ? Certains imagineront aussitôt un père et une mère avec de jeunes enfants. D'autres verront plutôt un célibataire endurci prenant soin de son vieux père, un couple de nouveaux mariés ou encore un jeune adulte et un chien. Une seule et même politique à l'égard de la famille ne suffit pas à combler les attentes de toutes ces personnes. Il est donc essentiel que vous différenciez les divers types de famille que forment vos employés afin de réfléchir, avant d'en discuter avec eux, aux solutions les plus appropriées aux besoins de chacun. Or, le meilleur moyen d'obtenir ce genre de renseignements consiste encore à les interroger à ce sujet.

voir **CHAPITRE 1**

EXERCICE PRATIQUE

✓ Posez à vos employés cette question : « Qu'est-ce qui vous rendrait la vie plus facile ? » Tout en écoutant leurs réponses, essayez de voir ce que vous êtes en mesure de faire pour leur venir en aide, même s'il ne s'agit que de petits détails. Échangez vos idées avec eux sur les meilleures solutions à apporter à leurs problèmes lorsqu'ils sont tiraillés entre leur travail et leur vie familiale.

Faites preuve de bienveillance

Il est possible que l'absence de politique de votre entreprise à l'égard de la famille limite votre marge de manœuvre. Nous demeurons néanmoins persuadées que vos employés ne restent pas indifférents aux efforts que vous faites ou non pour leur faciliter l'existence. Les occasions pour vous de faire preuve de bienveillance à l'égard des membres de votre équipe qui ont charge de famille ne manqueront certainement pas. Pour la grande majorité, elles ne vous coûteront pour ainsi dire rien, tant à vous-même qu'à votre entreprise.

Dommage…

Ernest s'épuisait à tenter de maintenir un équilibre adéquat entre sa vie professionnelle et sa vie familiale, et il en éprouvait énormément de frustration. Sa femme travaillait également et ils avaient un bébé de six mois. Ernest tenait à collaborer avec sa femme à élever leur enfant; il commença donc à travailler moins d'heures afin de pouvoir récupérer sa fille à la garderie ou l'emmener au besoin chez le médecin. Même si son rendement et la qualité de son travail demeuraient élevés, il n'effectuait plus que 45 heures de travail par semaine, selon un horaire irrégulier, au lieu de 55 heures. Son directeur lui a alors intimé l'ordre de revenir à son horaire habituel. Ernest a eu beau tenter de lui expliquer la situation, son responsable a carrément refusé de l'écouter. Moins de deux mois plus tard, Ernest s'était déniché un nouvel emploi dans une entreprise dotée d'une politique d'ouverture à l'égard de la famille et où son directeur ne s'opposait pas à ce qu'il ait un horaire flexible.

Faites preuve de souplesse

Pour avoir refusé d'être à l'écoute des besoins de son employé et de rechercher avec lui une solution mutuellement satisfaisante à son problème, le directeur d'Ernest a perdu un collaborateur de valeur dont le remplacement risque de coûter cher à sa société. Son manque de souplesse a desservi ses intérêts. Gardez l'esprit ouvert la prochaine fois qu'un employé vous demandera de modifier son horaire ou de prendre congé plus tôt afin de venir en aide à son épouse, à un parent ou à un ami. Que vous en coûte-t-il vraiment d'acquiescer à une telle demande ? La productivité de votre service en souffrira-t-elle ? Craignez-vous de créer un dangereux précédent ? Cet employé cherchera-t-il à abuser de vous dorénavant ? Il est plus probable que vos employés se réjouiront (en leur for intérieur) de votre ouverture d'esprit et de votre empressement à prêter votre concours à un collègue compétent dans le besoin. N'hésitez pas à faire clairement savoir à vos employés quels résultats vous attendez d'eux et à leur demander des comptes à ce sujet. Vous aurez alors toute la latitude voulue pour faire preuve de souplesse au moment opportun.

Le directeur général du cabinet de gestion Deloitte & Touche s'est un jour inquiété du taux élevé de roulement au sein de son personnel féminin. Par suite d'une enquête auprès des employés, la firme a mis en place un programme permettant une certaine flexibilité concernant le lieu de travail, avec comme conséquence immédiate une réduction du nombre de démissions[1].

*****

Afin de réduire le taux de roulement de son personnel, DuPont Corporation a instauré un programme d'horaires flexibles. On ne demande jamais de comptes aux employés quant à l'usage qu'ils en font. Qu'ils en profitent pour s'occuper de leurs enfants ou pour aller jouer au golf, cela les regarde[2].

Même s'il s'agit là d'exemples de programmes mis en œuvre par de grandes sociétés, rien ne vous empêche, en tant que directeur, de faire personnellement preuve d'une certaine souplesse à l'égard de vos employés.

Efforcez-vous de leur venir en aide

Certains dirigeants s'imaginent à tort qu'ils ne doivent pas se mêler de la vie privée de leurs employés. Vous avez en effet tout à gagner en vous intéressant à ce qu'ils font en dehors de leur travail et en leur manifestant votre soutien au besoin.

J'étais excitée à l'idée que ma fille allait chanter pour la première fois à son école. Elle avait suivi des cours de chant et sa voix était maintenant belle et puissante, et voilà qu'elle avait enfin l'occasion de montrer publiquement ses talents. On l'avait invitée à chanter l'hymne national a cappella durant la réunion des élèves qui devait avoir lieu à 13 h, juste avant le match de football. Mon patron en était tout heureux pour moi et il n'a pas fait de chichi quand je lui ai demandé de pouvoir assister à l'événement. Mais ce n'est pas tout. Quand je suis retournée au travail, vidéocassette en main, il m'a demandé comment les choses s'étaient passées et si je voulais bien lui montrer l'enregistrement du spectacle. Ce n'était rien, mais ça m'a fait chaud au cœur. J'étais fière de pouvoir lui faire visionner la cassette et je rayonnais littéralement quand il a fait l'éloge de ma fille. Il m'a vraiment encouragée ce jour-là.

– Une réceptionniste dans une entreprise manufacturière

Il existe une infinité de manières d'apporter votre soutien à vos employés. Nous connaissons des dirigeants qui ont trouvé des façons originales de s'y prendre. Examinez les solutions proposées ci-dessous et voyez lesquelles seraient susceptibles de s'appliquer à votre situation et à celle de vos employés. Et n'oubliez pas qu'une idée peut en entraîner une autre ! Exemples de moyens de manifester votre bienveillance :

- ✓ Permettre aux enfants de vos employés d'accompagner ces derniers au travail à l'occasion, notamment lorsqu'il s'agit de célébrer un événement spécial ou de répondre à un besoin particulier.
- ✓ Vous rendre au domicile d'un employé qui vient de perdre un proche afin de lui apporter votre soutien moral.
- ✓ Accompagner vos employés aux matchs disputés ou aux spectacles donnés par leurs enfants.
- ✓ Inviter un employé et ses proches au restaurant.
- ✓ Autoriser la présence d'animaux familiers obéissants sur les lieux de travail (eux aussi font partie de la famille, après tout !).
- ✓ Rester après les heures de bureau afin d'aider les employés à terminer les costumes d'Halloween destinés à leurs enfants.

✓ Chercher une solution aux difficultés d'un employé qui s'occupe de ses parents âgés ayant besoin d'être pris en charge (un problème de plus en plus fréquent).
✓ Expédier une carte de souhaits ou un gâteau d'anniversaire aux membres de la famille d'un employé.
✓ Créer des boîtes aux lettres et offrir d'autres services en ligne, à l'intention des enfants des employés, sur le réseau de la compagnie.
✓ Permettre à un employé aux prises avec sa caisse d'assurance-maladie de soumettre son problème au service du contentieux de l'entreprise.

Voici un exemple concret de soutien accordé à un employé :

> *Quand les gens me demandent pourquoi je suis restée au service d'Ogilvy pendant 27 ans, je leur raconte l'histoire que voici : Alors que j'étais enceinte de mon premier enfant – il a aujourd'hui 24 ans – j'avais des problèmes de grossesse et le médecin m'a obligée à garder le lit. Après deux semaines, je n'en pouvais plus et j'ai décidé de retourner au travail. Le président de la société m'a alors appelée et m'a dit : « Je refuse que vous vous déplaciez en métro. » Il me faisait prendre en voiture le matin et il venait me reconduire le soir. C'est à cette époque que je suis devenue employée à vie d'Ogilvy.*
>
> – Shelley Lazarus, présidente du conseil et directrice générale, Ogilvy & Mather[3]

Faites preuve de créativité

« Nous n'avons jamais procédé de la sorte », « Cela ne fait pas partie de la politique de la maison », « J'aurais des problèmes avec mon patron si je devais permettre une telle chose ». Tel est le genre de rengaines qu'on entend habituellement de la part de directeurs qui sous-estiment leurs pouvoirs ou qui appréhendent des débordements s'ils devaient appliquer

voir CHAPITRE 17

les règles de la bienveillance à l'égard de la famille. Certes, chaque entreprise établit des règlements et impose des contraintes à ses employés. Et, jusqu'à un certain point, vous vous devez de suivre cette ligne de conduite. Mais il vaut souvent la peine de garder l'esprit inventif lorsque vient le moment de répondre aux besoins de vos employés.

> *Le partage d'emploi, on ne connaissait pas chez nous. Une longue tradition pèse sur notre entreprise, qui est régie par des règles strictes. Après la naissance de nos enfants respectifs, une autre directrice et moi-même sommes allées trouver notre supérieur pour lui annoncer que nous voulions partager un même emploi. Il s'agissait d'un poste important et de haut niveau, et l'idée même de tenter pareille expérience a d'abord suscité d'énormes appréhensions. Mais notre patron a pris le risque de soumettre l'idée à la haute direction et il a obtenu l'autorisation de procéder à un essai d'une durée de six mois. C'était il y a douze ans de cela et, depuis, ma collègue et moi nous partageons le travail de manière efficace. Grâce à l'esprit inventif de notre patron et à sa souplesse d'esprit, nous avons toutes deux pu établir un équilibre entre notre vie professionnelle et notre vie familiale. Depuis, nous sommes des employées extrêmement reconnaissantes et dévouées.*
>
> **– Une gérante de service public**

Il s'agit là d'un exemple de solution originale à un problème épineux. En voici d'autres qui ont fait leurs preuves. Parmi ces possibilités, lesquelles sont susceptibles de vous donner de bons résultats?

- ✓ En guise de compensation à l'égard de ceux de vos employés qui doivent voyager les week-ends, accordez-leur un congé durant la semaine ou permettez aux membres de leur famille de les accompagner.
- ✓ Lorsque vos employés se rendent pour affaires dans des villes où ils ont de la famille ou des amis, permettez-leur

de passer un peu de temps en leur compagnie, que ce soit au début ou à la fin de leur voyage.

- ✓ S'il est absolument interdit d'emmener des animaux de compagnie sur les lieux de travail, songez à organiser un pique-nique dans un parc où ces bêtes à poil seront admises.
- ✓ Accordez à vos employés un jour de congé mobile qu'ils pourront utiliser lors d'une occasion spéciale. Ou invitez-les à rentrer plus tôt à la maison le jour de leur anniversaire ou de toute autre fête.
- ✓ Organisez une fête en l'honneur de vos employés et de leurs familles. Invitez-les à la pizzeria du coin avec leurs enfants (retenez les services d'une gardienne au besoin).
- ✓ Lorsqu'un employé demande à travailler à domicile, essayez de soupeser avec lui les avantages et les inconvénients d'une telle façon de faire. Essayez d'imaginer comment votre entreprise et votre employé pourraient tirer parti de la nouvelle situation.

EXERCICE PRATIQUE

- ✓ Vos employés possèdent-ils un ordinateur à la maison? Envisagez dès lors la possibilité de leur rembourser les frais de connexion au réseau Internet, de sorte qu'ils pourront, au besoin, travailler à distance. Comme les coûts mensuels pour ce service sont désormais fixes, vos gains de productivité compenseront largement ce minime investissement.

Vous aurez de meilleures idées si vous collaborez avec vos employés. Prévoyez des séances de réflexion au cours desquelles vous noterez leurs suggestions et restez ouvert à toute pensée neuve et originale susceptible de les aider à établir un meilleur équilibre entre leur vie professionnelle et leur vie familiale. Que les mesures que vous adopterez correspondent toutefois à leurs besoins réels.

RÉSUMÉ

Les bons employés ne s'éternisent pas dans une entreprise qui n'a aucun égard pour leur famille. Certaines des idées abordées dans ce chapitre vous semblent-elles un peu trop audacieuses ? Examinez avec le responsable du recrutement de votre entreprise les conditions de travail proposées par certains employeurs. Si vous êtes persuadé qu'il vous suffit, pour leur montrer votre bonne volonté, de permettre à vos employés de recevoir un appel personnel à l'occasion, il serait temps pour vous d'approfondir vos connaissances en la matière en jetant un œil sur les diverses mesures en vigueur dans d'autres entreprises. Vos efforts seront inévitablement récompensés par un dévouement accru de la part de vos effectifs, sans compter les économies d'argent que vous réaliserez et l'avantage que vous aurez sur vos concurrents en agissant ainsi. Faites preuve de bienveillance à l'égard de leur famille et vous êtes assuré de garder vos meilleurs éléments !

---

1. Elizabeth Sheley, « Flexible Work Options : Factors that Make Them Work », *HR Magazine*, février 1996.
2. *Ibid.*
3. Colleen Mastony, « Executive Moms », *Forbes* 162, 6 juillet 1998.

Chapitre 7

Multipliez les options en termes d'objectifs de carrière

Le seul plan de carrière que j'entrevoyais consistait à gravir les échelons de la hiérarchie... mais toutes les avenues qui menaient jusque-là étaient bloquées !

– J.A.

Votre estomac se noue-t-il chaque fois qu'un employé de talent vous aborde en vous tenant les propos suivants ?

- ✓ « J'aimerais m'entretenir avec vous au sujet de mon plan de carrière. »
- ✓ « J'aimerais en savoir plus long au sujet de mes chances d'avancement. »
- ✓ « Je suis curieux de savoir quelle est la prochaine étape qui m'attend. »
- ✓ « Je comprends mal pourquoi Untel a obtenu cette promotion alors que je croyais que ce poste m'était destiné. »
- ✓ « Je me sentirais mieux apprécié si on m'accordait une promotion. »

Il est parfaitement compréhensible que ce genre de propos vous mette mal à l'aise. D'une part vous appréciez le fait que des effectifs de talent et qui effectuent de l'excellent travail fassent preuve d'ambition. D'autre part, vous n'ignorez pas que certains chasseurs de têtes sont susceptibles de les approcher. De tels employés ne demandent pas mieux que d'assumer de plus grandes responsabilités. Ils éprouvent le besoin pressant de s'entretenir avec vous des possibilités qui s'offrent à eux de gravir les échelons. Vous voudriez bien les garder, mais vous savez pertinemment que leurs chances d'avancement sont pour ainsi dire nulles.

Certains d'entre eux sont susceptibles de vous quitter. Nous avons toutefois appris, en vingt ans de recherche, que tous les employés qui prétendent vouloir gravir les échelons ne chercheront pas forcément leur bonheur ailleurs s'ils n'obtiennent pas ce qu'ils désirent. Mais ils partiront à coup sûr s'ils n'entrevoient aucune possibilité de relever de nouveaux défis, de progresser ou de connaître de nouvelles expériences de travail.

Avancer… sans avancement

Que se produirait-il si vos employés en venaient à envisager d'autres manières de faire des progrès que celle qui consiste à emprunter la voie hiérarchique ? si chaque changement leur procurait la stimulation et la gratification qu'ils recherchent ? s'ils avaient la possibilité d'avancer sans obtenir d'avancement pour autant ?

Vous devriez être en mesure d'éviter tout roulement intempestif de personnel si vous aidez vos employés à définir différents objectifs de carrière. Si vous parvenez à leur trouver des solutions de rechange acceptables au sein même de leur entreprise, ils en concluront qu'il existe malgré tout un avenir prometteur pour eux dans cette boîte.

La bonne personne au bon endroit et au bon moment

Directeurs du personnel et dirigeants d'entreprises s'efforcent depuis toujours de mettre en pratique ce principe difficile à appliquer. Mais essayez d'envisager le problème sous un angle différent : que se produirait-il s'il existait plus d'un « bon endroit » ? N'y aurait-il pas alors davantage de « bons moments » pour davantage de « bonnes personnes » ?

Nous sommes d'avis qu'un employé a la possibilité d'emprunter cinq directions autres que la voie hiérarchique. Plus vous serez en mesure de décrire avec précision ces avenues possibles, moins vos employés de talent seront tentés d'aller voir si l'herbe est plus verte ailleurs. N'hésitez par conséquent pas à leur proposer les divers choix suivants :

1. *Une mutation latérale* : représente un changement de poste ou déplacement horizontal.
2. *Un réajustement* : consiste en une rétrogradation qui laisse la porte ouverte à de nouvelles perspectives.
3. *Un changement prospectif* : consiste en un déplacement temporaire permettant d'explorer de nouvelles possibilités.
4. *Une période d'enrichissement* : consiste à rester en poste afin d'acquérir de nouvelles compétences.
5. *Un changement définitif* : consiste à aller travailler pour une nouvelle entreprise.

Comme vous l'avez sans doute constaté, quatre de ces cinq options (excepté la quatrième) débouchent sur la possibilité que vos effectifs les plus talentueux s'éloignent de vous. Vous n'êtes pas le seul directeur que cette éventualité dérange. Quand on a consacré du temps et des énergies à mettre sur pied une équipe solide et efficace, on est peu enclin à la voir se démanteler au profit d'autres directeurs ou d'autres responsables de divisions. Après tout, qu'avez-vous à y gagner ?

voir CHAPITRE 3

Vous n'en retirerez sans doute aucun bénéfice personnel, si ce n'est que votre entreprise ne perdra pas pour toujours les services d'employés que vous aurez formés. Les meilleurs d'entre eux vous quitteront de toute façon s'ils estiment que vous dissimulez leurs talents aux yeux des autres directeurs ou responsables de divisions de votre société.

Le choix vous appartient. Voyez les choses du bon côté (si vous choisissez de ne pas garder pour vous seul vos trésors cachés) : votre réputation de dirigeant soucieux de voir ses effectifs progresser pourrait vous attirer les services d'autres employés de talent désireux de travailler pour vous !

L'une de nous deux a jadis travaillé pour une importante société où, pendant de nombreuses années, elle a eu d'excellents rapports avec son directeur. Un jour, une occasion s'est présentée pour elle d'utiliser ses talents à meilleur escient. Elle a appris par la suite que son supérieur avait perdu le sommeil devant la perspective de la perdre. Il allait devoir se priver d'un de ses meilleurs éléments, mais le fait de l'encourager à créer une nouvelle division au sein de l'entreprise ne pourrait qu'être bénéfique pour tout le monde. Son directeur se résigna devant l'inévitable et le changement escompté se produisit. Cette employée a continué d'œuvrer pour la même société pendant de nombreuses et fructueuses années, pendant que son directeur acquérait de son côté la réputation d'un homme capable de former adéquatement ses effectifs.

Mutation latérale

Jusqu'à tout récemment encore, un tel changement signifiait que les perspectives de carrière d'un employé étaient bouchées. Ce n'est plus le cas de nos jours. Un déplacement horizontal est devenu une nécessité pour tout employé qui veut élargir son champ d'expérience. Celui-ci est alors en mesure de transposer les connaissances qu'il a acquises vers un nouvel emploi situé sur le même plan que le précédent, sur le plan hiérarchique, mais qui comporte des tâches et des défis différents. Aidez par conséquent vos effectifs à voir que ce type de changement leur permettra d'acquérir de nouvelles compétences ou de passer d'un poste où ils risquent de croupir à une division en pleine croissance. Assurez-vous, en cours de discussion, qu'ils ont bien compris que vous ne cherchez pas à vous débarrasser d'eux mais plutôt à les garder au sein de l'entreprise.

EXERCICE PRATIQUE

Demandez à vos employés :

- ✓ Quelles compétences seriez-vous en mesure d'utiliser à un autre poste ou dans un autre service ?
- ✓ Si vous occupiez un poste comportant le même niveau de responsabilité, mais dans un autre domaine, quelles sont les perspectives de carrière qui s'ouvriraient devant vous ?
- ✓ Quelles sont vos trois compétences les plus susceptibles d'être utiles dans un autre service ?
- ✓ Dans quel autre service seriez-vous intéressé à travailler ?

Période d'enrichissement

Voilà sans doute le sujet que vous serez le plus à l'aise d'aborder avec vos employés, mais il s'agit paradoxalement de l'une des options auxquelles les directeurs songent le moins. La plupart des gens croient qu'ils doivent changer d'emploi pour acquérir de nouvelles connaissances. Or, rien n'est plus faux. Il se produit une évolution constante au niveau des tâches qu'effectuent la plupart de vos employés. Enrichir leur travail équivaut à leur permettre d'accomplir de nouvelles tâches, de se perfectionner ou d'approfondir leurs connaissances dans un domaine de leur choix. Et c'est là que vous pouvez intervenir utilement.

Voici une question fondamentale que vous (et vos employés) pouvez méditer : qu'est-ce que vos employés peuvent faire (ou apprendre à faire) pour rendre leur travail plus stimulant et pour faire coïncider leurs objectifs personnels et les objectifs de l'entreprise ?

J'ai travaillé pour une femme formidable à titre de directeur de projet, mais je savais (et elle aussi) que je pouvais utiliser mes capacités à meilleur escient. Je possédais des dons artistiques hors pair, si je puis me permettre, et ma patronne en a tenu compte. Elle m'a inscrit à des cours d'arts graphiques et, depuis, mes talents sont à son service. J'en suis très heureux !

– Un directeur de projet

voir CHAPITRE 5

EXERCICE PRATIQUE

Faites en sorte de demander à vos employés :

✓ Quels sont vos objectifs ?
✓ Quelles tâches avez-vous le plus de plaisir à accomplir ?
✓ Que vous manque-t-il pour que votre boulot vous apporte plus de satisfaction ?
✓ Quel type de formation pourriez-vous suivre, tant au sein de l'entreprise qu'à l'extérieur, pour que votre travail soit plus enrichissant ?

Changement prospectif

On arrive parfois à une étape de sa carrière où l'on n'est plus certain de ce que l'on veut ou des choix qui s'offrent à nous, ou encore de ce qui nous conviendrait le mieux. Un changement exploratoire permet de recueillir des informations qui aideront à décider si l'herbe est réellement plus verte ailleurs. Invitez par conséquent vos employés à effectuer des mandats à court terme dans d'autres services, à se joindre à une équipe regroupant, dans le cadre d'un projet spécifique, des employés de divers services ou à s'entretenir avec les titulaires d'un poste qu'ils convoitent afin d'en savoir plus long à ce sujet.

voir CHAPITRE 15

Il n'est certes pas facile de laisser des employés indispensables partir ainsi en exploration.

Ceux-ci se sentiront toutefois moins prisonniers de leur travail s'ils savent que d'autres possibilités s'offrent à eux. Sans compter qu'ils pourraient constater par la même occasion qu'ils n'ont aucune raison d'envier leurs autres collègues.

EXERCICE PRATIQUE

N'hésitez pas à demander à vos employés :

✓ Quelles sont, au sein de notre entreprise, les autres divisions qui présentent un intérêt pour vous ?

- ✓ Si vous deviez recommencer votre carrière à zéro, quels changements feriez-vous ?
- ✓ Quels sont les groupes de travail qui présentent un intérêt pour vous ? Lequel est le plus susceptible de vous donner un meilleur aperçu des autres activités de notre entreprise ?

Réajustement

À l'époque où la seule voie à suivre consistait à gravir les échelons de la hiérarchie, l'idée même d'une rétrogradation était exclue. Or, il est parfois préférable de reculer d'un pas pour pouvoir mieux sauter.

Dommage…

Un jour, un excellent technicien a été promu chef de service. Au début, son nouveau travail l'emballait. Il lui fallait s'occuper encore de détails techniques tout en dirigeant une équipe de brillants collaborateurs. Avec le temps, il s'est de plus en plus consacré à cette dernière tâche, s'ingéniant à donner davantage de travail à son équipe et livrant à cet égard plus d'une bataille administrative. Constatant qu'il avait commis une erreur, il demanda à redevenir simple technicien. Certes, il était désormais trop qualifié pour retrouver son ancien poste, mais il souhaitait s'intégrer à l'équipe d'informaticiens nouvellement mise en place. Il confia ses désirs à son supérieur. Ce dernier s'opposa à une telle mutation et invita cet employé à laisser le temps arranger les choses ou à suivre une formation qui l'aiderait à devenir un meilleur dirigeant. Au lieu de quoi, celui-ci proposa ses services à un concurrent qui lui offrit exactement le poste qu'il convoitait.

Cette société a perdu un employé de talent pour la simple raison que ni lui ni son supérieur n'ont pris la peine de discuter sérieusement de la possibilité d'un réajustement salutaire.

EXERCICE PRATIQUE

Posez l'une ou l'autre des questions suivantes à vos employés :

- ✓ Si vous acceptiez un poste dans un autre domaine, que deviendraient alors vos perspectives d'avenir ?
- ✓ Si l'on vous proposait de recommencer à zéro dans un nouveau secteur d'activités, seriez-vous disposé à accepter un salaire identique ou inférieur à celui que vous avez actuellement ?
- ✓ Dans quelle mesure ce nouveau poste vous permettrait-il d'utiliser les compétences que vous aimez le mieux utiliser ?

Changement définitif

Pourquoi aborder cette question alors que notre objectif est de vous aider à garder vos meilleurs éléments ? Pourquoi ne pas simplement laisser entrevoir la possibilité qu'un employé change de division au sein même de votre entreprise ? Parce qu'il s'agit ici de tout autre chose. Un changement définitif s'impose lorsque, après avoir envisagé toutes les options possibles, vous en venez à la conclusion qu'il est préférable pour votre employé de poursuivre sa carrière ailleurs. C'est notamment le cas lorsque :

- ✓ les compétences, les intérêts ou les valeurs d'un employé sont incompatibles avec les exigences de son travail ;
- ✓ un employé n'a aucune chance véritable de réaliser ses objectifs de carrière au sein de votre entreprise ;
- ✓ un employé ambitionne de lancer sa propre entreprise ;
- ✓ un employé est trop compétent pour les besoins de votre entreprise.

Dans quelle mesure pareille stratégie vous permettra-t-elle de garder vos meilleurs éléments ? La plupart des employés qui ont un entretien franc et honnête à ce sujet avec leur directeur quittent leur emploi. Mais il arrive souvent qu'ils deviennent par la suite les meilleurs ambassadeurs de leur ancienne entreprise !

Ne discutez toutefois de cette éventualité avec un employé qu'après avoir exploré avec lui *toutes* les avenues possibles qui s'offraient à vous au sein même de votre entreprise.

EXERCICE PRATIQUE

Si nécessaire, demandez à vos employés :

- ✓ Connaissez-vous des personnes qui nous ont quittés pour aller travailler ailleurs ? Qu'ont-elles vécu comme expériences ? Êtes-vous en mesure d'en discuter avec elles avant de prendre une décision ?
- ✓ Qu'est-ce qui vous pousse à aller voir ailleurs ? Quels changements se sont produits dans notre entreprise ?
- ✓ Si vous nous quittez, à quoi ressembleront vos perspectives de carrière dans une autre entreprise ?

Quand la seule voie possible consiste à gravir les échelons

Cela se produit parfois et correspond au cas classique d'avancement au sein d'une entreprise. C'est votre rôle de découvrir et de faire savoir à vos employés les plus talentueux à quoi correspond cette option au sein de votre compagnie. Idéalement, cette éventualité se produit lorsque les compétences d'un employé correspondent aux besoins de l'entreprise. Il vous revient par conséquent de faire connaître à vos effectifs la direction que prend cette dernière, de manière à ce qu'ils s'attellent à des tâches susceptibles de les préparer aux changements à venir et aux occasions que cela engendrera. En clair, l'excellence sur le plan technique et une bonne compréhension des politiques de la compagnie sont indispensables pour quiconque espère gravir les échelons de la hiérarchie. Il est donc essentiel à la poursuite de leurs objectifs de carrière que vous fassiez part ouvertement de vos observations à vos employés les plus talentueux et que vous leur indiquiez également la voie à suivre.

EXERCICE PRATIQUE

Faites en sorte de demander à vos employés :

- ✓ Quels sont vos adversaires les plus sérieux pour le poste que vous convoitez ? Quels sont leurs points forts et leurs points faibles ?
- ✓ Quel a été votre rendement au cours de l'année écoulée ? Dans quelle mesure vos réalisations vous ont-elles préparé à passer à un échelon supérieur ?
- ✓ Pour quelles raisons devrait-on vous accorder une promotion ?

RÉSUMÉ

Aider vos employés à atteindre leurs objectifs de carrière équivaut souvent à les aider à prendre en compte des options qu'ils n'avaient pas sérieusement envisagées jusqu'alors. Posez-leur des questions susceptibles de leur permettre d'entrevoir les avantages qu'ils pourraient tirer de changements qui n'impliquent pas forcément une promotion. Vous augmenterez ainsi les chances de votre entreprise de conserver ses meilleurs éléments. Sans compter qu'on en viendra par la même occasion à vous considérer dans votre entourage comme un fin stratège et un directeur qui sait former adéquatement ses effectifs.

Chapitre 8

Sachez recruter les bons éléments

J'ai été perturbé un certain temps par le fait qu'on a embauché rapidement des gens sans se soucier de savoir s'ils s'intégreraient harmonieusement au reste de l'équipe. Il en est résulté que tout le monde a été traumatisé par cette expérience.

– J.A.

Embauchez les bonnes personnes et vous augmenterez vos chances de les garder. En tant que directeur, vous êtes le mieux placé pour pressentir les candidats les plus susceptibles de s'intégrer à votre équipe. Voilà qui semble parfaitement logique, n'est-ce pas ? Et pourtant, certains directeurs estiment que le processus de sélection ne constitue pas une priorité pour eux. Ils consacrent très peu de temps à identifier les facteurs susceptibles d'assurer la réussite à un poste donné, à préparer et à mener des entrevues de qualité avec les candidats à ce poste, ni même à procéder à une évaluation de leurs compétences et à comparer leurs points forts et leurs points faibles avant de prendre une décision. Ils préfèrent d'ailleurs souvent confier cette tâche au service du personnel plutôt que de s'en occuper eux-mêmes. Or, le processus d'embauche et les décisions qui y sont liées comptent parmi les plus importantes responsabilités qui vous incombent en tant que directeur, car elles constituent un élément fondamental de toute stratégie visant à garder ses employés.

Qu'est-ce qu'un « bon élément » ?

Comment savoir si un candidat fera l'affaire ou non ? Existe-t-il un moyen de mesurer ce facteur impondérable, de faire abstraction de vos préjugés et de prendre des décisions objectives en matière d'embauche ?

Comment évaluer un candidat

Nous entendons par « bon élément » un candidat dont les compétences et les intérêts personnels correspondent exactement aux exigences du poste à pourvoir. Ses valeurs doivent en outre s'harmoniser avec celles en vigueur au sein de l'entreprise. Vous devez par conséquent vous préparer de manière à bien connaître vos besoins et vos désirs.

La compagnie Southwest Airlines recherche des candidats qui répondent à ses besoins et qui sauront tout particulièrement s'adapter à sa culture d'entreprise. Un pilote nous a raconté comment s'était déroulée son entrevue et de quelle manière on avait procédé pour retenir ses services. Il avait entendu dire que les dirigeants de Southwest embauchaient en priorité les candidats qui avaient la bonne attitude mentale et leur donnaient ensuite la formation nécessaire. Il a pu vérifier le bien-fondé de cette rumeur tout au long des entretiens qui ont servi à déterminer s'il possédait les qualités requises. Ses interlocuteurs semblaient en effet s'intéresser davantage à sa personnalité qu'à ses faits d'armes, qui en faisaient pourtant un candidat idéal. Ils l'ont interrogé sur son attitude, ses croyances personnelles et son comportement dans l'espoir de trouver des indices sur ce qui comptait le plus à ses yeux et sur la façon dont il était susceptible de se comporter à l'égard du personnel de bord et des autres pilotes, ou de régler d'éventuels conflits d'ordre professionnel.

Par ailleurs, au cours de la série d'entretiens qu'ils ont eus avec ce pilote, les dirigeants de Southwest ont à plusieurs reprises mis son sens de l'humour à l'épreuve. Il a alors compris qu'ils recherchaient un candidat capable de se plier aux exigences de la compagnie tout en conservant sa personnalité.

Pourquoi, selon vous, la compagnie Southwest Airlines tient-elle tant à s'entourer d'employés (et plus spécifiquement de pilotes) qui ont le sens de l'humour? Parce que la capacité de rire et le désir de travailler dans le plaisir correspondent à des valeurs fortement prisées dans cette entreprise. Southwest mise sur un service à la clientèle hors du commun et sur la bonne humeur de ses employés. Pour se fondre dans une telle culture d'entreprise, les employés doivent être capables de rire (notamment d'eux-mêmes), d'aimer leur travail et de créer un environnement agréable pour ceux dont ils ont la charge.

Un « bon élément », c'est aussi un candidat qui répond certes aux exigences du poste à pourvoir, mais dont les compétences et les intérêts personnels sont également pris en compte. Combien de fois a-t-on vu des employés démissionner ou être remerciés de leurs services parce qu'ils ne possédaient pas les compétences nécessaires ou parce que leur emploi présentait peu d'intérêt pour eux? Comment est-il possible que leur patron n'ait pas vu venir le coup? Comment éviter de commettre une erreur aussi coûteuse à votre tour?

EXERCICE PRATIQUE

- ✓ *Analysez la situation.* Obtenez toutes les précisions nécessaires au sujet des tâches à accomplir et de la personnalité requise pour les mener à bien. Lorsque vous aurez identifié ces facteurs de réussite, préparez une série de questions qui vous aideront à déterminer si un candidat possède la personnalité et les qualités requises pour répondre aux exigences du poste à pourvoir. (Voir le cas de figure décrit ci-dessous.)
- ✓ ***Élaborez un petit guide*** qui vous servira à interviewer les candidats en lice. (Reportez-vous aux exemples de questions qui suivent.) Vous pourrez ainsi découvrir comment ils ont su faire face à certaines situations, et prévoir par conséquent comment ils sont susceptibles de se comporter à l'avenir en pareil cas. Posez les mêmes questions à

tous les candidats, afin de pouvoir ensuite comparer les réponses entre elles.

✓ *Faites-vous accompagner.* Demandez aux membres de votre équipe, à vos subalternes et aux collègues éventuels de ces candidats de les interroger avec vous (en posant des questions différentes des vôtres) et de vous donner ensuite leur avis sur chacun des candidats en lice. Plusieurs cerveaux valent assurément mieux qu'un seul en pareille circonstance.

✓ *Utilisez des tests de compétence et de personnalité* susceptibles de vous aider à prendre une décision éclairée. Demandez au service du personnel de vous fournir des outils qui vous renseigneront sur les compétences et les intérêts, voire sur les valeurs de chaque candidat. Assurez-vous toutefois de ne pas fonder votre choix sur les renseignements obtenus à l'aide d'un seul instrument de mesure.

En quête du bon élément

Directeur au sein d'une entreprise de haute technologie, Joseph doit combler un poste de chef du service de marketing. Après avoir fait passer une annonce dans les journaux et sur Internet, il doit à présent examiner la pile de curriculum vitae qu'il a reçus. Avec l'aide du service du personnel, il a réduit à dix le nombre de candidats à interviewer. Sur le plan strictement technique, tous sont susceptibles de faire l'affaire.

Ayant déjà embauché du personnel, Joseph sait désormais comment s'y prendre. Certains de ses choix lui ont procuré de grandes satisfactions, d'autres l'ont déçu amèrement. Sur papier pourtant, tous ces employés semblaient posséder le profil idéal. Mais cette fois-ci, Joseph est déterminé à sélectionner *le* bon candidat. Il a procédé à l'inventaire des valeurs fondamentales partagées par les membres de son service. (Ces valeurs peuvent varier d'un service, d'une division ou d'une équipe à l'autre.) Honnêteté, intégrité, travail d'équipe, service à la clientèle et équilibre entre vie professionnelle et vie privée sont du nombre.

Joseph sait très bien quel type de compétences techniques il recherche principalement. Les postulants qui ne possédaient pas la formation requise ont été éliminés dès la sélection préliminaire. Le candidat idéal doit avoir des qualités de chef et savoir motiver ses troupes, mettre en place une équipe solide et clarifier les situations ambiguës. Il ne fait aucun doute dans l'esprit de Joseph que la personne recherchée doit posséder ces qualifications. Il a donc élaboré un petit aide-mémoire dans lequel il a consigné les questions les plus susceptibles, selon lui, de lui permettre de découvrir quels sont les capacités, les intérêts et les valeurs des candidats à interviewer. En voici trois exemples :

voir **CHAPITRE 22**

1. Parlez-moi d'un incident survenu à votre travail et à la suite duquel vous avez fait preuve de l'honnêteté la plus complète, en dépit du risque ou des inconvénients que cela pouvait représenter pour vous.
2. Décrivez-nous comment vous avez résolu récemment un problème dû au fait que les règlements en vigueur n'étaient pas adaptés à une situation en constante évolution.
3. Racontez-nous comment vous avez réussi à motiver un groupe de gens à accomplir quelque chose qu'ils n'avaient pas vraiment l'intention de faire.

Il n'est pas facile de répondre à de telles questions. Joseph laisse aux candidats le temps de réfléchir et il détend l'atmosphère en leur demandant de prendre leur temps ou en reconnaissant qu'il s'agit de questions difficiles. Vous vous doutez bien que chacune de ces questions est susceptible de déboucher sur une discussion en profondeur, obligeant ainsi chacun des candidats à dévoiler s'il partage les valeurs ou possède les qualités requises pour occuper le poste à pourvoir. Il s'agit d'ailleurs de questions ouvertes, auxquelles on ne peut simplement répondre par oui ou non. Il ne s'agit pas non plus de questions tendancieuses, du genre : « Est-il important pour vous d'établir un équilibre entre votre vie professionnelle et votre vie familiale ? » Elles portent sur le comportement des candidats, et les invitent par conséquent à se rappeler certaines expériences vécues.

Tout au long de l'entretien, Joseph prend des notes de manière à ne pas oublier les principaux éléments de réponse ou ses propres idées. Tant qu'il n'est pas certain de bien connaître la position de chacun des candidats, il tente d'en savoir plus long sur les différents points qui l'intéressent. Bien entendu, il leur pose également des questions destinées à évaluer leurs compétences.

Une fois les entrevues terminées, Joseph compare ses notes à celles des autres intervieweurs. Il consulte aussi les résultats des tests que le service du personnel a fait passer aux candidats, afin de voir s'il y a lieu d'éclaircir certains points au cours d'un nouvel entretien avec certains postulants.

Joseph attribue une note, sur une échelle de 1 à 5, à chacun des candidats, pour chacun des facteurs jugés essentiels, à savoir :

- ✓ Compétences techniques ;
- ✓ Qualités de chef;
- ✓ Valeurs.

Tout en procédant à cette évaluation, il relit ses notes et réfléchit aux éléments suivants :

- ✓ Le degré de sincérité de chaque candidat ;
- ✓ Son degré d'enthousiasme et son intérêt pour le poste à pourvoir ;
- ✓ Son niveau de compétence.

Chaque fois qu'un candidat semble posséder à un très haut degré les compétences, la personnalité ou les valeurs recherchées, Joseph lui attribue 5 points. Un candidat qui ne possède apparemment pas ce qu'on attend de lui reçoit un seul point.

Même s'il n'existe pas d'objectivité absolue au cours d'un entretien d'embauche ou dans le cadre d'un processus de sélection, pareille méthode permet à Joseph de prendre une décision avec le plus d'objectivité possible. Il propose dès lors le poste au candidat qui semble le mieux convenir à ses exigences.

Soit dit en passant, si aucun des candidats n'avait correspondu aux critères établis, Joseph était disposé à reprendre l'opération à zéro avec une nouvelle série de candidats. Ses erreurs passées lui ont appris qu'il est trop coûteux de faire un mauvais choix et qu'il vaut la peine d'attendre que le bon candidat se présente.

Un choix qui n'est pas à sens unique

Témoignage d'un nouvel employé qui explique pourquoi il a accepté l'offre d'une compagnie : « On a mis l'accent sur moi et mes priorités. On m'a demandé ce que moi je désirais, quelles étaient mes idées, etc. »

Soyez conscient que les candidats les plus talentueux se sont bien préparés avant de vous rencontrer en entrevue et que plusieurs options s'offrent généralement à eux. Imaginez qu'ils ont en tête (ou sur papier) une grille d'évaluation qui pourrait ressembler à ceci :

Mes besoins/ exigences	Votre entreprise	Un concurrent	Autre emploi
Salaire			
Avantages			
Équipe			
Emplacement			
Formation			
Créativité			
Vacances			

Outre que ce tableau permettra au candidat de vous poser des questions pertinentes, il lui servira à évaluer aussi objectivement que possible les perspectives d'avenir qui l'attendent chez vous (par rapport à d'autres offres d'emploi).

Préparez-vous par conséquent à vanter les mérites de votre entreprise ou de votre service chaque fois qu'un candidat abordera cette question. Réfléchissez à ce que vous et votre équipe avez à lui offrir et soyez prêt à donner des exemples précis à ce sujet. Si, par exemple, vous prétendez qu'il règne dans votre service une ambiance de franche camaraderie, faites-en la preuve en demandant aux membres de votre équipe de rencontrer les candidats les plus prometteurs et de s'entretenir brièvement avec eux. Pensez aux aspects les plus remarquables de votre service ou de votre entreprise, à ces détails qui vous différencient des autres. Il pourrait s'agir du fait que vous êtes à la pointe de la technologie, que vous avez su créer un environnement original ou que vos employés travaillent dans le plaisir. Quel que soit l'atout dont vous disposez pour convaincre un candidat d'accepter votre offre, soyez conscient de sa valeur et n'hésitez pas à l'utiliser au cours de l'entrevue. Évitez toutefois d'en faire trop. Si vous leur peignez la situation en rose, vos arguments se retourneront contre vous le jour où vos nouvelles recrues constateront que vous avez exagéré.

Une compagnie de haute technologie a découvert, après plusieurs années de recrutement infructueux, qu'elle ne vantait pas suffisamment ses mérites. Directeurs et agents de recrutement n'ignoraient pas que leur culture d'entreprise était remarquable et que leur technologie était la meilleure de leur secteur industriel, mais ils avaient négligé d'en faire état. À partir du moment où, dans le cadre d'entrevues d'embauche, ils ont entrepris de faire la preuve de l'excellence de leurs produits, leur taux de réussite a grimpé en flèche et ils ont commencé à recruter les meilleurs de tous les spécialistes de haute technologie. Ils ont en fait multiplié par trois le temps qu'ils consacraient jusqu'alors à cette démonstration.

EXERCICE PRATIQUE

✓ Assurez-vous de vanter les mérites de votre entreprise auprès des candidats les plus talentueux. Songez à ce qui rend votre entreprise remarquable et à ce qui en fait un lieu de travail exceptionnel.

✓ Au cours des entretiens d'embauche, placez un exemplaire de ce livre sur votre bureau. (Les candidats en déduiront que vous jugez important de garder vos meilleurs éléments.) Vous pouvez même aller plus loin en leur présentant le livre et en leur demandant lesquels des chapitres leur paraissent contenir les stratégies les plus susceptibles de les retenir.

Attention aux préjugés !

Le « bon candidat » correspond-il à vos yeux à quelqu'un qui vous ressemble ou qui a l'âge, la taille, le sexe ou la couleur de peau que *vous* souhaiteriez ? Il ne doit et ne devrait pas en être ainsi. Trop souvent, on se sert du prétexte qu'il faut trouver le « bon candidat » à un poste pour embaucher des copies conformes (généralement du patron). Ce n'est pas précisément ce que nous entendons par là. Si vous prenez la peine de déterminer quels sont les facteurs susceptibles d'assurer la réussite à un poste donné et que vous reteniez en définitive les candidats qui répondent le mieux à ces critères, vous éviterez d'écarter trop rapidement d'excellents candidats.

Nous avons tous des idées préconçues et nous nous appuyons souvent sur elles pour échafauder des hypothèses. Examinons votre conception du candidat idéal. Tout en prenant connaissance des exemples de préjugés énumérés ci-dessous, demandez-vous : « Est-ce que j'ai déjà pensé cela de quelqu'un ou à propos d'un emploi ? » Soyez honnête avec vous-même ! (Vous n'êtes pas obligé de faire connaître vos réponses à qui que ce soit…)

Liste d'idées préconçues

Préjugé : Les mères qui élèvent leurs enfants seules présentent un risque dans la mesure où elles s'absentent chaque fois que leurs enfants sont malades.
Fait : Certaines mères qui élèvent leurs enfants seules ont si désespérément besoin d'un emploi qu'elles prendront les moyens nécessaires pour ne pas le perdre. Certaines savent même si bien s'organiser qu'en cas d'urgence, elles ont deux ou trois solutions de rechange en vue dès qu'un de leurs enfants tombe malade. (N'oubliez pas qu'il est illégal de demander si elles élèvent leurs enfants seules ou si elles ont des enfants.)

Préjugé : Une personne souffrant d'obésité grave ne peut accomplir un travail qui demande de voyager fréquemment en avion.
Fait : Les personnes obèses trouveront certainement un moyen d'accomplir un travail qui exige de nombreux déplacements par la voie des airs. Aux États-Unis, les personnes obèses sont considérées au même titre que des personnes handicapées et sont par conséquent protégées par la loi. En d'autres termes, vous devez procéder aux aménagements nécessaires pour accommoder toute personne possédant les qualifications requises pour un poste.

Préjugé : C'est un ______________________________ (mentionner un nom de race). Il n'aura pas le profil de fonceur que nous recherchons.
Fait : L'appartenance à un groupe ethnique n'a rien à voir avec la personnalité ou la motivation d'un individu, pas plus qu'avec son désir de réussir et de donner le meilleur de lui-même.

Préjugé : Comme elle n'a pas encore d'expérience dans ce domaine, ce serait prendre un risque énorme que de l'embaucher.
Fait : Même s'il est normal de rechercher des gens qui ont déjà accompli le type d'emploi proposé, n'oubliez pas qu'il existe d'autres points à prendre en considération lors de l'évaluation des postulants. Ainsi, peut-être ont-ils déjà vu d'au-

tres personnes faire ce travail (bien ou mal), peut-être sont-ils en mesure de le décrire parce qu'ils savent comment le faire ou peut-être ont-ils la capacité d'apprendre rapidement à le faire. Certains, qui ont déjà l'expérience d'un travail qu'ils jugent ennuyeux, ne l'accompliront pas avec autant d'entrain qu'une personne qui en est à ses premières armes. Par conséquent, si tous les autres critères (valeurs, personnalité, intérêts, par exemple) sont réunis, vous pourriez opter pour un novice ou un candidat à qui le poste permettrait d'acquérir de nouvelles compétences, surtout si une formation permet de combler rapidement l'écart entre les qualifications actuelles et celles souhaitées.

Préjugé : Il est trop âgé (ou trop jeune) pour ce poste.
Fait : Qu'est-ce que l'âge a à voir là-dedans ? Le docteur Michael Debakey, spécialiste en chirurgie cardiaque, a aujourd'hui quatre-vingt-dix ans et est toujours considéré comme l'un des meilleurs dans son domaine. Une personne plus âgée ou plus jeune que la norme pourrait avoir des obstacles supplémentaires à surmonter dans certains cas particuliers, mais qui n'est pas appelé à se surpasser d'une manière ou d'une autre ?

Préjugé : Il nous faut un homme pour ce travail parce qu'une femme risque d'être trop sollicitée par ses émotions.
Fait : Certaines femmes sont en mesure de gérer leurs émotions plus efficacement que les hommes dans certaines circonstances. Tout dépend de la personnalité, des compétences, de l'attitude mentale et de l'expérience de chacun et de chacune. Le sexe d'un individu ne permet en aucun cas de prévoir quelle sera son efficacité à la tâche.

Si vous vous surprenez à avoir des idées préconçues (cela nous arrive à tous à l'occasion) à propos du sexe, de la taille ou de la couleur de la peau des candidats en face de vous, revenez simplement aux critères de sélection que vous avez établis ainsi qu'à la méthode que vous avez mise en place pour évaluer tous les candidats avec équité. Assurez-vous de faire abstraction de vos préjugés et idées préconçues, puis sélectionnez le candidat le plus apte à occuper le poste à pourvoir.

Sachez encadrer et soutenir vos nouvelles recrues

Dommage...

Une entreprise manufacturière en pleine expansion a embauché six nouveaux directeurs et chefs d'équipes qui devaient occuper des postes clés dans une usine nouvellement construite. Conduit de façon professionnelle, le processus de sélection avait comporté une batterie de tests et plusieurs entretiens d'embauche destinés à évaluer en détail les compétences des postulants. Une fois les bons candidats embauchés, tous les membres du personnel poussèrent un soupir de soulagement. Dès la fin de cette rude épreuve, chacun se remit au boulot et les nouvelles recrues furent invitées à occuper leurs nouveaux postes. Moins de six mois plus tard, l'une d'elles quittait l'entreprise pour un nouvel emploi. Au cours de l'entretien de départ, cet employé confia qu'il n'avait reçu ni encadrement ni soutien au moment d'occuper ses nouvelles fonctions. Cela avait engendré de la frustration chez un être qui n'avait pas l'habitude de l'échec. On constata par ailleurs que deux autres recrues n'avaient pas l'étoffe nécessaire pour bien jouer leur rôle. Quant aux trois autres, elles tentaient tant bien que mal de s'en sortir par elles-mêmes. Les employés travaillant sous leurs ordres étaient pour leur part insatisfaits de la tournure des événements et fort peu impressionnés par leurs nouvelles têtes dirigeantes. En fait, ces nouveaux directeurs étaient loin de répondre aux espoirs placés en eux.

Malheureusement, pareille histoire n'a rien d'exceptionnel. On sélectionne les bons candidats, mais on néglige trop souvent de les aider à démarrer dans leurs nouvelles fonctions. Encadrement et soutien constituent des éléments indispensables du processus d'embauche. Ils vous assurent de garder vos nouveaux employés, en plus d'accroître leurs chances de réussir et de contribuer au succès de votre équipe.

Ne relève-t-il pas du service du personnel de s'occuper de l'encadrement des nouvelles recrues ? Oui, du moins en ce qui concerne la connaissance des règlements et procédures en vigueur au sein de l'entreprise. Mais c'est à vous qu'il appartient, en tant que directeur, de faire le reste. Ou mieux encore, de vous assurer que tous les membres de votre équipe participent à ce processus.

EXERCICE PRATIQUE

- ✓ Ayez un entretien avec vos nouveaux employés afin de connaître leurs désirs et d'exprimer les vôtres. Précisez exactement ce que vous attendez d'eux et demandez-leur en retour ce qu'ils attendent de vous et de votre équipe.
- ✓ Prenez le temps de les renseigner sur la compagnie à laquelle ils viennent de se joindre. Racontez-leur des anecdotes, faites-leur partager vos expériences et votre connaissance de la culture et de l'histoire de votre entreprise.
- ✓ Demandez à des employés clés d'encadrer vos nouvelles recrues avec vous. Faites-leur connaître le point de vue et les anecdotes des autres employés.
- ✓ Sachez les guider et trouvez d'autres mentors qui les aideront à combler leurs inévitables lacunes (que vous aurez pris soin d'identifier au cours du processus d'embauche).
- ✓ Rendez-vous disponible afin de leur apporter votre soutien au cours de cette phase initiale. Prenez le temps de vous enquérir de leur bien-être et de la manière dont leur petite famille s'adapte à la nouvelle situation, montrez-leur qu'ils peuvent compter sur votre appui et que vous avez à cœur leur bonheur et leur réussite.

Recrutez de nouveau

Une comptable qui connaît beaucoup de succès se fait malheureusement renverser et tuer par un autobus. Arrivée devant les portes du Paradis, elle est accueillie par saint Pierre, qui lui dit qu'elle sera amenée à passer une journée au paradis et une autre en enfer avant de décider où elle souhaite vivre pour l'éternité. Fort inquiète au moment d'arriver en enfer, elle découvre avec étonnement qu'il y a là un terrain de golf, des amis et collègues qui lui souhaitent la bienvenue, des mets délicieux, une ambiance de fête et même un petit diable particulièrement sympathique qui s'intéresse à elle. À la fin de la journée, elle quitte l'enfer à regret afin de voir comment les choses se déroulent au paradis. L'expérience n'est pas désagréable : comme elle pouvait s'y attendre, elle y voit des anges qui chantent et jouent de la harpe assis sur de petits nuages.
Saint Pierre la presse alors de prendre la plus importante décision de sa vie (pour ne pas dire de sa vie après la mort). Où souhaiterait-elle passer l'éternité : au ciel ou en enfer ? Comme on aurait pu le deviner, elle choisit l'enfer. De retour là-bas, elle constate que l'endroit ressemble désormais à un désert et que ses amis, habillés de vêtements en lambeaux, sont occupés à ramasser des déchets. La fête est finie : seuls subsistent le désespoir et la désolation. Elle va trouver le Diable et lui dit : « Je ne comprends pas ce qui se passe. Hier, quand je suis venue ici, il y avait un terrain où nous avons joué au golf et un chalet où nous avons mangé du homard, dansé et fait la fête. À présent, tout cela a disparu et mes amis ont une tête d'enterrement. » Le Diable la regarde et lui répond avec un large sourire : « Hier, notre objectif était de vous recruter. Vous venez d'être embauchée et vous commencez à travailler aujourd'hui. »

Si cette histoire vous a fait sourire, c'est peut-être parce qu'elle contient (au moins) une parcelle de vérité. Il est même possible que vous ayez vécu ce genre d'expérience : on vous déroule le tapis rouge pendant l'étape du recrutement (comme si on vous courtisait), puis on vous ramène à la dure réalité une fois le contrat d'embauche signé. Or, si vous ramenez une nouvelle recrue trop brutalement à la réalité, vous êtes assuré de la perdre avant longtemps. Des études démontrent que vous recrutez de nouveau vos employés au cours des trois années qui suivent leur embauche, car vous pouvez facilement les perdre durant cette période d'essai.

Et que faites-vous de vos autres employés pendant que vous vous efforcez de combler adéquatement les postes laissés vacants ? Ne les négligez surtout pas ! Les directeurs ont souvent tendance à idéaliser les nouvelles recrues (leurs défauts n'ont pas encore fait surface) et à leur accorder toute leur attention. Si vous avez bien fait votre travail de recrutement, vous aurez une équipe formée de brillants éléments à votre disposition. Vos anciens employés pourraient avoir l'impression que vous les abandonnez à leur sort, que vous appréciez moins leurs efforts ou même qu'ils n'existent plus à vos yeux. Afin d'empêcher l'apparition de ce dangereux phénomène, vous devez courtiser de nouveau vos employés actuels. Faites-leur savoir combien ils comptent pour vous et à quel point leur présence est essentielle au succès de votre équipe au moment où de nouvelles recrues se joignent à eux.

RÉSUMÉ

Il est indispensable d'embaucher le bon candidat à un poste. Si vous mettez les bons éléments aux bons endroits, vous augmenterez considérablement vos chances de garder vos employés.

Chapitre 9

Faites circuler l'information

Je n'avais pas le sentiment de faire partie intégrante de l'entreprise. Souvent, c'est par la voie des journaux que j'apprenais ce qui se passait chez nous !

– J.A.

En quoi est-il si important de faire circuler l'information ? À notre époque, les événements ont tendance à se précipiter. Peut-être jugez-vous que vous êtes trop débordé pour prendre le temps de partager avec vos employés les renseignements dont vous disposez. Que se passe-t-il alors ?

Premièrement : Il est difficile pour vous de donner le meilleur de vous-même si vous ne disposez pas d'informations pertinentes, n'est-ce pas ? Il en est de même pour vos employés.

Deuxièmement : Vous perdrez vos meilleurs éléments. Peut-être pas dans l'immédiat, mais ceux qui en ont la possibilité vous quitteront tôt ou tard.

Être au parfum ou non

Savoir égale pouvoir, comme vous vous en doutez bien. Quand nous étions enfants, nous avions conscience de notre importance chaque fois que nous avions l'exclusivité d'une information ou le privilège de faire partie d'un petit groupe d'initiés. Être exclu du groupe – et, par voie de conséquence, être privé d'information – équivaut à se sentir impuissant. Des études[1] montrent que les employés désirent avoir comme patron quelqu'un d'influent, qui détient un pouvoir réel au sein de son entreprise. Il en va sans doute de même pour vous : ne préférez-vous pas travailler sous les ordres d'un supérieur qui est introduit dans le cercle du pouvoir plutôt que pour quelqu'un qui n'a aucune idée de ce qui se trame dans les hautes sphères et n'a aucune chance d'avoir d'indications à ce sujet ? Vos employés ne sont pas différents de vous à cet égard. Ils tiennent à ce que vous soyez au courant des décisions prises en haut lieu et à ce que vous les mettiez au parfum.

À défaut d'informations précises, les spéculations vont bon train

Lorsque des changements dramatiques se produisent au sein d'une entreprise, il est encore plus important qu'en temps normal que l'information circule adéquatement. Nous avons connu des dizaines de cas où les cadres supérieurs d'une société en mutation décidaient de garder pour eux la moindre parcelle d'information (il est vrai qu'à certains moments il est souhaitable de ne dévoiler aucun secret), tandis que les chefs de service restaient tout aussi silencieux de peur de perdre leur pouvoir ou leur prestige.

Voici ce qui peut survenir si vous gardez pour vous ce que vous savez au sujet de changements à venir :

Réflexions du directeur	Réflexions des employés
Il est prématuré d'aborder cette question.	Son silence nous fait craindre le pire.
Voilà une terrible nouvelle. Mieux vaut attendre avant de l'ébruiter.	Ça y est, la compagnie est transférée à l'étranger !
Je redoute une baisse de production si la nouvelle s'ébruite.	La compagnie est sur le point de fermer ses portes. Il serait temps que je me trouve du boulot ailleurs !

Remarquez que le directeur s'efforce de protéger ses employés et d'éviter que les rumeurs ne viennent ralentir sérieusement la productivité. Paradoxalement, son mutisme produit exactement l'effet contraire de celui désiré. Car que croyez-vous qu'il advienne du rendement d'employés qui s'inquiètent de leur avenir et ne songent plus qu'à mettre leur curriculum vitae à jour?

Par contraste, chaque fois que les cadres supérieurs font savoir sans tarder et en toute franchise ce qui se passe et chargent les chefs de service de transmettre la nouvelle à leurs effectifs, ces derniers ont le sentiment de leur valeur et de leur importance et la baisse de productivité s'en trouve minimisée.

Faire circuler l'information vous donne par ailleurs la possibilité d'obtenir le soutien de vos employés, comme en témoigne ce qui est survenu au Beth Israel Hospital.

L'hôpital avait pour politique de ne jamais éliminer de postes par voie de licenciement et cet engagement avait été respecté tout au long de son histoire, même lorsqu'il y a eu fusion avec un autre centre hospitalier. Il y a quelques années, alors que cette institution était aux prises avec un déficit prévisible de 20 millions de dollars, cette règle de conduite a été mise à rude épreuve. En quête d'une solution, la direction de l'hôpital a annoncé la nouvelle à son personnel. En moins de dix jours, elle recevait quelque quatre mille suggestions visant à permettre à l'établissement de réaliser des économies. Seize groupes de travail furent chargés de les examiner. Si la plupart d'entre elles portaient sur un contrôle accru des dépenses, d'autres en revanche faisaient état de la possibilité de geler les augmentations de salaire prévues et de retarder le paiement des congés. À la fin de l'année, l'hôpital avait suffisamment compressé ses dépenses pour que la nécessité de licencier certains employés ne se fasse plus sentir[2]. D'autres grandes sociétés ayant été amenées à procéder de façon similaire, il en ressort que la diffusion de l'information constitue un moyen tout à fait viable de régler un problème.

Comme un livre ouvert

Quel type d'information devez-vous faire circuler et jusqu'où devez-vous aller ? La réponse à cette question est essentiellement fonction de la culture d'entreprise en vigueur et de la politique de la haute direction. En matière de franchise, on rencontre à une des extrémités du spectre la philosophie de Jack Stack, pdg de la société Springfield Remanufacturing Company (SRC), de Springfield, au Missouri. Auteur de *The Great Game of Business* (Le grand jeu des affaires), cet homme est partisan d'une « gestion à livre ouvert » qui relève à la fois d'un concept philosophique, d'un ensemble de convictions personnelles et d'un mode de fonctionnement que des dizaines de sociétés ont adoptés avec énormément de succès. Il écrit : « Nous bâtissons une entreprise dans laquelle chacun dit la vérité jour après jour – non pas pour des raisons d'honnêteté mais parce que chacun a accès aux mêmes informations : mesures opérationnelles, données financières, estimations, etc. Plus les employés comprennent de quoi il retourne dans leur entreprise, plus ils sont disposés à contribuer à régler les problèmes qui surgissent[3]. » Le message de Jack Stack ne saurait être plus clair : pour lui, « comme un livre ouvert » implique qu'il ne faut rien cacher à ses employés.

Mais peut-être n'existe-t-il pas une telle ouverture d'esprit à votre lieu de travail. Quelles sont les répercussions sur vos employés de votre style personnel de gestion et de la culture d'entreprise dans laquelle vous baignez ? Faites le nécessaire pour communiquer le maximum d'informations à vos employés. Ceux-ci vous le rendront en faisant preuve d'un plus grand dévouement, sans compter que vous accroîtrez ainsi vos chances de garder vos meilleurs éléments.

Pas besoin d'une boule de cristal pour prédire l'avenir

voir CHAPITRE 3

Au seuil du nouveau millénaire, vous êtes censé aider vos employés à regarder vers l'avenir. Pour bien jouer ce rôle, vous devez à tout prix leur communiquer tout renseignement susceptible de favoriser leur développement personnel et le bon déroulement de leur carrière. Il vous faudra donc anticiper sur les événements et prévoir les étapes à venir. Transmettez vos connaissances sur:

1. Les stratégies que votre entreprise entend mettre de l'avant;
2. L'avenir de votre profession, de votre secteur d'activités et de votre entreprise;
3. Les nouvelles tendances et les événements susceptibles de créer de nouveaux débouchés en matière d'emploi;
4. La culture d'entreprise et les règlements en vigueur au sein de votre société.

Vos pronostics aideront les membres de votre personnel à mieux comprendre les mutations qui se produisent dans le monde du travail. Ils apprendront ainsi à avoir une vision panoramique et à prévoir les répercussions de ces nouvelles tendances sur leur profession, leur secteur d'activités et leur entreprise. Ils acquerront par ailleurs confiance en leurs compétences et en leur capacité de proposer leurs services à l'avenir.

EXERCICE PRATIQUE

✓ Découpez les articles qui ont trait à votre secteur d'activités et faites-les lire à vos employés. Sans doute avez-vous accès à des bulletins d'entreprise, à des rapports et à des magazines sur lesquels vos employés n'auront jamais l'occasion de mettre la main. Si vous faites circuler des coupures de journaux ayant trait à des événements survenus dans votre secteur d'activités, vous leur transmettez des informations susceptibles de les aider à prendre des décisions valables concernant leur plan de carrière.

Vos employés veulent savoir

Avez-vous jamais entendu un patron vous dire: «Je le savais depuis des semaines, mais je ne voulais (ou: j'ai décidé de ne) pas vous en parler plus tôt»? Voilà de quoi vous mettre en rogne! Peut-être avez-vous alors songé: «Merci. Ça me fait une belle jambe, maintenant!» ou: «Comptez sur moi pour vous faire confiance à l'avenir ! » ou encore : « Pourquoi m'en faire part maintenant : pour montrer votre supériorité ? »

Le directeur général d'une grande société venait d'accepter la démission d'un cadre supérieur et il n'ignorait pas que celle-ci aurait des répercussions sur l'ensemble de l'entreprise. Lorsque nous lui avons demandé quand il comptait faire part de cette nouvelle à ses principaux collaborateurs, il nous répliqua : « Je ne voudrais pas les perturber au moment où nous éprouvons des tensions. Par conséquent, je crois que je vais attendre jusqu'à la réunion du personnel, qui a lieu dans deux jours. »

Qu'en pensez-vous ? Est-ce une bonne idée, selon vous ? Nous croyons au contraire qu'il s'agit là d'une grave erreur. Quelles sont les chances pour que tout le personnel apprenne la nouvelle de cette démission avant même la fin de la journée ? Dans ce cas précis, il fallut moins d'une heure pour qu'elle se répande. Nous vous laissons imaginer la frustration, la déception et même la colère éprouvées par tous ceux que ce directeur général avait négligé d'informer sur-le-champ ! Nombreux furent ceux qui en conclurent que leur patron les sous-estimait en ne leur faisant pas confiance.

Par conséquent, quand devez-vous, en tant que chef de service, faire part à vos subalternes de toute information pertinente ? *Le plus tôt possible !* Dès que vous avez une idée claire et nette de ce que vous devez ou souhaitez leur dire, trouvez le moyen de procéder rapidement, surtout si l'information que vous détenez porte sur des changements majeurs qui les toucheront directement.

Comment procéder

Rappelez-vous que la principale raison d'être de ce livre est de vous permettre de garder vos employés les plus compétents. De nombreux ouvrages traitent de l'art de communiquer avec ses employés, aussi bien en temps normal qu'au moment où des changements dramatiques se produisent. Entretien en tête-à-tête, projection vidéo, bulletin d'entreprise, courrier électronique, messagerie vocale, réunion et tableau d'affichage constituent autant de moyens de communication efficaces. Il importe ici de savoir lequel est le plus approprié à votre situation, compte tenu de la culture d'entreprise qui prévaut dans votre compagnie et du message que vous souhaitez faire passer.

Voici un exercice qui devrait vous aider à cet égard.

EXERCICE PRATIQUE

- ✓ ***Un entretien en tête-à-tête*** s'impose lorsqu'il s'agit d'un message difficile à faire passer ou susceptible d'affecter vos employés de manière significative. Apprenez vous-même la nouvelle à vos chefs de service, plutôt que de la leur apprendre par une note de service ou par tout autre moyen. Demandez-leur de procéder de la même manière avec leurs subalternes. Des recherches démontrent que les employés acceptent mieux une information et y réagissent mieux si elle leur est communiquée verbalement.
- ✓ ***Restez vigilant!*** Une information cruciale a toutes les chances d'être déformée lorsqu'elle circule de haut en bas. Vérifiez par conséquent que le message demeure inchangé lorsqu'il passe d'un échelon à l'autre de la hiérarchie. Nous savons tous qu'en bout de ligne un récit que tout un chacun répète n'a plus rien à voir avec l'original.
- ✓ ***Faites appel à votre imagination.*** Plus vous ferez preuve d'originalité, plus votre message sera remarqué. Procédez de manière inhabituelle. Si vos employés prennent généralement connaissance d'une information les concernant par le truchement d'une note de service, songez à la leur communiquer dans le cadre d'un entretien privé ou au moyen d'une cassette vidéo la prochaine fois.

Information secrète

Instaurer une culture favorisant la libre circulation de l'information peut parfois poser problème. Ainsi, vous pourriez dans certains cas avoir accès à des renseignements que vous serez tenu de garder pour vous. Voici quelques conseils qui vous aideront à prendre les dispositions appropriées sans vous aliéner vos employés pour autant. Lorsqu'une information doit absolument être tenue secrète :

- ✓ N'en faites part à personne, aussi tenté que vous soyez de le faire.
- ✓ N'utilisez jamais l'information que vous détenez comme instrument de pouvoir. Si vous possédez des renseignements d'ordre privé, ne dites à personne que vous êtes détenteur d'un « secret », à moins qu'on ne vous interroge à ce sujet.
- ✓ Si vos employés vous demandent si vous détenez des informations les concernant, soyez honnête avec eux. Ne prétendez pas le contraire.
- ✓ Dites-leur que vous ne pouvez pour l'instant leur en révéler la teneur et expliquez-leur pourquoi. (Exemples : « Il s'agit d'une information confidentielle » ou « d'une question très délicate » ou « On m'a demandé de ne pas en parler et je dois respecter mon engagement ».
- ✓ Acceptez le fait que vos explications risquent de déplaire à certains, qui resteront persuadés que vous pourriez ou devriez leur dire de quoi il retourne si vous le vouliez réellement. Si vous prenez l'habitude d'informer vos employés rapidement et sans détours de ce qui se passe dans votre entreprise, vous disposerez d'une meilleure marge de manœuvre quand la situation vous commandera de rester bouche cousue.

J'imagine que notre volonté de communiquer avec eux [les employés de Wal-Mart] de toutes les manières possibles et imaginables et d'être en permanence à leur écoute constitue notre meilleure stratégie et notre meilleur gage de réussite... Si nous faisons passer leur intérêt en premier, la compagnie devrait en bénéficier en dernier ressort.

– Sam Walton, fondateur de Wal-Mart[4]

La communication doit se faire dans les deux sens

Nous avons insisté jusqu'à présent sur la nécessité de communiquer franchement et rapidement toute information pertinente à vos employés. Mais un autre moyen de garder vos employés consiste à obtenir d'eux des informations en retour. Les gens veulent qu'on les écoute. Ils veulent avoir leur mot à dire dans les décisions relatives à leur rôle dans l'entreprise, aux tâches qui leur sont confiées, aux objectifs à atteindre et aux stratégies mises en place pour y arriver. Votre rôle, en tant que directeur, est de leur demander comment ils voient les choses.

Alors qu'on attend généralement des employés qu'ils aillent trouver leur responsable lorsqu'un problème se présente, ce n'est pas ce qui se produit le plus souvent, soit parce qu'ils n'osent pas ou parce que leur directeur ne leur en donne pas l'occasion. Il importe pour vous de faire en sorte que vos employés se sentent à l'aise de se confier à vous. Consacrez-leur une partie de votre temps en organisant à cet effet des réunions régulières ou un repas hebdomadaire avec les membres de votre équipe[5].

L'anecdote suivante vous montrera à quel point il est important que la communication ait lieu dans les deux sens.

Dommage…

Il était 3 heures du matin, dans la mer de Chine, le 3 juin 1969, lorsque le porte-avions australien HMAS Melbourne a coupé en deux l'USS Frank E. Evans après avoir mystérieusement viré de bord devant ce dernier. La proue de l'Evans a sombré en moins de trois minutes. Le commandant du navire s'est réveillé dans l'eau et plusieurs des marins à bord ont péri lors de cet incident.

Le lieutenant Rodger Ramsey avait spécifiquement reçu de son commandant l'ordre de le réveiller si l'Evans devait changer de cap, mais Ramsey n'en fit rien. Selon les rapports, il craignait de le réveiller. Il en résulta que plusieurs de ses camarades ont perdu la vie, que le navire lui-même a été gravement endommagé et que la carrière du commandant Albert S. McLemore s'en est trouvée fichue.

Tout cela parce qu'un « employé » ne se sentait pas suffisamment à l'aise pour communiquer une information vitale à son supérieur[6].

Il est plutôt exceptionnel que de mauvaises communications aient d'aussi graves conséquences. Mais elles ont presque toujours un coût que l'on peut mesurer.

RÉSUMÉ

Soyez au courant de ce qui se passe et faites en sorte que vos employés le soient aussi. Cela vous aidera à garder vos meilleurs éléments.

1. Sandar Larkin et P.J. Larkin, *Communicating Change : How to Win Employee Support for New Business Directions*, New York, McGraw Hill, 1994, p. 14-15.
2. Loren Gary, « Enlisting Hearts and Minds », *Harvard Management Update*, février 1997.
3. Jack Stack, *Great Game of Business*, Bo Burlingham, 1994.
4. Bill Catlette et Richard Hadden, *Contented Cows Give Better Milk*, Germantown, Tennessee, Saltillo Press, 1988, p. 61.
5. Sharon Wohlfart, « Managers Need Two-Way Communication with Workers », *Kansas City Business Journal*, 8 juin 1998.
6. Marshall Colt, « How Communication Can Prevent Lawsuits », *Denver Business Journal*, 10 août 1998.

Chapitre 10

Ne soyez pas mesquin

Un de nos services n'arrêtait pas de perdre ses meilleurs employés les uns après les autres. Ce n'était un mystère pour personne que le chef de ce service était quelqu'un de très mesquin.

– J.A.

Avertissement : Si on a laissé ce livre sur votre bureau avec à l'intérieur un signet placé à cet endroit, soyez particulièrement attentif à ce qui suit !

On nous a prudemment suggéré de ne pas écrire ce chapitre, ou à tout le moins d'en atténuer la portée. Mais il est impossible d'esquiver cette question sans également passer sous silence une des principales causes de démission. En effet, un employé qui ne peut pas supporter son patron partira tôt ou tard, même s'il touche un excellent salaire, si ses talents sont appréciés et s'il a la chance d'acquérir de nouvelles connaissances et de progresser au sein de l'entreprise. Au palmarès des motifs qui poussent les plus talentueux des employés à quitter leur emploi, la mesquinerie de leur patron figure en bonne position. Lisez la transcription suivante d'une entrevue de départ :

Intervieweur : Mathieu, pourquoi avez-vous décidé de nous quitter ? Le salaire que nous vous offrons est très concurrentiel et vous venez à peine de toucher une prime.

Mathieu : Ce que j'ai à vous dire restera-t-il confidentiel ?

Intervieweur : Oui, vous avez ma parole.

Mathieu : Je n'ai pas à me plaindre de mon salaire, ni de mon travail. Mais mon patron est insupportable. Travailler avec lui m'est devenu trop pénible et j'ai décidé que la vie est trop courte pour que je continue à bosser pour quelqu'un de mesquin.

Dommage…

Il y a cinq ans, mon père est décédé un jour de semaine, pendant que la plupart des cadres de ma compagnie étaient en train de suivre un séminaire à l'extérieur de la ville. On m'a fait savoir au téléphone qu'il était inutile pour moi de rentrer chez moi puisque mon père était déjà mort. On a ajouté qu'il paraissait déraisonnable que je prenne plus de quelques heures de mon temps de travail pour assister aux funérailles. Quelques mois plus tard, le directeur général lui-même m'a fait savoir qu'il avait décidé, pour la seule raison que je n'avais pas réussi à surmonter mon deuil assez rapidement, d'accorder une promotion à un autre chef de service, même si, en dix-sept ans de loyaux services, j'avais fait la preuve de l'excellence de mon rendement et de ma capacité de gravir les échelons au sein de la hiérarchie. Selon lui, il était malsain et exagéré de porter le deuil plus d'une semaine ; il s'était inquiété de voir que j'avais pris trois jours de congé par suite du décès de mon père. Il a ajouté que j'étais trop attaché à ma famille et que je devrais desserrer mes liens affectifs avec les miens si je voulais conserver l'espoir de poursuivre ma carrière dans son entreprise. Lorsque l'occasion s'est présentée pour moi de quitter cette compagnie, cet incident a représenté l'un des principaux motifs de ma décision.

– Courrier des lecteurs, *Newsweek*,
8 février 1999, p. 16

Avez-vous déjà travaillé pour quelqu'un de mesquin ? Existe-t-il de tels individus dans votre entreprise ? Notre objectif n'est pas de chercher ici à coller des étiquettes aux gens, mais plutôt de dénoncer une attitude méprisable aussi bien que la tendance de certains à agir parfois de façon mesquine à l'égard des autres. Il s'agit pour vous de voir dans quelle mesure et à quelle fréquence il vous arrive d'avoir un tel comportement… et de quelle façon vous pourriez vous améliorer ! Dans quel but ? Pour garder vos meilleurs éléments, bien sûr !

Heureusement, la plupart des gens mesquins ne sont pas aussi cruels. Il existe des degrés dans la bêtise, et les conséquences d'un tel comportement sur les employés varient, selon les cas, de négligeables à graves.

Qu'est-ce qu'un être mesquin ?

Nous avons posé à des dizaines de gens la question suivante : « À quoi reconnaissez-vous quelqu'un de mesquin ? » Nous avons dressé la liste ci-dessous à partir des réponses obtenues. Oserez-vous faire le test ?

Où vous situez-vous ?

Consigne : Indiquez, sur une échelle de 0 à 5, dans quelle mesure votre comportement correspond ou non à chacun des comportements décrits. Inscrivez zéro si vous n'agissez jamais de la manière indiquée, et cinq si vous agissez régulièrement de cette façon.

	0-5
Intimider les autres	________
Se montrer condescendant envers les autres	________
Faire preuve d'arrogance à leur égard	________
Être avare de compliments	________
Exprimer sa colère en claquant les portes	________
ou en tapant du poing sur la table	________
Proférer des jurons	________
Agir avec brusquerie	________
Rabaisser les gens devant les autres	________

Surveiller leurs moindres faits et gestes ____________
Donner des directives à ses supérieurs plutôt qu'à ses subalternes ____________
Penser avant tout à ses propres intérêts ____________
Émettre sans cesse des commentaires négatifs ____________
Crier après les gens ____________
Mentir ____________
Se croire au-dessus des règlements ____________
Prendre un malin plaisir à exploiter les autres ____________
Prendre un air supérieur ou se croire plus futé que tout le monde ____________
Manquer de respect aux autres ____________
Faire preuve de sexisme ____________
Faire preuve de racisme ____________
Garder pour soi des renseignements importants ____________
Avoir un sens de l'humour déplacé ____________
Exploser de colère au cours d'une réunion ____________
Commencer toutes ses phrases par « je » ____________
Voler la vedette aux autres ou s'attribuer tout le mérite de certaines réalisations ____________
Freiner la progression de ses employés (en les empêchant d'obtenir des promotions ou en les retenant de force) ____________
Faire preuve de méfiance à l'égard de tout le monde ____________
Faire preuve de favoritisme ____________
Humilier et embarrasser les autres ____________
Émettre sans cesse des critiques (souvent d'ordre personnel) ____________
Être sarcastique ____________
Ignorer ou isoler délibérément certaines personnes ____________
Fixer des objectifs ou des délais impossibles à respecter ____________
Toujours laisser les autres recevoir les blâmes à sa place ____________
Saper l'autorité en place ____________

Manquer de bienveillance à l'égard des autres ____________
Trahir la confiance de quelqu'un ou dévoiler des confidences ____________
Commérer ou répandre des rumeurs ____________
Agir comme si les autres étaient des imbéciles ____________
Être d'humeur massacrante (s'en prendre aux autres dans des moments de dépression) ____________
Utiliser la peur comme moyen de stimuler ses troupes ____________
Avoir l'esprit revanchard ____________

Total : ____________

Remarque : Il ne s'agit pas ici d'un instrument de mesure d'une rigueur absolue, mais d'un simple outil destiné à vous aider à vous évaluer. Ne voyez par conséquent dans les interprétations suivantes que de simples lignes directrices.

Interprétation des résultats

(0-20) Même s'il vous arrive d'avoir vos humeurs à l'occasion, il est peu probable qu'on vous considère comme quelqu'un de mesquin. Faites attention aux comportements pour lesquels votre score est supérieur à trois et faites en sorte d'obtenir davantage de réactions de la part de vos employés.

(20-60) Attention ! Certains pourraient bien vous considérer comme quelqu'un de mesquin, du moins dans certaines situations. Prenez la résolution de lire et de mettre en pratique au moins deux des chapitres de ce livre.

(60 et plus) Vous courez le risque de perdre vos meilleurs employés. Efforcez-vous d'avoir une meilleure interaction avec eux et envisagez la possibilité de vous faire aider par un conseiller professionnel.

Si vous ne vous reconnaissez dans aucun des comportements décrits, soit vous êtes un saint, soit vous vous connaissez mal.

En d'autres termes, la plupart des gens adoptent certains de ces comportements à un moment ou à un autre. La question est de savoir combien et à quelle fréquence, et quelles sont les conséquences de ces comportements sur vos employés.

Qui, moi mesquin ?

Nous faisons tous preuve de mesquinerie à l'occasion. Il se peut donc que vous ayez parfois un comportement mesquin. Cela se produit chez certains lorsqu'ils sont acculés au pied du mur, qu'ils sont stressés ou qu'on les prend à rebrousse-poil. Pour d'autres, de tels agissements sont devenus une simple habitude. Mais quelles qu'en soient les raisons, il importe de savoir si leurs effets négatifs et leur fréquence sont tels qu'ils diminuent votre efficacité en tant que dirigeant. Comment vos employés vous perçoivent-ils et dans quelle mesure cette perception influe-t-elle sur leur satisfaction au travail ? Combien d'entre eux songent à vous quitter pour un patron plus compréhensif?

Procédez à un examen approfondi des résultats que vous avez obtenus. Demandez à vos confrères de travail de jeter un œil à la liste et de vous dire franchement ce qu'ils pensent de vos comportements. (Si vous n'avez pas d'amis à qui vous confier, il s'agit là d'un indice révélateur…) Demandez aux membres de votre famille de vous donner également leur opinion. Si tous sont d'avis que plus d'un ou deux de ces comportements se manifestent *régulièrement* chez vous, vous courez d'énormes risques de perdre des employés. Une attitude mesquine est à ce point destructrice qu'un ou deux de ces comportements suffisent pour faire oublier toutes vos autres qualités.

J'ignorais que mes employés me considéraient comme quelqu'un d'aussi mesquin. Dans le cadre d'un programme de formation, nous avons mené une enquête tous azimuts [nous avons demandé leur avis à notre patron, à nos collègues, à nos subalternes et même à nos clients]. À la fin d'un long questionnaire informatisé, les employés pouvaient inscrire leurs commentaires. Mes employés m'ont dit en substance qu'ils me considéraient comme quelqu'un d'insensible et de malveillant. Pour eux, j'étais prêt à tout pour obtenir de bons résultats, y compris à sacrifier leur santé physique et mentale. Leur réaction m'a donné un tel choc que je me suis senti mal. Je me suis depuis adjoint les services d'un conseiller qui m'aide à modifier mon comportement. La première étape a consisté à découvrir ce que mes subalternes pensaient de moi.

– Un cadre supérieur de firme d'ingénierie

Si vous n'avez jamais mené une enquête tous azimuts relativement à la perception que les gens ont de vous, peut-être devriez-vous y songer sérieusement. Faites en sorte que leurs commentaires vous parviennent de manière anonyme et dans le but de vous éclairer sur votre comportement et sur les mesures à prendre pour vous améliorer. Ce n'est qu'en prenant d'abord conscience que vos comportements sont inefficaces, voire dommageables, que vous pourrez ensuite songer à corriger la situation.

voir **CHAPITRE 22**

Malheureusement, trop de vedettes du monde des affaires agissent trop souvent de façon mesquine. Certaines piquent des crises au milieu des réunions du personnel, se permettant même de lancer des objets à la figure des participants. D'autres embarrassent et humilient fréquemment et publiquement leurs employés. Parce qu'ils sont en position de force, ces dirigeants se croient tout permis car personne n'ose les remettre à leur place. Peut-être vous est-il même arrivé de travailler sous les ordres d'un tel patron.

Puisque cela semblait fonctionner, pourquoi n'agiriez-vous pas de la même manière, pensez-vous ? Parce que votre efficacité sera plus grande si vos employés vous apprécient et vous respectent. Si vous traitez les gens avec égards, ils vous le rendront bien. Les gens se dépensent davantage pour un patron qu'ils apprécient. À l'heure où les bons employés sont de plus en plus sollicités, il est essentiel que vous puissiez garder vos meilleurs éléments et recruter au besoin du personnel de talent. Plus ils acquièrent une mauvaise réputation, moins les patrons mesquins sont en mesure d'y parvenir.

voir **CHAPITRE 4**

Mesquin un jour, mesquin toujours ?

De même qu'il est possible d'acquérir de nouvelles compétences à tout âge, rien ne vous empêche de cesser d'agir de façon maladroite et d'adopter des comportements plus efficaces.

J'avais l'habitude de m'emporter. Quand j'étais sous pression ou qu'on me faisait une remarque déplacée, je ne me maîtrisais plus. Je gueulais, je rougissais de colère et je frappais du poing sur la table. Avec une telle attitude les gens prenaient des gants blancs pour me parler. Ils m'épargnaient les mauvaises nouvelles et n'osaient plus prendre de risque de crainte de provoquer ma colère. Je les intimidais au point où nous avons commencé à perdre de notre créativité et des employés de talent et que notre productivité diminuait. Tout cela parce que j'étais incapable de contrôler mes humeurs.

Je ne suis plus comme avant, du moins la plupart du temps. Il m'a fallu du temps et des efforts pour m'améliorer, mais je maîtrise mes émotions désormais. Quand je sens ma pression et ma colère monter, je visualise un panneau routier sur lequel est indiqué « Stop ». Je fais alors une pause, je prends trois grandes respirations profondes, puis je fais face au problème. Quelle différence ! Je me sens beaucoup mieux et mes employés réagissent aussi beaucoup mieux.

– Un directeur des ventes et du marketing

Les comportements étant quelque chose d'acquis, nous savons qu'il est possible de les modifier. Il n'est peut-être pas facile d'y arriver, mais c'est possible. La difficulté est fonction des réponses à certaines questions :

✓ Jusqu'à quel point un comportement est-il profondément enraciné en vous ? Agissez-vous de la même manière depuis cinquante ans ou trois ans ? Il est certes plus difficile de se défaire d'habitudes acquises il y a très longtemps que d'habitudes acquises récemment.

- ✓ Savez-vous précisément quel type de comportement vous souhaiteriez adopter ? Plus vous aurez une idée exacte de l'objectif visé, plus vous l'atteindrez facilement.
- ✓ Êtes-vous en mesure de vous faire aider dans vos démarches ? Si vous êtes entouré de personnes-ressources, elles pourront vous faciliter la tâche.
- ✓ Quelle est la complexité du comportement à modifier ? Vous pouvez sans trop de peine décider une bonne fois pour toutes de ne plus raconter d'histoires osées. Mais les comportements négatifs dus au stress étant plus complexes, il vous faudra sans doute plus de vigilance, de moyens et de temps pour en venir à bout. Peut-être devrez-vous élaborer toute une série de nouveaux comportements.
- ✓ *Avez-vous vraiment l'intention de changer ? Pour quelle raison ? Si vous êtes incapable de répondre à cette question, vous n'arriverez pas à modifier votre comportement. Il est impératif que vous en ayez le désir profond.*

Une fois que vous aurez pris une décision à ce sujet, vous pourrez concevoir un plan d'action approprié.

EXERCICE PRATIQUE

Arrangez-vous pour obtenir des commentaires francs et honnêtes vous concernant. Vous devez absolument savoir ce que les autres pensent de vous.

- ✓ Songez aux conséquences de vos comportements. Vous empêchent-ils d'être efficace ? Poussent-ils certains de vos meilleurs employés à démissionner ?
- ✓ Inscrivez-vous à un cours de gestion du stress.
- ✓ Faites de l'exercice. Mangez sainement. Assurez-vous de bénéficier d'un nombre adéquat d'heures de sommeil. En bref prenez les dispositions nécessaires pour mener une vie plus équilibrée.
- ✓ Essayez le taï chi, le yoga, la méditation ou la prière.

✓ N'hésitez pas à vous faire aider en :
- retenant les services d'un conseiller professionnel ;
- faisant appel à un psychologue ;
- participant à un stage de développement personnel ;
- lisant des livres de psychologie ;
- demandant aux membres de votre entourage de vous faire part de leurs commentaires au fur et à mesure de vos progrès.

RÉSUMÉ

Si vous croyez (ou si vous découvrez) que vous agissez souvent de façon mesquine, prenez la décision de modifier votre comportement. Le but de cet ouvrage est de vous aider à y parvenir. Ce pourrait être la meilleure chose que vous puissiez faire pour garder vos employés.

Chapitre 11

Ne négligez pas le plaisir

« Vous êtes là pour travailler, pas pour vous amuser » : telle était la philosophie de mon patron. Pour lui, le plaisir n'avait pas sa place au boulot.

– J.A.

Et vous, quelle est votre position à ce sujet ? Croyez-vous qu'il est important d'avoir du plaisir en travaillant ? Encouragez-vous vos employés à s'amuser ? Faites-vous en sorte qu'ils aient du plaisir ou leur interdisez-vous toute forme de plaisir ? Prenez la peine d'examiner quels sont vos préjugés et vos idées préconçues à ce sujet. Songez ensuite à créer une ambiance de travail agréable dans le but de garder vos meilleurs éléments.

Des études démontrent que les gens qui ont du plaisir au travail débordent d'enthousiasme. Or, l'enthousiasme permet d'accroître la productivité, d'offrir un meilleur service à la clientèle, de rehausser l'image de votre entreprise et d'accroître les chances que vos employés restent en poste. La plupart des gens ont besoin de relaxer au cours de leur journée de travail. Si l'atmosphère est trop froide et trop sérieuse, vos employés pourraient être tentés de chercher un endroit plus décontracté où passer leurs journées.

Si je devais recommencer ma carrière, j'encouragerais mes employés à s'amuser davantage.

– Un vice-président de firme d'ingénierie à la retraite

Du plaisir pour un ou pour tous ?

Quand avez-vous ri pour la dernière fois à votre travail ?

✓ L'an dernier ;
✓ Le mois dernier ;
✓ La semaine dernière ;
✓ Hier.

Si vous avez répondu hier, nul doute que notre question vous a fait sourire.

Lorsqu'on se penche sur cette question, on constate que ce qui procure du plaisir à l'un peut très bien déplaire à l'autre. Nous n'avons pas tous le même sens de l'humour. Il suffit de comparer l'humour britannique à l'humour américain pour s'en rendre compte. Il peut vous paraître amusant de raconter des blagues, mais un autre peut trouver la chose puérile, voire déplacée. Certains prendront un malin plaisir à décorer votre bureau à l'occasion de votre anniversaire, alors que d'autres préfèrent faire une pause en discutant d'un sujet d'actualité avec un collègue ou en naviguant sur Internet. Par conséquent, si vous avez l'intention de concevoir un lieu de travail agréable pour tous, n'oubliez pas de demander leur avis à vos employés à ce sujet.

Zone sinistrée

Malheureusement, dans bon nombre d'entreprises règne une atmosphère par trop studieuse. Des employés ont évalué, dans le cadre d'une étude, dans quelle mesure leurs dirigeants permettaient l'expression de la gaieté au travail. On attribua en moyenne à ces derniers une piètre note[1]. Si vous êtes de ces patrons qui ne s'autorisent pas et n'autorisent pas leurs subalternes à avoir du plaisir au travail, demandez-vous pourquoi.

Est-ce parce qu'on ne vous a pas appris à le faire ? Les patrons qui vous ont servi de modèles étaient-ils tous des tyrans qui n'étaient pas d'humeur à plaisanter ? Peut-être craignez-vous de ne pas pouvoir atteindre vos objectifs ou de perdre le contrôle sur vos effectifs si vous leur permettez de s'amuser tout en travaillant ? Craignez-vous, en tolérant certains moments de frivolité, de créer un précédent qui empêchera vos employés de revenir aux choses sérieuses en temps utile ? Il ne serait pas étonnant que vos appréhensions soient en grande partie fondées sur certains mythes et certaines idées préconçues à ce sujet.

EXERCICE PRATIQUE

Voyez lequel ou lesquels de ces mythes vous auriez le plus tendance à croire :

- ✓ Mythe n° 1 : Professionnalisme et plaisir ne vont pas de pair.
- ✓ Mythe n° 2 : Sans argent et sans joujoux, il est impossible de s'amuser au boulot.
- ✓ Mythe n° 3 : Il n'y a pas de plaisir sans éclats de rire.
- ✓ Mythe n° 4 : Il faut s'organiser en conséquence pour avoir du plaisir.
- ✓ Mythe n° 5 : Si le lieu de travail se transforme en lieu de plaisir, la productivité risque d'en souffrir.
- ✓ Mythe n° 6 : Il faut avoir un bon sens de l'humour (ou être quelqu'un de comique) pour créer une atmosphère de travail décontractée.

Démythification

Ces mythes sont sans aucun rapport avec la réalité, comme nous allons le démontrer.

Mythe n° 1 : Professionnalisme et plaisir ne vont pas de pair

Est-il possible de s'amuser tout en gardant une attitude professionnelle au travail ? Tout dépend de ce qu'on entend par s'amuser.

Les grosses farces idiotes (genre tarte à la crème) risquent de paraître déplacées dans un environnement où tous les employés portent le complet et la cravate. Mais il existe des manières tout à fait convenables de détendre l'atmosphère même dans les milieux les plus guindés.

> *Une fois par mois nous devions rédiger nos rapports de ventes et la plupart d'entre nous appréhendaient ce moment car, pour accomplir cette tâche, il fallait faire des heures supplémentaires chacun dans son coin. Nous avons alors décidé de changer la tradition en nous organisant pour rester un même soir tous ensemble après les heures de bureau. Nous allions d'abord commander des plats et du bon vin au restaurant, puis nous partions faire la fête au bureau. Chacun se penchait sur son ordinateur, mais nous faisions des pauses régulièrement, nous nous entraidions tout en mangeant, en buvant et en rigolant dans une saine atmosphère de détente. Non seulement cette corvée mensuelle nous paraissait moins désagréable, mais elle nous a permis de resserrer nos liens.*
>
> **– Un consultant de cabinet de gestion**

Dans un autre bureau, les employés qui arrivent en retard à une réunion sont tenus soit de chanter une chanson, soit de raconter une blague (de bon goût, bien entendu). Depuis l'instauration de ce nouveau règlement, les gens arrivent plus souvent à l'heure qu'auparavant, mais tous sont assurés de rire un bon coup si l'un d'eux se permet de franchir le seuil de la porte avec une ou deux minutes de retard.

Dans l'esprit des dirigeants qui règnent sur un environnement où l'on n'a pas l'habitude de plaisanter, subsiste toujours la crainte qu'une trop grande permissivité engendre humour déplacé, bruits intempestifs ou comportement gênant de la part de leurs employés. Mais si vraiment cela devait se produire, qu'est-ce qui vous empêcherait de les rappeler à l'ordre comme vous le feriez s'ils effectuaient mal leur boulot ?

Mythe n° 2 : Sans argent et sans joujoux, il est impossible de s'amuser au boulot

Voilà qui se rapproche d'un autre mythe : sans argent et sans joujoux, il est impossible de s'amuser dans la vie. Nous avons demandé à des dizaines de gens de nous parler des moments où ils avaient eu le plus de plaisir sur leur lieu de travail. Voici ce qu'ils nous ont raconté (notez au passage le nombre de fois où il a fallu de l'argent ou des joujoux) :

- ✓ « Je ne me souviens pas d'un moment en particulier. Je sais seulement que mes collègues et moi rigolions sans arrêt et pour des choses insignifiantes la plupart du temps. »
- ✓ « Un jour, nous avions décoré le bureau de mon patron à l'occasion de son anniversaire. Nous avions fabriqué cinq sachets de confettis à l'aide de la déchiqueteuse. »
- ✓ « Quand nous allions spontanément à la pizzeria du coin après le travail. »
- ✓ « Quand je me livrais à des joutes verbales avec les plus drôles et les plus brillants de mes collègues. »
- ✓ « Quand nous avions un délai serré à respecter, nous devions parfois travailler toute la nuit afin de terminer un important projet. Ce n'est pas le genre de chose que je referais tous les jours, mais nous nous amusions comme des fous, nous éclations de rire au milieu de la nuit et nous éprouvions de fortes sensations au moment où tout était fini. »
- ✓ « Le jour où j'ai reçu ce poème de la part d'employés consciencieux mais rigolos que j'avais envoyés en mission à Detroit : "Les roses sont rouges, les violettes sont bleues, et par 30 sous zéro, nous aussi nous sommes bleus !" »
- ✓ « Au milieu d'un important projet qui nous mettait beaucoup de pression sur les épaules, notre patron nous a emmenés jouer une partie de volley-ball dans un parc du quartier au moment du déjeuner. Personne n'a oublié ce moment-là. »

Certes, on peut avoir du plaisir avec de l'argent et des joujoux. Les géants Microsoft et Amgen disposent même d'un budget aux seules fins de divertir leurs employés. Dans ces deux sociétés, on attend d'eux qu'ils sachent travailler dur et s'amuser ferme. On y organise notamment des réceptions et des croisières extravagantes. Les employés semblent apprécier ce genre de sorties grandioses, mais la plupart admettent que le plus important reste pour eux l'atmosphère qui règne au quotidien sur leur lieu de travail. Et cette ambiance se doit d'être agréable.

Mythe n° 3 : Il n'y a pas de plaisir sans éclats de rire

Plaisir rime souvent avec rires et sourires. Mais il suffit simplement parfois de se prendre un peu moins au sérieux pour s'amuser.

> *Nous devons si souvent fournir des efforts intellectuels que nous aimons bien faire les fous à l'occasion.*
>
> – Un professeur de mathématiques et ses élèves

Il est toutefois possible de s'amuser au travail sans pour autant faire l'idiot ou rire aux éclats. On peut sincèrement avoir du plaisir à travailler à un projet stimulant en compagnie d'une bande de collègues sympathiques. Accomplir un travail valorisant, qui permet d'apporter une contribution valable à la société, voilà qui peut être agréable. De même, créer quelque chose de nouveau.

> *J'ai ressenti un de mes plus grands moments de plaisir au premier stade de la création d'un prototype d'avion entièrement nouveau. Nous étions sur le point de construire un appareil qui allait révolutionner l'aéronautique. Le défi n'était pas facile à relever, mais c'était très excitant.*
>
> – Un ingénieur en aéronautique à la retraite

Mythe n° 4 : Il faut s'organiser en conséquence pour avoir du plaisir

Il est parfois nécessaire de planifier certaines activités ludiques. Les employés qui font partie de l'équipe de hockey de la compagnie ont sûrement du plaisir à pratiquer ce sport, mais cela exige une bonne dose d'organisation. De même, l'organisation d'un pique-nique ou de la réception des fêtes de fin d'année ne va pas sans mal. Mais beaucoup de choses amusantes surviennent au travail de manière spontanée et sans avoir été planifiées d'avance.

> *Nous avions travaillé très fort pour atteindre tous nos objectifs du trimestre. Notre patron nous a convoqués dans son bureau et nous a remis des billets de cinéma pour la représentation qui avait lieu à 14 heures ce jour-là. C'était une excellente idée ! Nous sommes partis en groupe, comme des enfants qui feraient l'école buissonnière. C'était un geste si spontané que nous l'avons tous beaucoup apprécié.*
>
> **– Un employé municipal**

La spontanéité dans le plaisir peut se manifester de façon toute simple. Par exemple: apporter des croissants à tout le monde lors d'une réunion des employés, inviter quelques employés à vous accompagner au restaurant pour le déjeuner ou profiter d'une pause-café pour discuter de choses et d'autres en leur compagnie.

Mythe n° 5 : Si le lieu de travail se transforme en lieu de plaisir, la productivité risque d'en souffrir

C'est là l'une des plus grandes craintes des directeurs d'entreprise. Beaucoup s'imaginent qu'une minute de bon temps équivaut à une minute perdue en terme de productivité.

Des études montrent que la productivité est plus forte dans un environnement de travail agréable que là où rigueur et rigidité sont de mise. Une pause qui se déroule dans l'hilarité générale a pour effet d'apporter un regain d'énergie à vos employés et de les préparer mentalement à concentrer de nouveau leurs efforts. Dans certaines divisions du géant informatique Microsoft, les employés peuvent à tout moment se détendre en naviguant sur Internet ou en jouant à des jeux vidéo. Selon ces derniers, ces activités ludiques les aident à se libérer l'esprit, de sorte que leurs sens sont mieux aiguisés et davantage en alerte lorsqu'ils se remettent au boulot.

Dommage…

Trois d'entre nous sommes sortis au même moment de notre bureau et avons commencé à bavarder. Je ne me souviens plus de la raison pour laquelle nous avons soudain éclaté de rire, mais toujours est-il que nous avons ri de bon cœur… et sans trop de discrétion. C'est à ce moment que notre patron a surgi de son bureau, rouge de colère, et nous a lancé : « Est-ce de cette façon que vous justifiez votre salaire ? » Nous en avons éprouvé de la gêne, de l'humiliation et du ressentiment. J'ai démissionné peu après cet événement, et mes collègues en ont fait autant. Nous travaillions dans une atmosphère étouffante où il n'y avait aucune place pour le plaisir. Cette scène s'est produite il y a dix ans, pourtant je m'en souviens comme si c'était hier.

– Un gérant de commerce de détail

Nous imaginons déjà les pensées qui traversent votre esprit : « Si je permets à mes employés de surfer sur le Net, ils ne termineront jamais ce qu'ils ont entrepris. » Peut-être croyez-vous que seuls quelques employés exceptionnels méritent une telle confiance. Or, le secret pour éviter que vos effectifs abusent de vos largesses consiste à leur faire savoir clairement dès le départ ce que vous attendez d'eux en matière de résultats. Aidez-les à se fixer des objectifs qui soient mesurables et précis.

Certaines des sociétés les plus productives et les plus rentables ont la réputation d'être des endroits où l'on s'amuse ferme. Ainsi, le directeur général de la compagnie Southwest Airlines, Herb Kelleher, est le premier à donner le ton. On l'a surpris à jouer les préposés aux bagages le jour de la fête du Travail, à pénétrer dans les bureaux du siège social de la compagnie au guidon de sa Harley Davidson et à participer au tournoi de golf annuel de la compagnie en se servant d'un seul club. Il a même disputé les droits sur un slogan publicitaire au cours d'une partie de bras de fer avec un autre directeur général. Au moment du décollage, les hôtesses s'amusent à donner les consignes en chantant. Les actionnaires de la compagnie sont quant à eux enchantés des résultats obtenus, quant à celle-ci, elle récolte toutes les grandes récompenses attribuées aux compagnies aériennes[2].

Mythe n° 6 : Il faut avoir un bon sens de l'humour (ou être quelqu'un de comique) pour créer une atmosphère de travail décontractée

Peut-être n'avez-vous rien d'un Woody Allen. Les patrons les plus formidables ne sont pas forcément tous des petits rigolos (ou des gens qui apprécient particulièrement la rigolade). Dans bien des cas, ils se contentent de permettre aux autres de laisser libre cours à leur sens de l'humour et à leur goût du jeu. Ils ne créent peut-être pas d'ambiance décontractée au travail, mais ils *encouragent* les autres à créer une telle atmosphère. Par conséquent, si vous n'êtes pas doué pour faire de l'humour, laissez les autres s'en charger.

> *La patronne que j'ai le plus appréciée n'était pas nécessairement quelqu'un qui aimait la plaisanterie. La plupart du temps, elle était à son affaire et affichait une mine sérieuse. Un jour, elle nous a tous grandement étonnés en se costumant à l'occasion de l'Halloween. Elle s'était vraiment surpassée ! Mais, la plupart du temps, elle se contentait de nous laisser nous amuser, sans chercher à nous juger ou à réprimer notre enthousiasme.*
>
> – Une surveillante d'hôpital

Histoire de mettre un peu de gaieté dans votre entreprise, il suffit de réunir vos employés à l'heure du déjeuner, chacun ayant emporté son repas, autour d'un orateur qui traitera d'un sujet intéressant. Ainsi, un employé a, un jour, rassemblé ses collègues dans un parc et leur a fait une démonstration à l'aide de ses avions miniatures télécommandés. Un autre a fait venir au bureau un négociant en vins dans le cadre d'une séance de dégustation. Un autre encore a invité un professionnel de golf à donner des leçons à ses collègues.

S'amuser peut être rentable

Le plaisir engendre la créativité. Ajoutez un soupçon de gaieté à un environnement de travail et tous les employés s'en trouvent stimulés, de même que la productivité et l'imagination. De nouvelles idées surgissent et la rentabilité s'en trouve accrue par le fait même. (Enfin, ce n'est peut-être pas aussi simple que cela, mais cela demeure dans le domaine du possible.)

En 1995, les cadres de la société Fluor Corp. ont invité un groupe d'enfants surdoués d'une école locale à une de leurs réunions de formation. Les enfants se sont joints à une partie des dirigeants, cependant qu'un deuxième groupe de responsables se réunissait simplement entre eux. À la fin de la journée, le groupe composé d'enfants et de cadres avait formulé davantage d'idées novatrices que le groupe composé uniquement de cadres[3].

RÉSUMÉ

Les expériences menées dans diverses entreprises de toutes tailles le démontrent : la créativité réside là où il y a du plaisir et le plaisir ne diminue en rien la productivité lorsque les objectifs de tout un chacun sont clairement définis. Laissez vos employés s'amuser. Ne tentez pas de freiner leur enthousiasme. Le plaisir qu'ils éprouvent au travail les stimulera, les motivera et leur donnera envie de rester en poste. Contribuez par conséquent à accroître leur plaisir en y participant activement et en créant avec eux les occasions propices à cet effet. Bref, encouragez-les à avoir du plaisir, en allant même jusqu'à les récompenser au besoin.

1. « Study of the Emerging Workforce », Saratoga Institute, Interim Services, Inc., 1997.
2. Jackie Frieberg et Kevin Frieberg, *Nuts !*, Austin, Texas, Bard Press, 1996, p. 247.
3. Susan Vaughn, « To Think Out of the Box, Get Back Into the Sandbox », *Los Angeles Times*, 11 janvier 1999, cahier Carrières, p. 3 et 13.

Chapitre 12

Aidez vos effectifs à garder le contact

J'ai eu très peu d'occasions de rencontrer qui que ce soit en dehors de mon environnement immédiat. Or, dans mon unité de travail, j'étais visiblement entouré d'une bande de solitaires.

– J.A.

Dans quelle mesure votre entreprise pousse-t-elle vos employés à aller voir ailleurs ? Il est pourtant relativement facile pour un employé de quitter son emploi :

- ✓ Lorsqu'aucune attache ne le retient ;
- ✓ Lorsqu'aucun groupe de collègues n'est susceptible de lui offrir son soutien ou de lui fournir des renseignements ou simplement l'occasion d'exprimer ses doléances ;
- ✓ Lorsqu'il parvient difficilement à faire valoir ses idées ;
- ✓ Lorsqu'il n'est pas en contact avec des gens qui l'aident à accomplir son travail ;
- ✓ Lorsqu'il n'éprouve aucun plaisir à travailler avec ses collègues.

Êtes-vous un bon entremetteur ?

Un directeur qui refuse de servir d'entremetteur est quelqu'un qui craint de voir un jour un collègue mettre le grappin sur ses effectifs.

À l'inverse, un directeur qui sait jouer les intermédiaires craindra de voir les connaissances et les compétences de ses employés s'étioler s'il ne les aide pas à nouer des liens avec ses collègues des autres services. Leur productivité resterait tributaire des seules ressources de son service. Ils se contenteraient d'accomplir leurs tâches sans se soucier de l'ensemble.

Mais par où commencer pour aider vos employés à se relier aux autres divisions et services que comporte votre entreprise? À vous d'en décider. Permettez-leur simplement de se sentir liés:

✓ À l'entreprise dans son ensemble;
✓ Aux membres de votre division;
✓ Aux autres membres de votre équipe;
✓ Aux membres de leur profession.

Renforcez leurs liens avec l'entreprise

Il n'est pas nécessaire d'œuvrer au sein de la Croix-Rouge ou de Greenpeace pour que vos employés se sentent interpellés par la mission de l'entreprise. Il suffit qu'ils comprennent et partagent les objectifs de l'entreprise pour que leur motivation s'en trouve accrue.

Il suffit parfois de faire l'historique de la compagnie, de parler de ses fondateurs, de sa raison d'être, des principaux besoins auxquels ses produits et services répondent ou de citer les témoignages de clients satisfaits.

Un fabricant d'appareils médicaux faisait venir des patients qui séjournaient à l'hôpital local et dont la vie avait pu être sauvée ou la qualité de vie améliorée grâce à ces instruments. Tous les employés des divers services assistaient à ces rencontres et avaient la possibilité de poser des questions aux usagers. Les employés en éprouvaient une grande fierté et leurs liens avec l'entreprise s'en trouvaient resserrés d'autant. Dans quelle mesure une rencontre de ce genre vous per-

mettrait-elle d'accroître vos chances de garder vos employés ?

Des rencontres avec le président, le directeur général ou tout autre membre de la haute direction d'une entreprise contribuent grandement à renforcer les liens entre les employés et leur employeur. Alors que les énoncés de mission traduisent les principes qui sous-tendent les actions d'une entreprise et changent rarement, les objectifs d'une entreprise peuvent varier grandement. Tenez vos effectifs au courant de ce qui se passe afin de les aider à se sentir proches de leur entreprise. S'ils entendent parler par hasard de changements à venir, bons ou mauvais, ils en concluront qu'on les néglige et les rumeurs commenceront à circuler.

La Banque fédérale de réserve de New York aide ses effectifs à garder le contact par le truchement du Federal Reserve Club, une amicale qui propose des voyages à tarif réduit à tous les employés de la banque, quels que soient leurs titres, leurs fonctions ou leur importance. Les employés qui n'ont pas la chance de se croiser à leur travail peuvent ainsi discuter entre eux sans plus de formalités. Il en résulte qu'un employé qui a besoin de renseignements d'un autre service ne se gênera probablement pas pour appeler quelqu'un sur place qu'il connaît déjà.

voir **CHAPITRE 15**

Un moyen de favoriser les liens au sein de votre entreprise consiste à dresser la liste de toutes les réunions interservices auxquelles vous devez participer en une semaine. (Cela vous rend-il malade rien que d'y penser ?) Auxquelles de ces réunions souhaiteriez-vous qu'un membre de votre équipe assiste à votre place ? Ce faisant, vous gagnerez un temps précieux !

Comment faire pour resserrer les liens entre les employés de votre service et accroître ainsi les chances qu'ils vous restent fidèles ? Il existe de multiples réponses à cette question.

EXERCICE PRATIQUE

- ✓ **Organisez régulièrement des réunions au cours desquelles vos employés peuvent s'exprimer librement.** Si ceux-ci ont l'impression que l'on tient compte de leur avis, leur sentiment d'appartenance au groupe et de loyauté à votre égard s'en trouvera renforcé. Ne craignez pas de recevoir également leurs doléances. Même si vous n'êtes pas en mesure de régler tous leurs problèmes, le seul fait de permettre à vos employés d'exprimer ce qu'ils ont sur le cœur les aidera à se sentir mieux.
- ✓ **Encouragez les sorties de groupe.** Ne vous attendez cependant pas à ce que vos employés acceptent de sortir ensemble en dehors de leurs heures de travail. Envisagez plutôt de leur offrir un après-midi de congé par mois, à condition qu'il s'agisse d'une activité de groupe.
- ✓ **Laissez à vos employés du temps pour discuter entre eux.** Certains directeurs craignent à ce point que le boulot ne soit pas accompli à temps qu'ils découragent leurs employés d'avoir des discussions personnelles. Ils oublient toutefois que de telles conversations aident leurs employés à créer des liens entre eux.
- ✓ **Organisez des petits-déjeuners causerie.** Les membres de votre service ont besoin de se retrouver entre eux à l'occasion. Dans une atmosphère détendue, vous pouvez à loisir leur soumettre de nouveaux projets, leur demander de vous faire part de leurs idées et donner ainsi le coup d'envoi d'un nouveau mois.

Renforcez votre équipe

Avez-vous jamais eu le sentiment de faire partie d'une équipe? Certains d'entre vous devront peut-être remonter jusqu'à l'époque où ils s'amusaient dans la cour de récréation de leur école pour retrouver cette impression. Imaginez un peu ce qui se produirait si, au sein des entreprises, tous les employés se serraient les coudes comme le font les joueurs des meilleures équipes sportives!

Rhino Foods, une petite société de Burlington, au Vermont, met sur pied des équipes pour tout projet inhabituel. On recrute à l'interne, par le truchement d'annonces affichées dans tous les services de l'entreprise, les employés intéressés par de tels projets. Il en résulte une équipe diversifiée qui œuvre dans un même but spécifique, plutôt qu'un groupe uniforme habitué à toujours faire les mêmes choses de la même manière[1].

La clé pour garder vos employés consiste à leur permettre de créer des liens solides entre eux. La plupart des gens ont besoin tout autant qu'ils ont envie d'être entourés de collègues avec lesquels ils peuvent réfléchir, travailler et développer leur créativité. Une étude étonnante révèle que les ingénieurs qui ont le soutien de leurs collègues ont davantage tendance à rester en poste. Dire que, selon le stéréotype habituel, on imagine les ingénieurs comme des êtres qui n'ont que leur travail à l'esprit au point d'être presque antisociaux ! Selon cette même enquête, leur lieu de travail constitue d'ailleurs pour les ingénieurs leur principale source de rapports sociaux[2]. Cela vaut sans doute pour la plupart de vos meilleurs éléments.

Dommage…

Une entreprise concurrente m'a offert une hausse de salaire de 10 % et j'ai accepté. Mon patron n'en revenait pas lorsqu'il a appris ma démission. Il était persuadé que j'adorais mon emploi et ne se doutait vraiment pas qu'on puisse me persuader d'aller ailleurs. Qu'est-ce qui m'a pris au juste ?

Pour être honnête, c'est un ensemble de facteurs qui m'a poussé à partir. Je ne me sentais pas attaché à mon travail et je n'avais pas l'impression de faire partie d'une équipe. Si nous avions passé un peu plus de temps ensemble ou si j'avais eu l'impression d'appartenir à un groupe, je serais peut-être resté. Dans l'entreprise qui vient de m'embaucher, on travaille essentiellement en équipe. J'espère trouver là le genre d'interaction qui me manquait. L'offre salariale était certes alléchante, mais c'est la perspective de faire partie d'une équipe qui m'a le plus séduit.

– Un ingénieur en aéronautique

Si son supérieur avait su quels étaient les besoins de cet employé, peut-être aurait-il songé à créer un meilleur esprit d'équipe autour de lui.

Renforcez leurs liens avec les membres de leur profession

Les associations professionnelles offrent aux employés l'occasion d'avoir une perspective d'ensemble de ce qui se passe ailleurs que dans leur entreprise. Comment d'autres professionnels comme eux affrontent-ils des problèmes ou supportent-ils des pressions semblables aux leurs ? À quelles solutions originales ont-ils recours ?

Les directeurs qui voient les choses négativement craignent que leurs employés qui participent à des rencontres entre professionnels en viennent à la conclusion que l'herbe est plus verte ailleurs. Ou ils redoutent qu'on leur soumette des offres d'emploi ou que leur engagement au sein de leur association les amène à prendre progressivement du recul par rapport à leur travail. Or, de telles possibilités existent indépendamment de votre volonté. Par conséquent, n'ayez pas peur d'encourager vos employés à adhérer à des associations professionnelles.

Pourquoi inciter vos employés à renforcer leurs liens avec leur entourage ?

Plus les entreprises se départiront de leurs structures hiérarchiques, moins leurs dirigeants pourront compter sur l'autorité que leur confèrent leurs titres. Ils devront miser davantage sur les liens qu'ils sauront tisser avec les membres de leur propre réseau de contacts. La clé du succès résidera désormais dans leur capacité de saisir toute l'importance des rapports interpersonnels.

– David Krackhardt et Jeffrey Hanson[3]

Les employés qui ont des liens accrus avec leur environnement sont en mesure de vous permettre d'être mieux « connecté » vous-même. Plus leurs réseaux s'étendent, plus ils sont en mesure de vous donner accès à de nouvelles informations ou à de nouvelles ressources susceptibles d'accroître la productivité de votre service tout entier.

Voici quelques exemples de ce que vous pourriez faire pour encourager les membres de votre équipe à tisser des liens professionnels :

EXERCICE PRATIQUE

- ✓ En guise de récompense pour leurs efforts, offrez à vos employés des cartes d'adhésion à certaines associations professionnelles.
- ✓ Au cours des réunions du personnel, permettez à ceux de vos employés qui ont assisté à une conférence ou à tout autre événement digne d'intérêt de faire un bref compte rendu de ce dont ils ont été témoins.
- ✓ Offrez à plusieurs de vos employés la possibilité de prendre part aux réunions auxquelles *vous* êtes tenu d'assister.
- ✓ Proposez de prendre la parole au cours d'une réunion de leur association.
- ✓ Demandez à tous ceux de vos employés qui sont membres d'une association de lire des extraits du journal ou du bulletin d'information publié par cette dernière au cours d'une séance de lecture. Consacrez une partie du temps normalement réservé aux réunions du personnel à discuter des articles en question.

Il est évidemment hors de question que vous établissiez ces liens à leur place. Mais il est de votre devoir de leur présenter les diverses possibilités qui s'offrent à eux et de les encourager en ce sens.

Comment apprendre à vos employés à établir des liens

Sans doute J.A. a-t-il quitté l'entreprise qui l'employait parce qu'il n'y a découvert aucune possibilité de se relier à son environnement. Si vous souhaitez éviter que la même chose se produise chez vous, demandez à vos employés ce qu'ils pensent des propositions qui suivent.

EXERCICE PRATIQUE

Demandez à vos employés s'ils seraient favorables à l'idée :

- ✓ De connaître vos réactions sur la qualité de leur travail ;
- ✓ D'acquérir des compétences spécifiques ;
- ✓ D'être mis au courant lorsqu'une occasion intéressante se présente ;
- ✓ De recevoir des informations ;
- ✓ D'écouter vos suggestions lorsqu'ils ont besoin d'aide ;
- ✓ D'occuper un poste spécifique ;
- ✓ D'acquérir une plus grande visibilité au sein de l'entreprise ;
- ✓ D'établir de nouveaux contacts.

Demandez-vous qui serait le plus susceptible – tant au sein qu'à l'extérieur de votre entreprise – de répondre aux besoins de chacun de vos employés. Tâchez ensuite de mettre vos employés en contact avec les personnes les mieux à même de les aider, et qui correspondent à l'un ou l'autre des modèles suivants :

- ✓ ***Pédagogue.*** Recherchez quelqu'un qui sait écouter et encourager les autres lorsqu'ils sont placés devant des choix. Il peut être difficile pour vous de jouer ce rôle face à vos propres employés. Par conséquent, encouragez-les à nouer des liens avec les autres. Une fois les rapports d'amitié établis, la relation d'aide peut commencer.
- ✓ ***Parrain.*** Recherchez quelqu'un qui aidera vos employés à acquérir plus de visibilité ou qui les recommandera pour un nouveau poste. Rien ne vous interdit certes de les parrainer vous-même, mais rien ne vous empêche non plus de les diriger vers un collègue ou un supérieur qui aurait quelque chose de différent à leur proposer.

- ✓ *Formateur.* Recherchez quelqu'un qui aidera vos employés à acquérir de nouvelles compétences. Il peut s'agir d'une formation à court ou à long terme. Il est impossible pour vous de former seul tous les membres de votre personnel. Songez à mettre vos employés en contact avec des personnes qui possèdent des compétences différentes des leurs, de manière à ce que chacun en retire quelque chose.
- ✓ *Informateur.* Recherchez quelqu'un qui saura communiquer à vos employés des renseignements pertinents sur ce qui se passe tant à l'intérieur qu'à l'extérieur de votre entreprise. Souvenez-vous que certains de vos collègues ont peut-être accès à des sources de renseignements privilégiées et qu'ils ne détiennent pas forcément les mêmes informations que vous.
- ✓ *Conseiller.* Recherchez quelqu'un qui est bien placé pour donner de bons conseils parce qu'il parle d'expérience. Plus vous dénicherez de personnes de ce genre, mieux cela vaudra pour tout le monde[4].

voir CHAPITRE 9

Apprenez-leur le secret de la réciprocité

Suggérez à vos employés de toujours renvoyer l'ascenseur. Il est de bon ton d'offrir quelque chose en contrepartie d'un service rendu. En d'autres termes, il est souhaitable de dédommager l'autre de sa peine. À défaut de quoi les rapports avec les autres se font à sens unique : ils vont dans le sens des intérêts d'un seul individu.

Pour éviter cela, il est de mise de procéder à ce qu'il est convenu d'appeler un « échange de bons procédés », c'est-à-dire d'offrir à l'autre, en échange de ses services, quelque chose qui ne vous demande pas d'effort particulier mais que l'autre n'a pas les ressources nécessaires pour se procurer. Ainsi, vous pouvez montrer à quelqu'un comment se servir d'un nouveau logiciel, ou encore lui conseiller un livre susceptible de l'aider dans son travail, voire lui en faire un résumé. Bref, il existe une multitude de façons de remercier quelqu'un qui nous a rendu service.

EXERCICE PRATIQUE

Échange de bons procédés. Voici quelques exemples de services à rendre à un « contact » qui vous a rendu service[5] :

- ✓ Le présenter à diverses connaissances (p. ex. : un client ou un fournisseur potentiel) ;
- ✓ Lui soumettre des idées originales (p. ex. : une nouvelle façon de passer des commandes) ;
- ✓ L'aider à avoir de nouvelles idées (p. ex. : sur la manière de commercialiser un nouveau produit) ;
- ✓ Lui proposer bénévolement de l'aide (p. ex. : pour organiser une vente de charité) ;
- ✓ L'aider à accroître son réseau de connaissances (p. ex. : lui fournir une liste de contacts) ;
- ✓ Diminuer sa charge de travail (p. ex. : l'aider à rédiger une proposition d'affaires) ;
- ✓ Lui faire une critique constructive (p. ex. : lui suggérer un moyen d'améliorer l'efficacité d'une brochure publicitaire) ;
- ✓ Le recommander à autrui (p. ex. : faire connaître ses produits et services par la méthode du bouche à oreille) ;
- ✓ Lui faire bénéficier de vos connaissances (p. ex. : en informatique).

RÉSUMÉ

Parmi les principales raisons qui incitent les employés à continuer d'œuvrer au sein d'une entreprise figurent les liens qu'ils sont en mesure d'y nouer. Si ces rapports sont ténus ou inexistants, il devient facile pour eux d'aller ailleurs. Le monde du travail est en constante évolution ; c'est à vous qu'il appartient de créer un environnement stable en renforçant les liens entre les employés qui travaillent directement sous votre responsabilité et les autres membres de votre entreprise. Plus vos employés sauront tisser des liens solides autour d'eux, plus ils vous aideront, par un vaste échange de bons procédés, à consolider vos propres relations avec les autres. En outre, vous augmenterez vos chances de les garder !

---

1. Gillian Flynn, « Rhino's Owner Explains the Company's Purpose », *Personnel Journal* 75, juillet 1996, p. 36-43.
2. Christina Melnarik, « Retaining High Tech Professionals : Constructive and Destructive Responses to Job Dissatisfaction Among Electrical Engineers and Non-Engineering Professionals », thèse de doctorat, université Walden, 1998.
3. David Krackhardt et Jeffrey Hanson, « Informal Networks : The Company Behind the Chart », *Harvard Business Review* 71, juillet-août 1993, p. 111.
4. Beverly Kaye et Beverly Bernstein, « Mentworking : Building Learning Relationships for the 21st Century », atelier, Career Systems International, Scranton, Pennsylvanie, 1998, p. 45.
5. *Ibid.*, p. 67.

Chapitre 13

Soyez un guide pour vos employés

Je regrette de ne pas avoir eu de guide pour m'aider à éviter les pièges dans lesquels, je l'avoue, je suis tombé plus souvent qu'autrement !

– J.A.

BULLETIN SPÉCIAL ! Lisez l'article suivant, paru dans *Business Week* :

> *Êtes-vous trop pris par vos réunions et voyages d'affaires pour prendre le temps d'indiquer à vos employés vedettes la marche à suivre pour réussir leur carrière ? Si tel est le cas, vous commettez une grave erreur. Des chiffres provenant d'une enquête menée en 1999 montrent que 35 % des employés qui ne bénéficient d'aucun programme d'encadrement se cherchent un nouvel emploi au cours des 12 mois suivant leur embauche. En revanche, seulement 16 % de ceux qui sont conseillés adéquatement manifestent l'intention d'abandonner le navire*[1].

Conseiller ses employés n'a rien de bien sorcier. Tout ce que ces derniers recherchent très souvent, c'est un patron qui se soucie de leur avenir. Voici donc quelques recommandations susceptibles de faire de vous, dès à présent, un mentor efficace. Plus vous agirez comme un guide éclairé aux yeux de vos employés, moins ils seront tentés de vous laisser tomber. En voici un exemple :

> *Je savais parfaitement bien que ma compagnie était loin d'offrir les meilleurs salaires pour le genre de travail que je faisais. Par moments je me disais : « Tu serais beaucoup mieux rémunéré ailleurs. » Un jour, j'ai décidé de dresser le bilan des avantages et des inconvénients que comportait mon travail. Je me suis rendu compte que j'avais de nombreuses occasions d'apprendre. Mon patron avait le don de deviner à quel moment j'étais prêt à passer à une nouvelle étape et, chaque fois, c'est lui qui me donnait la chance d'acquérir de nouvelles connaissances avant même que cette idée me vienne à l'esprit. J'ai pu acquérir de la visibilité dans les autres divisions de la compagnie en faisant partie de différents groupes de travail. Mon directeur prenait le temps de m'expliquer les secrets de la réussite et de m'aider à me perfectionner. Après avoir dressé ma liste, j'ai mesuré à quel point j'avais fait des progrès en l'espace d'à peine quelques années. J'ai donc pris la décision de rester, persuadé que je pourrais difficilement retrouver autant d'avantages ailleurs.*

Qu'est-ce qu'un mentor ?

Un **M**odèle qui sait	Soyez un modèle pour vos employés, mais montrez-leur également d'autres modèles à imiter.
Encourager	Encouragez-les à prendre des risques calculés qui leur permettront de faire des progrès.
Nourrir	Apprenez à connaître vos employés et leurs compétences respectives ; enseignez-leur à tirer le meilleur parti de leurs capacités.

Transmettre son **O**pinion sur la **R**éalité de l'entreprise	Communiquez-leur les informations dont vous disposez sur votre entreprise. Conseillez-les adéquatement, de manière qu'ils évitent les pièges qui ne figurent pas dans les règlements internes de l'entreprise. Ce faisant, vous les aidez à garder le contact avec la réalité.

Quel genre de modèle êtes-vous ?

Si l'on en croit un vieux principe de gestion, les employés ont davantage tendance à faire confiance à un patron débrouillard qu'à un patron infaillible. Ceux qui savent s'adapter ne réussissent pas toujours ce qu'ils entreprennent du premier coup. Ceux qui maîtrisent parfaitement la situation donnent au contraire l'impression de ne jamais commettre d'erreur. Si vous êtes d'avis que vos employés ne doivent pas voir vos faiblesses et que vous devez toujours leur fournir les bonnes réponses, cette première étape du processus de mentorat vous paraîtra plus difficile.

L'une d'entre nous a assisté récemment à un exposé sur le rôle des parents. Un conférencier de niveau international, spécialiste de cette question, a demandé aux deux cents personnes présentes (y compris des parents d'un certain âge) quel était le moyen le plus sûr de rehausser l'estime de soi chez un enfant. Des mains se sont levées, mais personne n'a eu la bonne réponse. Selon l'orateur, c'est la capacité d'un parent à dire « J'ai commis une erreur » qui a le meilleur effet sur l'estime de soi d'un enfant. Le conférencier a ensuite demandé combien de personnes se souvenaient avoir entendu leurs parents affirmer s'être trompés. Très peu de mains se sont levées.

Par conséquent, dans quelle mesure devez-vous être franc avec vos employés ? Selon nous, vous avez tout intérêt à rester franc en tout temps avec eux. Imaginons, par exemple, que vous n'ayez pu faire passer vos idées au cours d'une importante réunion. Faire le compte rendu de la réunion à un employé (« Voilà ce qui s'est passé : vois-tu comment Maxime a réussi à me faire dévier de mon sujet avec sa question ? ») peut constituer une excellente façon de conseiller celui-ci.

Servir de modèle dans le cadre d'une relation d'aide équivaut à saisir toutes les occasions de montrer que vous vous êtes trompé, et à donner ainsi aux autres la permission d'en faire autant.

Prodiguez vos encouragements

En matière d'encouragement, tout est dans l'œil de celui qui regarde. Ainsi, un employé dira : « Mon patron ne m'a jamais encouragé », cependant que son directeur répliquera : « Je n'ai jamais cessé de l'encourager ». Comment encourager efficacement vos employés ?

Il est certain que, pour garder un employé, il faut savoir lui être attentif. Or, la chose est plus facile pour les directeurs qui ont eux-mêmes reçu des encouragements.

Certains y parviennent naturellement, dans le cadre de la conversation. Voici un moyen tout simple, en trois étapes, d'encourager vos effectifs :

Attention : Exercez votre sens de l'observation.
Verbalisation : Exprimez votre opinion.
Mobilisation : Incitez à passer à l'action[2].

voir CHAPITRE 3

Chacune de ces trois étapes peut servir indépendamment l'une de l'autre de méthode d'encouragement, mais leur effet combiné sera encore plus puissant, comme les exemples ci-dessous, basés sur le scénario suivant, vous le montreront. Lilianne remet à son directeur le superbe dépliant publicitaire qu'elle vient de concevoir en lui disant : « Je me suis amusée avec notre nouveau logiciel de graphisme et l'imprimante laser. »

Attention. Directeur : « Hum ! ça me semble très bien. J'ignorais que vous vous intéressiez à ce genre de chose. » (Bien.)

Attention et verbalisation. Directeur: « Vous avez fait du très beau travail. Cela vous plairait-il de répéter l'expérience ? » (Mieux.)

Attention, verbalisation et mobilisation. Directeur : « Si vous aimez ce genre de travail, pourquoi ne pas en glisser un mot à Marc, de l'atelier de graphisme ? Et pendant que vous y serez, demandez-lui quand il projette de donner son prochain cours de graphisme. » (Idéal.)

Ce type de conseil aura d'autant plus d'importance que vous êtes trop pris par le temps pour vous asseoir et discuter avec chacun de vos employés. De telles interventions impromptues suffiront à faire comprendre à beaucoup d'entre eux qu'ils comptent à vos yeux.

Nourriture pour l'esprit

De nombreux employés qui ont quitté l'entreprise qui les embauchait affirment que leur directeur ne prenait la peine ni de les écouter ni de les aider à progresser.

Dommage...

Extrait d'une entrevue avec un cadre supérieur d'entreprise de haute technologie :

Intervieweur : *Avez-vous déjà eu un mentor ?*

Cadre : *Bien sûr. C'était mon directeur. Il se souciait réellement de moi. Il s'arrêtait souvent en passant pour me poser des questions et m'aider à réfléchir à ce que je faisais et aux raisons pour lesquelles je le faisais. Il savait m'encourager et me stimuler.*

Intervieweur : *Est-ce que vous en faites autant à votre tour ?*

Cadre : *Euh... non. J'aimerais bien, mais on n'a plus vraiment le temps de faire ça de nos jours.*

Jouer le rôle de mentor demande du temps, mais pas énormément. Cela exige surtout la volonté de faire savoir aux autres qu'on a sincèrement à cœur leur réussite.

Encouragez les idées nouvelles. Lorsque vos employés vous suggèrent une manière différente de procéder, avez-vous le réflexe de leur répondre par la négative ? Êtes-vous du genre à tuer toute initiative dans l'œuf? (Répondez honnêtement!) Selon nos sources, les employés se font rebuter beaucoup plus souvent que leurs directeurs le pensent. Et ces rebuffades perpétuelles leur rendent la tâche plus facile lorsqu'ils prennent la décision de démissionner. Prenez donc la peine d'écouter leurs idées jusqu'au bout et d'imaginer sur quoi elles pourraient déboucher. Demandez des précisions. Et puisque la nuit porte conseil, prenez le temps d'y réfléchir. Habituez-vous à penser : « Tiens ! voilà qui est intéressant » plutôt que : « Ça ne pourra jamais fonctionner ».

Entretenez de bons rapports avec vos employés. Apprenez à mieux les connaître et donnez-leur aussi l'occasion de mieux vous connaître.

> *La première vice-présidente du marketing d'une grande entreprise (qui figure, d'après le magazine américain* Fortune, *sur la liste des dix plus importantes sociétés) a émis le vœu que les directeurs de sa société sachent reconnaître à quel point il est important pour leurs subalternes qu'ils aient de bons rapports avec eux. « Il ne s'agit pas de relations profondes, précise-t-elle. Il s'agit de petits détails, comme de prendre une tasse de café ensemble à l'occasion. » Les employés ont besoin de sentir qu'ils sont importants et appréciés. S'ils ont l'impression d'être invisibles, il devient facile pour eux de quitter leur employeur.*

Les directeurs qui profitent de la moindre occasion pour encourager les plus compétents de leurs employés sont assurés de les garder auprès d'eux.

Transmettez votre Opinion sur la Réalité de l'entreprise

Qui n'a pas eu vent de quelque histoire d'employé brillant qui avait tout pour réussir mais qui a tristement échoué pour avoir commis une bévue, n'avoir pas su communiquer adéquatement avec ses collègues ou avoir ignoré les règles non écrites de son entreprise?

Nombreux sont les ouvrages de psychologie qui donnent à penser qu'il ne suffit pas d'être bardé de diplômes pour réussir dans le monde du travail. Daniel Goleman fait état à cet égard de QI émotionnel, c'est-à-dire de la capacité d'éprouver de l'empathie pour les autres et d'établir des rapports avec eux. Paul Stoltz fait pour sa part référence au quotient d'adversité ou QA, à savoir la capacité de faire face au mauvais sort ou à l'échec. D'autres auteurs parlent d'arrogance, d'insensibilité à l'égard des autres et de tendance à donner des directives à ses supérieurs comme d'autant d'embûches susceptibles de briser une carrière. Votre capacité et votre volonté de dire les choses telles qu'elles sont peuvent contribuer à éviter des drames, pour le plus grand bien de votre entreprise.

Dommage...

Sur papier, elle était brillante. Elle avait obtenu son diplôme de l'une des meilleures universités du pays et avait fini parmi les meilleurs de sa classe. Tous nos concurrents la convoitaient, mais c'est nous qui avons réussi à mettre la main dessus. Nous lui avons fourni toutes les occasions de progresser à son rythme, de travailler avec d'autres collègues brillants, de faire partie de comités chargés de prendre des décisions concernant l'avenir de notre entreprise. Nous fondions de grands espoirs sur elle.

Mais elle était si pressée d'agir qu'elle a commencé à prendre les autres à rebrousse-poil. Elle négligeait en permanence de suivre la voie hiérarchique et ne cherchait nullement à ménager les susceptibilités. Malheureusement, personne n'a pris la peine de lui suggérer d'agir de manière à se gagner l'indispensable respect de son entourage.

Peu à peu, elle a perdu de son influence. Même si ses vastes connaissances continuaient de lui conférer un énorme avantage, elle demeurait incapable de communiquer avec ses collègues de travail. Les gens fuyaient sa présence. Elle a fini par se retrouver complètement isolée. Elle était de plus en plus malheureuse chez nous. Avant même d'avoir pu lui demander ce qui se passait et d'avoir pu lui venir en aide, nous l'avions perdue.

– Un directeur d'entreprise de haute technologie

Comment aborder la question des règles non écrites ? Que se produira-t-il si, en discutant avec un employé placé sous votre responsabilité de son comportement à l'égard des autres, vous commettiez une erreur de jugement ? Votre opinion reste ce qu'elle est : votre opinion, tout simplement. Par conséquent, il est peu probable qu'une intervention de votre part vienne empirer les choses, au contraire.

Nous n'avons jamais eu connaissance qu'un directeur ait perdu un employé en jouant trop souvent son rôle de mentor ou ait perdu la confiance de ce dernier en le conseillant trop. Nous n'avons jamais eu connaissance qu'un directeur ait fait fuir un employé en lui racontant trop souvent comment les choses fonctionnent dans son entreprise.

Les employés ont besoin de votre avis. Ils ont besoin de savoir comment se déroulent les interactions entre les gens, quelles sont les stratégies à utiliser ou non pour exercer leur influence, quels sont les desiderata de tel ou tel cadre supérieur en matière de rapports, de présentations, de réunions, etc. Et il leur faut ces informations bien avant de tomber dans un piège ou, tout au moins, afin de comprendre ce qui n'a pas fonctionné pour éviter de répéter sans cesse la même erreur.

voir CHAPITRE 20

Le directeur général d'une compagnie de produits chimiques a participé à un programme de mentorat. Il était chargé de se réunir une fois par mois avec divers groupes d'employés dotés d'un grand potentiel et de discuter pendant deux heures avec eux de points jugés essentiels. Il avait une question préférée qu'il aimait soumettre à chaque groupe et il adorait les discussions qu'elle provoquait. Il leur disait : « J'ai élaboré une théorie du succès que j'appelle R.I.V., qui est l'abréviation des mots Rendement, Image et Visibilité. D'après vous, lequel de ces trois éléments est le plus important pour votre réussite. Il prenait un malin plaisir à entendre ces brillants ingénieurs chimistes répondre en chœur : « Le rendement ! »

« Non, leur lançait-il d'un air de défi, contrairement à ce que nous serions tentés de croire, ce n'est pas le rende-

ment. Votre succès dépend de l'image que vous projetez et de votre visibilité. » Les jeunes ingénieurs ne pouvaient admettre une telle réponse et ils recouraient à tous les arguments possibles pour défendre leur point de vue. L'idée que de tels détails insignifiants puissent avoir autant d'importance les mettait en rogne. Mais lui n'en démordait pas. Après avoir écouté leurs commentaires, il leur expliquait qu'il comprenait d'autant plus leur frustration que lui aussi voyait les choses comme eux à ses débuts dans l'entreprise.

Chacun des groupes finissait par se rallier à son point de vue. Les ingénieurs le remerciaient alors d'avoir abordé cette question avec eux et de leur avoir appris cette leçon quelque peu désagréable. Nous ignorons si tous ont tenu compte de ses recommandations, mais ceux qui l'ont fait ont très certainement connu plus de succès que les autres. Mais tous ont apprécié cette discussion et la candeur de ce directeur général, au point qu'ils s'en souviennent encore !

Si vous êtes d'accord avec ce qui précède, pourquoi ne pas profiter d'une de vos prochaines réunions de service pour lancer la discussion sur la réalité du monde de votre entreprise.

EXERCICE PRATIQUE

Invitez les membres de votre service à discuter d'une des questions suivantes :

- ✓ Que savez-vous de ce qui compte vraiment au sein de cette entreprise ?
- ✓ Dans quelle mesure vos succès et vos échecs vous ont-ils permis de progresser ?
- ✓ Qu'est-ce qui vous a le plus étonné au sujet de la culture d'entreprise en vigueur chez nous ?
- ✓ Avez-vous eu des difficultés à vous adapter à cette culture ?
- ✓ De quelle façon peut-on se retrouver dans de sérieuses difficultés dans cette entreprise ?

✓ Comment certains en arrivent-ils à faire fausse route?
✓ Qu'avez-vous appris que vous auriez aimé savoir dès le début?

De nos jours, les employés ont grandement besoin de ce genre de discussion franche. À cause de la très forte compétition qui règne en milieu professionnel, très peu d'entre eux osent s'exprimer ou poser les questions qui leur viennent à l'esprit. La plupart des gens prétendent qu'ils détestent toute forme de manigance et d'intrigue sur leur lieu de travail. Mais cela fait partie de la réalité; il est donc du devoir du mentor de veiller au bien-être de ses protégés. Comme son nom l'indique, celui-ci est censé voir à leur éducation et leur éviter ainsi de trébucher. Tout directeur qui souhaite garder ses meilleurs éléments serait donc bien avisé de faire siens certains des principes énoncés.

Un dernier détail

Nous vous avons gardé le meilleur pour la fin. Savez-vous quel est le meilleur moyen de guider les autres? Laissez-les vous guider en vous faisant part de ce qu'ils savent. Demandez par conséquent à vos employés comment ils voient les choses. Laissez-les vous montrer de quelle manière vous pourriez le mieux contribuer à leur développement. Exercez votre sens de l'observation et gardez l'esprit ouvert. Vous serez le premier étonné de tout ce que vous allez apprendre. Et, en cours de route, vous ne pourrez faire autrement que d'être un modèle à imiter, quelqu'un qui sait encourager les autres, nourrir leur esprit et leur transmettre votre opinion sur la réalité de votre entreprise.

RÉSUMÉ

Vos employés ne demandent pas mieux que vous leur montriez ce qui se trame en coulisse, car ils savent que leur carrière en souffrira si vous ne le faites pas. Un directeur qui est en mesure de se comporter au quotidien comme un guide et un mentor pour ses subalternes s'assurera en retour de leur fidélité et de leur désir de continuer à travailler pour lui.

---

1. Jennifer Reingold, « Why Your Workers Might Jump Ship », *Business Week*, 1er mars 1999, p. 6.
2. Beverly Kaye, « Career Development – Anytime, Anyplace », *Training & Development* 47, décembre 1993, p. 46-50.

Chapitre 14

Sachez compter

Le patron d'une de mes amies a déclaré à celle-ci qu'il pourrait aisément la remplacer par quelqu'un dont le salaire serait beaucoup moins élevé. Il avait dit cela sur le ton de la plaisanterie, mais elle n'ignorait pas qu'il y avait un fond de vérité dans cette affirmation. Elle est partie parce qu'elle désirait travailler pour quelqu'un qui apprécie vraiment son travail.

– J.A.

Imaginez un instant la scène : vous arrivez au bureau le matin, pour constater aussitôt qu'il y a eu cambriolage au cours de la nuit. Un ordinateur tout neuf, qui se trouvait sur le bureau d'un employé, a disparu. Vous appelez le service de sécurité de la compagnie, ainsi que la police. Puis vous commencez votre propre enquête. Votre intention est de trouver le coupable et de découvrir comment il s'y est pris. Vous ne comptez pas vous interrompre tant que vous n'aurez pas résolu ce mystère. Et vous prenez immédiatement les mesures nécessaires pour que cet incident ne se reproduise pas.

Vous rappelez-vous à présent la dernière fois qu'une entreprise concurrente vous a dérobé un de vos meilleurs employés ou que l'un d'eux vous a simplement quitté ? Quelles dispositions avez-vous prises pour éviter que ce genre de situation ne se répète ? Peut-être la perte d'un actif d'une valeur de

40 000 $ à 200 000 $ ne vous a-t-elle jamais vraiment ému parce que personne ne s'est jusqu'à présent donné la peine d'évaluer la perte que représente le départ d'un employé qualifié. Pourtant, il suffit de quelques minutes pour procéder à une telle évaluation. Et vous seriez surpris des résultats!

Les chiffres et états financiers constituent le langage universel du monde des affaires. Ils parlent le langage de l'argent sonnant et trébuchant. Et tout le monde comprend ce langage, du simple ouvrier au pdg d'entreprise. Une étude attentive des chiffres vous convaincra peut-être de l'impérieuse nécessité de garder vos employés!

Quel est le prix à payer?

Peut-être pensez-vous qu'il est facile de remplacer les employés talentueux et consciencieux qui ont joué un rôle essentiel dans les succès de votre entreprise. Il est même possible que vous puissiez les remplacer à meilleur coût. C'est le genre d'argument qu'on entend souvent, en particulier en période de chômage élevé, alors que de nombreux employés compétents cherchent du travail. Mais, bien souvent, les directeurs qui sont de cet avis négligent de tenir compte des coûts réels du roulement de la main-d'œuvre. Selon certaines études, il en coûte entre 70 % et 200 % du salaire annuel d'un employé clé pour remplacer ce dernier.

Dommage…

Jean était un de nos ingénieurs les plus talentueux ; il avait mis au point certains de nos principaux procédés techniques. Il demanda une augmentation de salaire de 15 % (soit environ 15 000 $), ce à quoi son supérieur répondit aussitôt : « C'est hors de question ! » Jean quitta notre entreprise pour un concurrent qui fut trop heureux de lui offrir 30 % de plus que ce qu'il gagnait alors. Certains dirent : « Bah ! ce n'est qu'une question de semaines avant qu'on ne lui trouve un remplaçant. »

Voici ce qui s'est produit en réalité :

- ✓ *Nous avons dû débourser 40 000 $ pour les services d'une agence de recrutement chargée de débaucher quelqu'un comme Jean.*
- ✓ *Après trois mois de recherche, nous avons déniché cinq candidats valables que nous avons fait venir par avion pour une entrevue d'embauche, au coût total de 5 000 $.*
- ✓ *Après lui avoir déroulé à grands frais le tapis rouge et avoir accepté de lui verser une prime d'embauche de 10 000 $ et une indemnité de relogement de 25 000 $, nous avons retenu les services du plus intéressant de ces candidats. Il fut convenu que son salaire serait de 25 % supérieur à celui de Jean (soit 20 000 $ de plus la première année).*

Bref, il nous en coûta 100 000 $ rien que pour embaucher le candidat en question. Mais ce n'est pas tout.

- ✓ *Notre concurrent qui était allé chercher Jean (y compris son cerveau brillant et son savoir-faire technique) réussit par ailleurs à nous souffler un contrat de plusieurs milliards de dollars.*
- ✓ *La nouvelle parvint bientôt aux oreilles de la haute direction que les collègues de Jean cherchaient à leur tour à tâter le marché de l'emploi. Les cadres supérieurs décidèrent alors de leur accorder une hausse salariale de 15 % pendant les deux années à venir (coût de l'opération : 200 000 $).*
- ✓ *Nous avons également perdu deux ou trois autres employés clés au profit de nos concurrents. Leurs compétences techniques se sont également volatilisées avec eux. Non seulement nous avons perdu notre avance technologique, mais nous avons pour ainsi dire contribué à renforcer nos concurrents du jour au lendemain.*

Ce ne fut donc pas seulement une affaire de 100 000 $. Le manque à gagner s'est chiffré pour nous en milliards de dollars.

> *Et cela sans compter la baisse de moral, le mécontentement des employés et la baisse de productivité qui ont suivi le départ de Jean et qu'il est difficile d'évaluer. Il est évident, avec le recul, que nous aurions dû faire quelques efforts pour garder Jean. Nous aurions dû le payer selon sa valeur, mais nous aurions dû nous assurer également qu'il accomplissait un travail stimulant qui le rendait heureux. Nous avons commis une erreur très coûteuse en le laissant filer.*
>
> – Un directeur d'entreprise de haute technologie

Pareille histoire pourra vous sembler exceptionnelle. Tous vos employés ne valent pas des milliards de dollars, après tout. Il n'empêche que cette histoire est vraie et qu'elle illustre parfaitement le principe dont il est ici question. Personne, à l'exception du directeur qui a rapporté ces faits, n'a pris la peine d'évaluer ce que la perte de Jean a réellement coûté à cette société. Les directeurs font rarement de tels calculs, parce qu'alors il leur faudrait soit rechercher les causes réelles du roulement de leur personnel, soit trouver qui blâmer en pareil cas. Ils pourraient par ailleurs en venir à mettre en place des stratégies destinées à garder leurs employés. Or, la plupart des dirigeants d'entreprise ne veulent tout simplement pas se donner cette peine.

Vous ne saurez jamais combien il en coûte de perdre vos meilleurs éléments, à moins de vous donner la peine d'effectuer les calculs qui s'imposent!

Voici ce que nous vous suggérons. Utilisez la grille qui suit pour évaluer les coûts liés à la perte d'un employé de talent. Au besoin, ajoutez dans les espaces libres toute dépense inhabituelle liée à la situation particulière de votre entreprise.

Dépenses	**Coût**
Annonces dans les journaux	________
Agence de recrutement	________
Dépenses liées à l'entretien d'embauche : avion, hôtel, repas, etc.	________

Temps consacré par le directeur et les autres membres de l'équipe aux entretiens d'embauche	________
Projets en suspens jusqu'au moment où le candidat retenu entre en action	________
Surcroît de travail pour les autres membres de l'équipe (y compris heures supplémentaires payées pour accomplir le travail pendant le processus de sélection et de formation du nouvel employé)	
Heures de formation du nouvel employé	________
Clients perdus	________
Contrats ou ventes perdus	________
Baisse de moral et de productivité, temps perdu à discuter de cette histoire	________
Prime d'embauche et autres avantages	________
Indemnité de relogement	________
Perte d'autres employés	________
________________________	________
________________________	________
________________________	________

En plus d'évaluer les coûts liés au départ et au remplacement d'un employé, peut-être serait-il avisé pour vous de réfléchir à ces questions :

✓ Combien votre organisation économiserait-elle si elle réussissait à réduire ne serait-ce que de 1 % le taux de roulement de sa main-d'œuvre ?

✓ De quelle façon votre entreprise pourrait-elle utiliser les dollars ainsi économisés si elle n'avait pas besoin de recruter, d'embaucher et de former de nouveaux employés ? (Vous pourriez envisager la mise sur pied de stages de perfectionnement, de programmes d'enrichissement des tâches, l'instauration de primes de rendement et autres indemnités, ou d'un service de recherche et développement, par exemple.)

RÉSUMÉ

Retenir vos meilleurs employés doit être considéré comme une stratégie d'affaires purement rationnelle. En termes clairs, il est essentiel d'évaluer combien il en coûte de perdre et de remplacer un employé clé. Si vous croyez que l'expression « un de perdu, dix de retrouvés » s'applique ici, vous feriez mieux d'évaluer de tels coûts en toute objectivité. Cela vous incitera peut-être à tout mettre en œuvre désormais pour garder vos employés les plus talentueux.

Chapitre 15

Suscitez les occasions favorables

Il ne m'a pas semblé y avoir beaucoup d'occasions à saisir dans cette compagnie. Il est vrai que je n'en ai pas vraiment cherché et que mon directeur ne m'en a pas non plus proposé.

– J.A.

Les employés les plus talentueux ont le choix de travailler où ils le désirent. Si vous tenez à les garder, apprenez à dénicher avec eux les occasions à ne pas rater. Ce qui ne signifie pas que vous devez prendre leur carrière en main. Il ne vous appartient pas de leur trouver le prochain emploi susceptible de les intéresser. Mais si vous espérez sincèrement qu'ils restent en poste, vous vous devez de les aider à saisir les occasions de progresser qui se présenteront à eux dans votre entreprise.

Dommage…

Line était une « étoile montante ». Elle avait le don d'accomplir de grandes choses au sein de son service et l'excellence de son travail rejaillissait sur son responsable. Le jour où elle remit sa démission, son directeur lui en demanda la raison. Elle lui répondit : « J'ai été très heureuse de travailler ici. Vous êtes un excellent patron et mes collègues sont formidables. Mais je me

sens prête à passer à une autre étape et l'occasion pour moi de passer à l'action vient de se présenter dans une autre compagnie. Je n'ai pas eu à faire d'efforts en ce sens, le tout est dû à un concours de circonstances et j'ai décidé d'aller de l'avant. »

L'idée de la perdre ainsi rendait son directeur malade. Qu'allait devenir son service sans elle ? Il lui proposa une augmentation de salaire, mais la perspective du nouveau défi qui l'attendait accaparait déjà son cœur et son esprit. En approfondissant la question, son directeur découvrit que l'occasion qui l'avait séduite existait à l'intérieur même de son service. La responsabilité de cette négligence est partagée. Cette employée n'a pas pris la peine de s'informer et son supérieur n'a pas pris la peine de l'informer adéquatement.

Vous pouvez éviter qu'un tel scénario se produise dans votre entreprise grâce à une méthode en trois étapes qui vous permettra d'être « à l'affût des occasions ». Mais avant de l'examiner plus en détail, voyons comment vous envisagez cette question.

Êtes-vous à l'affût des occasions qui se présentent ?

Pour reconnaître les occasions, il importe de voir le monde autrement, en l'observant avec de nouveaux yeux. On ne peut pas rendre les autres plus intelligents, mais on peut les aider à avoir un regard neuf sur les choses.

– Gary Hamel, *Harvard Business Review*, août 1996

Qu'entendons-nous par être à l'affût des occasions ? Il s'agit d'un état d'esprit qui repose sur des convictions personnelles ainsi que sur une attitude mentale et un comportement relevant de l'opportunisme, ce terme étant entendu dans son sens positif.

Cela équivaut à être constamment en quête d'occasions favorables et à sauter dessus au moment où elles se présentent. Il y a donc là trois étapes distinctes et fondamentales qui consistent à rechercher, voir et saisir. (Le contraire de l'opportunisme consiste à se plaindre sans cesse de son sort, au travail comme en toutes circonstances.)

Il vous est loisible, en tant que directeur, de débusquer, en collaboration avec vos employés, les occasions à saisir. Pour commencer, il serait bon d'évaluer votre degré d'opportunisme en effectuant le petit test qui suit.

ÉVALUATION DU DEGRÉ D'OPPORTUNISME[1]

À l'aide de l'échelle suivante, inscrivez le chiffre qui indique le mieux dans quelle mesure chacun de ces énoncés correspond, selon vous, à la réalité :
1 = rarement, 2 = parfois, 3 = généralement, 4 = toujours.

Je tiens compte de l'avis des autres. ________

Je suis à l'affût de nouvelles manières d'accroître l'efficacité et le rendement au travail. ________

Je connais les tendances du marché ; je suis au courant de ce que font nos concurrents et des raisons qui motivent leur action. ________

Je joue un rôle actif au sein d'associations professionnelles. ________

Je soutire des informations aux autres afin de favoriser ma propre carrière. ________

Je possède la souplesse nécessaire pour m'adapter aux circonstances lorsque mes projets échouent après un ou deux essais. ________

Je navigue sans difficulté au milieu des « zones grises » des règlements et procédures en vigueur dans notre entreprise. ________

Je fais circuler de façon aussi bien formelle (affichage d'offres d'emploi, p. ex.) qu'informelle (dans le cadre d'une conversation, p. ex.) tout renseignement ayant trait à la carrière. ________

Je sais comment transmettre l'information à mes employés et ceux-ci me demandent conseil lorsqu'ils ont besoin d'un renseignement. ______

Quel est votre score ? Si vous avez obtenu plus de 27 points, vous êtes réellement à l'affût des occasions qui se présentent, à la fois pour votre compte, mais aussi, sans doute, pour le compte de vos employés. Si vous avez obtenu moins de 18 points, les suggestions qui suivent pourraient vous être bénéfiques. Seul un directeur opportuniste pourra aider ses subalternes à l'être également.

Il n'existe aucune sécurité sur cette terre ; il n'y a que des occasions à saisir.

– Douglas MacArthur[2]

Rechercher les occasions

Rechercher : *Chercher de façon consciente, méthodique ou insistante. Chercher à connaître, à découvrir. Tenter d'obtenir, d'avoir par une recherche.*

– Le Nouveau Petit Robert

Trop nombreux sont les directeurs et leurs employés qui ne se donnent pas la peine de débusquer les occasions susceptibles de se présenter dans leur environnement professionnel. Ou alors ils ne prêtent attention qu'aux mauvaises nouvelles ou aux aspects négatifs des changements qui pointent à l'horizon. Votre volonté de chercher servira d'exemple à vos employés, *mais elle a également son importance pour vous.*

EXERCICE PRATIQUE

Au cours d'une réunion avec vos employés, lisez un article à la une de votre quotidien comportant un titre négatif (ce ne devrait pas être trop difficile à trouver !).

Demandez-leur ensuite d'y jeter un œil et de rechercher les mots, les phrases ou les thèmes qui ont une connotation positive. La chose est parfois difficile, mais il est rarement impossible de trouver une lueur d'espoir au milieu du désespoir. Cela équivaut un peu à chercher la proverbiale aiguille dans une botte de foin. Que vous réussissiez ou non à la trouver importe peu ; ce qui compte, c'est l'action de *chercher*.

Les directeurs opportunistes sont constamment en train de scruter l'horizon afin de voir ce qui s'y dessine d'intéressant pour eux *et* pour leurs effectifs. Ils demandent à ces derniers ce qu'ils recherchent exactement et vont jusqu'à les aider à trouver. (Même lorsque cela implique que certains employés de talent pourraient trouver leur bonheur ailleurs.)

Trident Data Systems est une de ces compagnies où les possibilités sont multiples et où les directeurs sont constamment en quête d'occasions à saisir. On y a développé une culture d'entreprise telle que les employés se sentent à l'aise de dire qu'ils en ont assez d'un travail ou qu'ils ont envie ou besoin de relever de nouveaux défis, de recevoir une promotion ou d'accomplir de nouvelles tâches. Des réunions visant à favoriser leur développement ont lieu régulièrement, et les directeurs qui y assistent discutent des moyens à prendre pour défendre les intérêts et répondre aux désirs de leurs effectifs. Ils sont à la recherche de nouvelles possibilités et établissent un lien entre les objectifs des employés et les occasions qui existent déjà ou qui pointent à l'horizon. On a pu mesurer les résultats et, après plusieurs années de ce régime, ils se révèlent extrêmement positifs. Non seulement cette compagnie parvient à garder sans peine ses meilleurs éléments, mais ses efforts en matière de recrutement s'en sont trouvés sensiblement améliorés, dans la mesure où les candidats potentiels considèrent Trident comme une entreprise où les chances de progresser sont exceptionnelles.

La société Trident a cru bon d'ériger officiellement cette philosophie en système, mais il n'est pas nécessaire qu'il en soit ainsi. Vous pouvez l'appliquer vous-même à votre lieu de travail.

Pour ce faire, réunissez vos employés dans le seul but de discuter avec eux de leur plan de carrière et des occasions qui seraient susceptibles de les aider à progresser. « Et s'ils n'ont aucune chance de se développer chez nous ? objecterez-vous. Et si j'allais me fourrer dans un guêpier en demandant à mes employés quelles sont leurs attentes ? Et si je ne peux rien faire pour les aider ou, encore pire, si je les encourageais à partir en abordant ouvertement cette question ? » Le meilleur moyen pour vous de répondre à ces questions difficiles, c'est encore de vous mettre à leur place. Qu'éprouveriez-vous à l'égard d'un patron qui souhaiterait vous aider à saisir les occasions susceptibles de se présenter ? N'auriez-vous pas plus de respect envers lui ? Ne feriez-vous pas preuve d'un plus grand dévouement tout le temps que vous travailleriez sous ses ordres ? Votre fidélité à son égard, voire à l'égard de vos collègues et de votre entreprise, n'en serait-elle pas accrue ? La réponse est évidente !

Voyez avec les autres directeurs quelles possibilités leurs divisions sont susceptibles de receler. Invitez vos employés à réfléchir aux moyens d'améliorer leur environnement de travail. Faites preuve d'initiative à ce sujet et rappelez-vous que les occasions ne se manifesteront que si vous les recherchez activement.

Voir les occasions

Voir : *Percevoir les images des objets par le sens de la vue. Regarder attentivement, avec intérêt. Se représenter par la pensée.*

– Le Nouveau Petit Robert

EXERCICE PRATIQUE

Que lisez-vous ?

Saisis là maintenant la chance qui te sourit.

✓ Saisis là maintenant la chance qui te sourit.

- ✓ Saisis la main tenant la chance qui te sourit.
- ✓ Saisis la main tenant Lachance qui te sourit. (Si vous avez interprété la phrase ainsi, vous n'êtes pas au bout de vos peines!)

La plupart des gens s'en tiennent à leur première idée, car ils sont persuadés d'avoir découvert la bonne réponse. Sans doute avez-vous opté pour la première ou la deuxième des solutions proposées, sans même songer qu'il pouvait y avoir une troisième possibilité. Demandez à vos employés de faire cet exercice. Il peut servir de point de départ à une discussion sur les occasions à saisir.

De même que vous pouvez voir autre chose que vos employés ou vos collègues au cours de ce petit test, il peut exister dans votre entreprise des possibilités que personne d'autre que vous ne voit.

Si vous êtes à l'affût des occasions, vous pourrez aider vos employés à les rechercher et aussi à voir celles qui se présentent à eux. Votre rôle est de les éclairer dans leurs démarches, de faire ressortir les caractéristiques propres à chaque possibilité et de la leur faire voir sous ses diverses facettes. Mieux encore, vous devez leur apprendre à faire ce travail eux-mêmes.

Posez-vous la question avec vos employés : comment et où faut-il regarder ?

La compagnie Raychem a mis sur pied un réseau d'initiés composé de 360 personnes disposées à discuter avec tout employé désireux d'en savoir plus long sur la nature et les exigences des tâches qui lui sont confiées. Ce réseau dispose d'une banque de données informatisée qui contient les noms et les antécédents des employés participants[3].

Quelle merveilleuse façon de faire circuler l'information sur les possibilités qui existent au sein d'une entreprise ! Et quel excellent moyen de vérifier si un travail qui semble alléchant l'est réellement. Si vous n'avez pas semblable banque de données à votre disposition, rien ne vous empêche de permettre à ceux de vos employés qui sont en quête de nouveaux défis de rencontrer les personnes les plus susceptibles de les renseigner adéquatement ou de communiquer avec elles par courrier électronique. La société Apple offre à ses employés intéressés la chance de remplacer ceux qui sont en congé sabbatique. Pourriez-vous en faire autant ?

EXERCICE PRATIQUE

✓ Observez les changements qui surviennent dans votre service, votre division ou votre entreprise. Quels sont les nouveaux projets qui se profilent à l'horizon ? Quel service prend de l'expansion, lequel périclite ? Qui est susceptible de prendre bientôt sa retraite ou d'accepter une offre ailleurs, fournissant à un de vos employés vedettes l'occasion d'avoir une promotion ou de relever de nouveaux défis ? Parlez à vos employés de ces diverses possibilités et approfondissez la question en restant attentif à tout ce qui se passe autour de vous.

Saisir les occasions

> ***Saisir :*** *Mettre en sa main avec détermination, force ou rapidité. Se mettre promptement en mesure d'utiliser, de profiter de.*
>
> – Le Nouveau Petit Robert

Beaucoup de gens sont fort bien capables de rechercher et de voir les occasions même lorsqu'elles sont bien dissimulées. Mais tous ne possèdent pas la même habileté lorsque vient le temps de les saisir, une étape cruciale s'il en est. Même après avoir déniché une occasion, quelque chose nous empêche parfois de passer à l'action, d'aller de l'avant pour s'en emparer. Qui ne connaît pas quelqu'un qui possède une liste d'actions cotées en Bourse ou de propriétés qu'il n'a jamais achetées, qui a failli pratiquer un sport ou entreprendre un voyage qui l'intéressait.

Si vous avez obtenu un score élevé dans le test d'évaluation, vous parvenez sans doute à rechercher, à voir et à saisir sans problème les occasions. Si vous souhaitez garder vos employés les plus talentueux, aidez-les à saisir les occasions qui se présentent à eux. Quels sont les obstacles qui les empêchent de le faire ? Il pourrait être utile de comprendre pourquoi vos employés ne passent pas à l'action et de trouver comment vous pourriez les aider en ce sens.

EXERCICE PRATIQUE

- ✓ Si vos employés ne disposent pas d'un plan d'action, aidez-les à en mettre un en place. Un tel plan devrait comporter des mesures concrètes destinées à surmonter les obstacles éventuels et à trouver les appuis nécessaires (déterminer quel type d'appui et qui est susceptible de le fournir).
- ✓ Si vos employés ne se conforment pas à leur plan (parce qu'ils sont trop occupés, que la documentation n'est pas arrivée à temps, etc.), aidez-les à le faire. Proposez-leur des rencontres régulières au cours desquelles vous ferez le point et envisagerez avec eux comment surmonter les obstacles qui se dressent sur leur route.
- ✓ Si vos employés réfléchissent trop avant d'agir (à force de trop analyser, ils sont pris de paralysie), aidez-les à éviter ce piège. Avec leur accord, soulignez-leur chaque fois qu'ils tergiversent à force de trop réfléchir et incitez-les à passer à l'action lorsque vous jugez qu'ils ont suffisamment fait le tour de la question.
- ✓ Si vos employés en viennent à la conclusion que l'occasion qui passe à leur portée ne leur convient pas, aidez-les à s'assurer qu'ils ont fait le bon choix. Après tout, il est parfois préférable de laisser passer certaines occasions.
- ✓ Si vos employés ont tendance à se laisser décourager par leur entourage, aidez-les à rester fermes devant leurs collègues et « amis » à l'esprit négatif ou qui sont eux-mêmes incapables de saisir les occasions qui se présentent à eux.
- ✓ Si vos employés ont tout simplement peur de passer à l'action, aidez-les à surmonter leurs craintes et à foncer.

On a tous parfois besoin de quelqu'un pour nous pousser dans le dos et nous redonner courage quand on a le trac. Aidez-les à imaginer le pire qui pourrait se produire si leurs démarches ne portaient pas fruit. Il s'agit rarement de risques mortels, même si on a souvent l'impression qu'il s'agit d'une question de vie ou de mort.

Celui qui refuse de saisir sa chance lorsqu'elle se présente est tout aussi assuré d'en perdre le bénéfice que s'il avait tenté sa chance et avait échoué.

– William James[4]

RÉSUMÉ

Nos recherches montrent que, plus que pour toute autre raison, les gens restent au sein d'une même organisation à cause des occasions qu'ils y trouvent de se perfectionner, de se développer et d'étendre leur champ d'action.

Si vous espérez garder vos meilleurs éléments avec vous, vous devez faire preuve d'opportunisme, ce terme étant pris dans son sens positif. S'ils manifestent le désir d'accomplir des tâches nouvelles, associez-vous à eux pour dénicher les occasions qui leur permettront de s'épanouir. Soyez fier d'avoir des employés ambitieux. Mais soyez prévenu : si vous êtes incapable de les aider à rechercher, voir et saisir les occasions favorables, ils vous quitteront vraisemblablement pour un concurrent qui saura répondre à leurs besoins.

---

1. Sharon Jordan-Evans et Beverly Kaye, « Opportunity Mine-ing », atelier, Career Systems International, Scranton, Pennsylvanie, 1998.
2. Edward F. Murphy, *2,715 One-Line Quotations for Speakers, Writers, and Raconteurs*, New York, Crown, 1981, p. 148.
3. Robert H. Waterman Jr, Judith A. Waterman et Betsy A. Collard, « Toward a Resilient Work Force », *Harvard Business Review* 72, juillet-août 1994, p. 87-95.
4. Edward F. Murphy, *2,715 One-Line Quotations for Speakers, Writers, and Raconteurs*, New York, Crown, 1981.

Chapitre 16

Suscitez la passion

C'était un bon boulot, mais mon cœur n'y était plus.

– J.A.

Montrez à vos employés que vous avez leurs intérêts à cœur en leur permettant d'accomplir des tâches qui les passionnent. La chose n'est pas toujours facile et vous courez même le risque d'en perdre certains. Mais si vous ne collaborez pas avec vos meilleurs éléments pour leur trouver un travail stimulant, vous les perdrez à coup sûr de toute façon.

Les humains sont des êtres de passion

Qu'est-ce qui passionne vos employés? Qu'est-ce qui les motive à se lever le matin et à envisager avec fébrilité le nouveau jour qui commence? Nous avons demandé à des dizaines de personnes ce qui les enthousiasmait au travail. Voici quelques-unes de leurs réponses:

- ✓ « J'aime créer quelque chose de neuf. Quelque chose que personne n'a encore vu ou imaginé. »
- ✓ « J'éprouve du plaisir à travailler avec une équipe exceptionnelle. Je suis vraiment entouré de gens brillants. »
- ✓ « J'aime dessiner, souder, construire. »
- ✓ « J'adore les chiffres. J'aime mieux travailler avec les chiffres qu'avec les gens. »

- ✓ « Le fait de découvrir une nouvelle règle de mathématiques me stimule au plus au point. »
- ✓ « J'aime aider les autres à se perfectionner et à y trouver du bonheur. »
- ✓ « J'aime diriger les autres. J'éprouve un réel plaisir à encourager un groupe de personnes à accomplir des choses hors de l'ordinaire. »
- ✓ « Ma passion, c'est de prendre quelque chose qui est brisé et de le réparer. »

Les réponses à cette question peuvent varier à l'infini. Mais elles ont toutes un point commun : les gens sont heureux quand ils font ce qu'ils aiment. Si vous réussissez à faire le lien entre ce qui passionne vos employés et leur travail, vous en sortirez gagnant, et eux également.

« Estimez-vous heureux d'avoir un boulot »

Au cours des dernières décennies, alors que les sociétés s'efforçaient de réduire leurs effectifs, bon nombre de dirigeants utilisaient cet argument à l'encontre de leurs employés mécontents. Ces derniers n'éprouvaient plus aucun entrain. Relations tendues et promesses non tenues ont engendré apathie et frustration chez des milliers de travailleurs. Certains ont même passé des années à faire un travail ennuyeux et sans intérêt. Des chercheurs ont estimé que ces gens-là laissent la moitié de leur cœur et de leur cerveau à la maison le matin et la moitié de ce qui reste dans leur voiture (ou dans le train ou le bus) au moment d'arriver au boulot. En conséquence, ils se présentent au bureau avec 25 % de leurs capacités. Comment espérez-vous obtenir ainsi de bons résultats ?

> *Paradoxalement, mon corps est là mais mon esprit est ailleurs. Mon travail me laisse tellement indifférent que je fais le minimum d'effort pour l'accomplir. Je pourrais m'investir tellement plus si je faisais un boulot que j'aime.*
>
> – Un employé d'usine

Vous vous devez d'obtenir le maximum de vos effectifs. En outre, plusieurs directeurs doivent lutter pour recruter et garder les employés hautement qualifiés à une époque où règnent le plein emploi et le débauchage de talents. Les employés ont le choix, et vous pouvez être assuré que les plus talentueux (et les plus sollicités) se chercheront tôt ou tard un boulot qu'ils aiment.

Découvrez ce qui passionne vos employés

Que faire pour aider vos employés à accomplir un travail passionnant ? Dans un premier temps, demandez-leur ce qu'ils souhaitent. Mais posez différentes questions, car les gens répondent différemment selon la manière dont les questions sont formulées. Voici quelques suggestions à cet égard : « Quel travail aimez-vous faire ? », « Qu'est-ce qui vous passionne ? », « Qu'est-ce qui vous plaît ou vous stimule le plus au travail ? » Approfondissez la question en fonction de leurs réponses. Réfléchissez ensuite à la meilleure façon dont ils pourraient assouvir leur passion sur leur lieu de travail.

Voici un exemple de dialogue entre un directeur et une employée à ce sujet :

voir **CHAPITRE 1**

Directeur : Qu'est-ce que vous aimez faire ? Qu'est-ce qui vous passionne ?

Employée : J'ai récemment appris à me servir d'un logiciel d'édition électronique et je m'en suis servie pour créer des dépliants pour ma paroisse. J'en retire beaucoup de plaisir !

Directeur : Je me demande bien à quelles fins nous pourrions utiliser vos nouvelles compétences et votre nouveau centre d'intérêt.

Employée : J'ai réfléchi à cette question et je me suis demandé si je ne pourrais pas faire la mise en page du nouveau bulletin de liaison que la compagnie compte publier bientôt.

Directeur : Vous avez beaucoup de travail en ce moment. Comment pensez-vous vous en tirer ?

Employée : Vous me connaissez suffisamment pour savoir que je peux y arriver. Je vais m'occuper de ce projet en dehors de mes heures de travail.

Directeur : Bien, faisons un essai. Commencez le premier numéro et tenez-moi au courant de l'évolution de la situation. Dites-moi ce qui va et ce qui ne va pas.

Cette employée en avait assez de son travail. Depuis des années qu'elle accomplissait les mêmes tâches, elle n'éprouvait plus aucun plaisir à les faire. Elle avait même songé à quitter son emploi. Elle se lança corps et âme dans ce nouveau projet, qu'elle réalisa en collaboration avec ses collègues, et sortit un premier bulletin du tonnerre. Étonnés par les résultats, ses collègues et son patron ne purent que la féliciter.

Depuis, cette employée s'occupe également de divers projets de graphisme. Son directeur et elle sont parvenus à réorganiser son travail et à transférer une partie de ses tâches à d'autres personnes. Son énergie et son rendement se sont accrus ; quand elle se lève le matin, elle a hâte d'aller au bureau. Ses nouvelles activités ont enrichi le contenu de son travail. Son nouvel entrain vient de ce que son patron a su trouver quelle était sa passion et miser là-dessus.

voir CHAPITRE 5

Mais que faire si la passion de vos employés se trouve ailleurs ? Certains sont davantage passionnés par un sport ou leurs enfants que par leur travail. Que faire en pareil cas ? Songez à une forme d'arrangement qui leur permettrait de consacrer davantage de temps à l'objet de leur passion. Ainsi, le travail à domicile, un horaire flexible ou un service de garderie en milieu de travail sont autant de moyens susceptibles d'aider les gens à retrouver leur enthousiasme.

Je ne me vois pas quitter ce travail. Mon boulot est intéressant et mes collègues sont super. Mais ce qui me plaît le plus, c'est qu'un petit groupe d'entre nous allons faire du ski presque chaque vendredi. Nous travaillons fort toute la semaine afin de terminer ce que nous avons à faire. Parfois, nous y passons nos soirées et même les week-ends si nécessaire. Puis nous nous mettons en route. Le ski, c'est ma passion et mon travail me permet de m'y adonner toutes les semaines. En connaissez-vous beaucoup des emplois du genre ?

– Un comptable chez un fabricant de logiciels

Cet employé hautement productif continue de travailler au même endroit. Telle est la récompense que son directeur reçoit pour sa souplesse d'esprit.

EXERCICE PRATIQUE

✓ Demandez à vos employés ce qu'ils aiment et ce qui les passionne.
✓ Approfondissez la question en cherchant à comprendre le message qu'ils vous envoient.
✓ Ayez l'esprit créatif. Avec leur collaboration, recherchez le moyen de :
- transposer cette passion dans leur travail ; ou
- moduler leur horaire de sorte qu'ils puissent s'adonner à leur activité préférée en dehors de leur travail.

Confiez-leur un travail valorisant

Les gens peuvent s'enflammer lorsqu'on leur confie des tâches qui ont une grande valeur à leurs yeux. Dans bien des cas, c'est moins le travail en soi que le résultat qui leur procure le plus de satisfaction. Pour vous en convaincre, observez les personnes qui participent à une œuvre caritative ou qui construisent des abris pour les victimes d'une catastrophe naturelle et vous comprendrez de quoi nous voulons parler. Les directeurs qui réussissent à inspirer leurs employés en leur donnant d'excellents motifs d'accomplir leurs tâches, ceux-là s'assurent de leur dévouement au quotidien.

Voilà trente ans que je suis concierge et chargé de l'entretien ici. Je contribue à entretenir cet immeuble et à le rendre sûr pour ceux qui y travaillent et ceux qui y vivent. Nous

nous occupons de personnes âgées qui ont besoin de soins et nous leur facilitons la tâche au quotidien. Ces gens-là méritent ce qu'il y a de mieux, après tout ce qu'ils ont accompli dans leur vie. La directrice m'a remis une récompense pour mes services et raconte à tout le monde à quel point je suis indispensable au bien-être de nos pensionnaires. J'ai accroché cette décoration au mur de ma maison.

– Un expert en maintenance dans une maison de retraite

Cet homme est persuadé de l'importance de son travail. La mission que s'est donnée l'organisme pour lequel il travaille est pour lui une source d'inspiration et constitue sa raison d'être.

La compagnie Southwest Airlines nous fournit un autre exemple d'énoncé de mission capable d'inciter les gens à se passionner pour leur travail. Un de ses slogans se lit comme suit: «Plus qu'un job, c'est une croisade.» Les employés de la compagnie sont des croisés qui croient sincèrement qu'ils se battent pour la liberté. Ils permettent à des gens qui n'auraient jadis pas eu les moyens de prendre l'avion de le faire[1].

Quelle est la mission de votre entreprise ou de votre service? Dans quelle mesure est-elle clairement énoncée et profondément ancrée dans l'esprit de vos employés? Les incite-t-elle à travailler avec entrain?

EXERCICE PRATIQUE

- ✓ Précisez quelle est la mission de votre entreprise ou de votre service. Pourquoi existez-vous? Qu'est-ce que le reste du monde perdrait si vous disparaissiez demain matin?
- ✓ Faites partager le sens de cette mission à vos employés.
- ✓ Établissez clairement un lien entre cette mission et le travail de chaque employé. Comment chacun peut-il contribuer à la réalisation de ce mandat? Quelle est l'importance de chacun par rapport à vous et à la mission que s'est donnée votre entreprise ou votre service?

À bas les obstacles !

Une fois que vous et vos employés avez découvert quelles sont leurs passions et établi un étroit rapport entre leur travail et la mission de l'entreprise, il est temps de faire sauter les obstacles qui empêchent cette passion de s'exprimer.

Dommage...

Il aimait faire de la formation et enseigner aux autres et il m'a confié qu'il souhaitait pouvoir le faire plus souvent. Chaque fois que l'occasion se présentait, il proposait ses services pour enseigner, même lorsqu'il ne s'agissait pas de formation technique. Il nous a appris comment mettre sur pied une équipe et il a eu beaucoup de succès avec cette technique dans notre service. Mais je ne pouvais pas lui accorder plus de temps libre pour faire ce qu'il aimait. C'était un de nos meilleurs ingénieurs et nous ne pouvions nous permettre de le retirer des projets clés auxquels il participait pour le laisser faire de la formation. Avec le recul, je comprends que ce fut stupide de ma part de vouloir l'empêcher de donner des cours. Aujourd'hui, j'ai tout perdu ! Il nous a quittés il y a six mois pour accepter un emploi qui lui permet de se consacrer à sa passion.

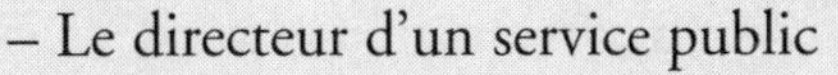

– Le directeur d'un service public

Contraintes

Quelles sont, au sein de votre entreprise, les contraintes qui vous empêchent de confier à vos employés un travail différent ou de leur permettre d'accomplir plus souvent des tâches qu'ils aiment ? La liste, souvent fastidieuse, s'intitule généralement « Réalité ». Ainsi, vous pouvez être amené à croire que permettre à vos employés de faire ce qu'ils aiment représente une bonne idée sur papier, mais qu'elle est impraticable dans la réalité parce que vous êtes privé de :

- ✓ Temps ;
- ✓ Argent ;

voir CHAPITRE 17

✓ Effectifs ;
✓ Soutien de la part de la direction ;
✓ ______________________ (compléter au besoin).

Il est possible que ces contraintes soient réelles. Mais rappelez-vous que si vous négligez d'aider vos meilleurs éléments à se trouver un boulot qu'ils aiment au sein de votre entreprise, ils vous quitteront. De combien de temps, d'argent ou d'effectifs disposez-vous pour compenser leur perte ou pour les remplacer ?

Intérêts égoïstes

Lorsque vous aidez vos meilleurs éléments à découvrir ce qui les passionne et que vous les encouragez à aller de l'avant, ils sont susceptibles de vous quitter pour poursuivre leurs rêves. Par intérêt personnel (parfois pour le bien de l'équipe), vous pourriez être tenté d'éviter d'aborder cette question avec eux par peur de les perdre. Or, paradoxalement, vos chances de les garder augmentent dès l'instant où vous les aidez à trouver un travail stimulant là même où ils sont.

Ce qui me passionnait, c'était le travail bénévole que je faisais dans ma localité. Je passais mes soirées et mes week-ends avec un groupe qui s'occupait des jeunes des quartiers pauvres de Los Angeles. Nous nous efforcions de les guider, de leur trouver des terrains où jouer en toute sécurité et de leur permettre de s'instruire. Au travail, je me contentais de pointer et de faire le minimum requis avant de m'éclipser à 5 heures pile. Un jour, je suis allé trouver mon patron, je lui ai expliqué ce que je faisais en tant que bénévole et à quel point ce travail-là comptait plus que tout pour moi. Alors il a eu une idée de génie. Il m'a fait savoir que son supérieur lui avait confié que la compagnie venait de prendre un engagement en faveur de programmes pour déshérités. On songeait même à créer un nouveau poste à cette intention. Et c'est ainsi que je suis devenu responsable des projets communautaires au sein de notre entreprise.

> *Aujourd'hui, mon boulot et ma passion ne font qu'un. Tant que je serai en mesure d'accomplir cette tâche-là, je ne quitterai pas mon emploi !*
>
> – Un directeur d'entreprise de divertissement

Son chef de service a peut-être perdu un employé (la chose était inévitable), mais ce dernier est resté au sein de l'entreprise.

EXERCICE PRATIQUE

- ✓ Faites l'inventaire des contraintes qui empêchent vos employés de vivre leur passion dans votre entreprise. Sont-elles réelles ? Comment pouvez-vous surmonter ces obstacles ?
- ✓ Soyez honnête envers vous-même en ce qui regarde vos intérêts personnels. Qu'avez-vous à gagner et à perdre en aidant vos employés à trouver un boulot qu'ils aiment ?
- ✓ Appuyez et encouragez vos employés dans leurs démarches en vue de faire ce qui les passionne.

RÉSUMÉ

Les gens accomplissent généralement à merveille ce qu'ils aiment. S'ils ne sont pas enthousiasmés par leur travail, vos meilleurs employés ne travaillent vraisemblablement pas au meilleur de leurs capacités. Aidez-les par conséquent à découvrir et à vous révéler ce qui les passionne. Établissez un lien entre leur travail et la mission que s'est donnée votre entreprise et aidez-les à surmonter les obstacles qui les empêchent d'accomplir ce qu'ils aiment. En retour, vous aurez à votre service des employés enthousiastes et productifs qui seront disposés à continuer de travailler avec vous.

---

1. Jackie Frieberg et Kevin Frieberg, *Nuts !*, Austin, Texas, Bard Press, 1996, p. 10.

Chapitre 17

Sortez du cadre établi

Je me souviens qu'à deux reprises, au cours de l'an dernier, j'ai soumis des idées quelque peu inhabituelles en vue de solutionner un problème. On m'a répondu à chaque fois : « Ce serait contre le règlement que de procéder de cette manière. » J'ai donc cessé de faire des suggestions.

– J.A.

S'il est capital pour la plupart des entreprises de savoir innover, pourquoi est-il si difficile d'accepter de nouvelles idées ? Pourquoi est-il plus facile de dire non que oui ? Pourquoi faut-il toujours se tourner vers le passé afin de voir s'il existe un précédent chaque fois qu'un employé fait preuve d'initiative ?

Peut-être leur nature humaine, leurs habitudes ou leurs craintes poussent-elles les directeurs à ne pas déroger à la règle et à rester confinés à l'intérieur du cadre rigide qui leur est imposé. Pourtant, c'est à partir du moment où ils osent s'aventurer à l'extérieur de ce cadre et où ils encouragent leurs employés à en faire autant que les idées novatrices peuvent surgir.

Lorsque vos employés viennent vous trouver avec une idée ou un concept qui ne cadre pas avec les règles établies, ils veulent vous entendre dire : « Voilà qui est intéressant », « Voyons ce que cela pourrait donner » ou « Cela pourrait peut-être fonctionner ». Les gens retirent une énorme satisfaction à employer leur créativité à des fins utiles. Ils ont besoin que leurs idées et leurs solutions novatrices soient appréciées à leur juste valeur et ils attendent de vous que vous les appuyiez dans leurs démarches. Vous augmenterez vos chances de garder vos meilleurs éléments si vous leur laissez la possibilité de remettre en question les règles qui gouvernent leur emploi, leur lieu de travail et même leur entreprise.

La consigne, c'est la consigne

S'il n'existait aucun règlement, ce serait le chaos total dans le monde. La sécurité et l'équilibre de notre société et du monde du travail sont garantis par des règles. Mais il est clair que, pour progresser, notre humanité a besoin de remettre certaines de ces règles en question.

Imaginez si les personnes suivantes n'avaient pas osé remettre en cause les lois en vigueur à leur époque :

- ✓ *Les frères Wright :* Pourquoi ne pourrait-on pas voler dans les airs ?
- ✓ *Steve Jobs :* Pourquoi chacun ne pourrait-il pas disposer de son ordinateur personnel ?
- ✓ *Thomas Edison :* Pourquoi n'inventerait-on pas des ampoules électriques qui s'allument en pressant sur un bouton ?
- ✓ *Fred Smith :* Pourquoi ne pourrait-on pas transporter des colis d'un bout à l'autre du globe en 24 heures ?
- ✓ *Jonas Salk :* Pourquoi ne pourrait-on pas prévenir les maladies débilitantes ?

Imaginez si d'autres ne s'étaient pas demandé :

- ✓ Pourquoi ne pourrait-on pas aller sur la lune ?
- ✓ Pourquoi ne pourrait-on pas dépolluer le lac Érié ?
- ✓ Pourquoi ne pourrait-on pas pratiquer la chirurgie au laser ?
- ✓ Pourquoi ne pourrait-on pas échanger instantanément des informations à travers le monde ?

- ✓ Pourquoi ne pourrait-on pas construire des ordinateurs sur commande ?
- ✓ Pourquoi ne pourrait-on pas construire des avions et des bateaux invisibles au radar ?

C'est pourtant clair : les innovations sont le fait de ceux qui osent remettre en question, voire transgresser, les règles établies. Les idées nouvelles contribuent à améliorer notre sort et elles constituent l'épine dorsale des entreprises qui connaissent le succès.

Dommage…

Un nouvel employé du nom de Darren avait été embauché pour nous apporter des idées nouvelles et une vision différente des choses. Il a commencé à nous interpeller dès le premier mois. Il ne cessait de poser des questions du genre : « Avez-vous envisagé de faire les choses de telle façon ? » ou « Pourquoi faut-il huit étapes pour ce procédé alors que quatre suffiraient ? » Nous nous en sommes fermement tenus à notre manière habituelle de procéder – qu'avions-nous besoin de modifier ce qui fonctionnait déjà ? Darren a tenu le coup pendant six mois, puis il nous a tous surpris le jour où il a démissionné. Il a déclaré que l'environnement dans lequel nous évoluions brimait sa créativité et que les idées nouvelles n'y étaient pas les bienvenues. Malheureusement, il avait raison.

– Un directeur d'entreprise de technologie médicale

Peut-être en conclurez-vous que Darren n'a pas su choisir le bon moment pour intervenir. Il aurait pu attendre quelques mois avant de commencer à faire des suggestions. Il n'empêche que Darren aurait pu aussi s'épanouir dans un milieu de travail où les innovations et la créativité sont les bienvenues. Son directeur et ses collègues auraient alors accueilli favorablement ses premières questions et ses suggestions. N'était-ce pas là, après tout, la raison même pour laquelle on l'avait embauché ?

Jusqu'à quel point êtes-vous ouvert aux questions que soulèvent vos employés ?

EXERCICE PRATIQUE

Avez-vous tendance à agir comme le Directeur A ou comme le Directeur B ? Complétez la phrase que voici et vous le saurez.

Lorsque mes employés me demandent de remettre les règlements internes en question, je réagis généralement de la manière suivante :

Directeur A

- ❒ Je leur réponds rapidement par un oui ou par un non.
- ❒ Je leur explique pourquoi nous procédons de la manière dont nous le faisons.
- ❒ Je leur réplique que je n'ai pas le temps de m'occuper de ce genre de question.
- ❒ Je leur suggère de s'adresser à quelqu'un d'autre.

Directeur B

- ❒ Je leur réponds que j'aimerais approfondir la question avec eux.
- ❒ J'évite de justifier pourquoi nous procédons de la manière dont nous le faisons.
- ❒ Je leur suggère une heure pour venir discuter de cette question.
- ❒ Je les aide à trouver les bonnes personnes avec qui en discuter.

Si vous ressemblez au Directeur A, vous êtes sans doute quelqu'un de très productif, essentiellement tourné vers l'action. Bien que vous ayez des qualités indéniables, nous pouvons vous considérer comme un directeur qui n'aime pas les remises en question. Vos employés ne mettront pas beaucoup de temps à s'en rendre compte et, par conséquent, feront une ou plusieurs des choses suivantes :

- ✓ Ils cesseront de vous soumettre des questions.
- ✓ Ils cesseront d'avoir des idées créatives.
- ✓ Ils auront moins d'entrain (et leur productivité risque d'en souffrir).

✓ Ils vous quitteront après avoir déniché un lieu de travail où leurs questions et leurs idées seront les bienvenues.

Si vous ressemblez davantage au Directeur B, vous avez tendance à répondre franchement et avec empressement aux questions de vos employés. Vous êtes un directeur qui accueille favorablement leurs suggestions. Vous vous demandez tout naturellement : « Et si cela fonctionnait ? », « Pourquoi ne pas essayer de modifier notre façon de faire ? » ou « Peut-être cette idée nous permettra-t-elle d'augmenter notre productivité ? » Vous consacrez du temps à réfléchir à ces questions avec vos employés et vous tentez ensemble d'y trouver des réponses.

Il y a quinze ans (avant que les horaires flexibles ne deviennent à la mode), Barry est allé trouver son directeur et lui a demandé s'il pourrait travailler quatre jours par semaine. Il voulait utiliser le cinquième jour pour aider sa femme à développer son entreprise. Il s'agissait là d'une requête inhabituelle qui allait manifestement à l'encontre des règles établies, mais son patron a étudié la question avec soin et il a fait en sorte d'obtenir l'autorisation nécessaire. Barry était un chercheur de haut niveau et son patron voulait éviter de le perdre. L'idée fut retenue. Barry continue, aujourd'hui encore, à mettre sa créativité au service de cette compagnie parce que son directeur a osé mettre en cause les règlements en vigueur.

Comment les choses se seraient-elles passées si Barry avait été votre employé ? Que se serait-il produit il y a quinze ans ? Songez à tous les employés qui ont été les premiers à réclamer :

✓ un emploi partagé ;
✓ un horaire flexible ;
✓ un travail à domicile ;
✓ une tenue vestimentaire décontractée ;
✓ l'application du principe d'autogestion ;
✓ une garderie en milieu de travail ;
✓ une participation dans l'entreprise ;
✓ un congé de maternité.

voir CHAPITRE 21

Il s'agit là de mesures novatrices que beaucoup d'employés considèrent de nos jours comme allant de soi. Si elles ne sont pas encore appliquées dans votre entreprise, pourquoi n'interrogeriez-vous pas à ce sujet ceux de vos supérieurs qui sont le plus susceptibles de faire bouger les choses dans la bonne direction, dans votre intérêt et celui de vos employés? Des employés ont eu le courage de remettre en question certaines règles établies et des directeurs ont pris la peine de les écouter et d'agir en conséquence. Êtes-vous ce genre de directeur?

Vous sentez-vous prisonnier à l'intérieur d'un cadre?

Sans doute vos effectifs ont-ils déjà sollicité à quelques reprises des réponses qui ne cadraient pas avec les règlements en vigueur. Il est ironique de constater que la plupart des directeurs ont le sentiment d'avoir reçu en cadeau (généralement de leur supérieur) un cadre à l'intérieur duquel ils sont censés agir et réfléchir, sans jamais en sortir. Selon un vieil exercice de source inconnue, le cadre en question représente quelque chose de très rigide, comme s'il était formé de parois de béton – les règlements et procédures en vigueur. Mais rien n'empêche d'imaginer que ce cadre est composé de différents matériaux ayant chacun des propriétés particulières. En voici un exemple:

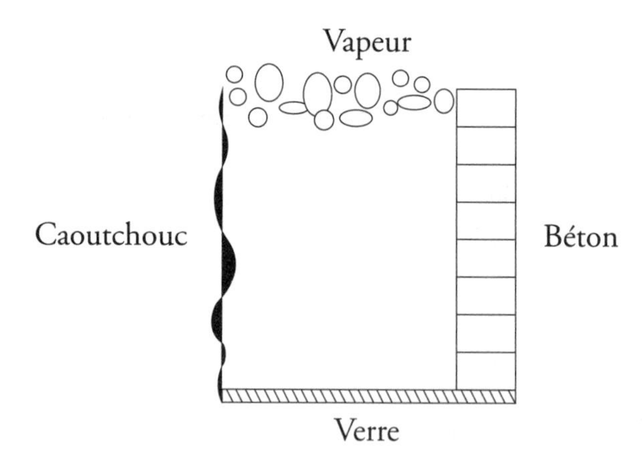

Les parois de ce cadre sont faites de quatre matériaux différents.

- ✓ ***Béton.*** Cette paroi représente des règles extrêmement rigides, qu'il est absolument interdit de transgresser. Exemple : *« Pour exercer la médecine dans cet hôpital, il faut être médecin diplômé. »*
- ✓ ***Verre.*** Cette paroi représente des règles passablement rigides, qui semblent a priori inviolables mais qu'il est néanmoins possible de transgresser si on s'y prend de la bonne façon et au bon moment. Exemple : *« Les femmes ne peuvent devenir juges de la Cour Suprême. »*
- ✓ ***Caoutchouc.*** Bien qu'elle soit épaisse et solide, cette paroi offre une ligne de moindre résistance à qui possède la volonté de s'y attaquer. Les règles qu'elle représente comportent une certaine souplesse d'adaptation. Exemple : *« Après des années d'efforts, la semaine de quarante heures, à raison de huit heures par jour et de cinq jours par semaine, est devenue chose courante. »*
- ✓ ***Vapeur.*** Cette paroi représente nos croyances personnelles, nos partis pris et la perception que nous avons des règles en vigueur. Exemple : *« Les hommes ne pourront jamais voler. »*

Si vous examinez attentivement les règles qui vous ont été données, vous constaterez que peu d'entre elles sont réellement coulées dans le béton. Ce n'est qu'une impression. Le côté le plus intéressant du cadre demeure souvent la paroi de vapeur. Vos croyances et vos préjugés – ou ceux qui prévalent au sein de votre entreprise – vous empêchent de remettre les règlements en question… et de garder l'esprit ouvert devant les interrogations de vos employés.

SportsMind est une entreprise qui se spécialise dans l'apprentissage par l'expérience et la mise sur pied d'équipes performantes. Un des exercices prévus tout au long d'une semaine intensive de formation destinée à des directeurs consiste à grimper le long d'un mât de dix mètres et à s'élancer dans le vide afin d'attraper un trapèze (les stagiaires étant retenus par des harnais de sécurité). Dans un groupe se trouvait un paraplégique cloué à son fauteuil roulant qui tenait absolument à participer à toutes les activités au programme. Plusieurs de ses collègues avaient la ferme conviction (la paroi de vapeur) qu'il ne pourrait faire cet exercice. Mais celui-ci insista et les instructeurs se sont réunis pour tenter de trouver une solution à son cas. À l'aide du harnais de sécurité, il a pu se hisser le long du poteau à la force de ses bras, pendant que ses collègues criaient pour l'encourager. Une fois arrivé au sommet, il s'est mis à pleurer... et nous en avons fait autant.

– Un ancien instructeur de SportsMind

L'obstacle que représentait le fauteuil roulant se révéla n'être que de la vapeur. Ce handicapé et ses instructeurs ont trouvé le moyen de contourner la difficulté. À la fin de la semaine de formation, celui-ci se jura que plus jamais il ne laisserait les règles établies lui barrer la route.

EXERCICE PRATIQUE

- ✓ La prochaine fois que vos employés remettront en cause le règlement (ayant trait à leur boulot ou à leur entreprise), attendez avant de répondre : « Ce n'est malheureusement pas possible. »
- ✓ Vérifiez quelle paroi vous maintient (vous et les autres dirigeants) à l'intérieur du cadre établi.
- ✓ À moins qu'il s'agisse réellement d'un mur de béton, efforcez-vous de modifier ou de transgresser les règles établies. Assurez-vous que vous ne vous laissez pas arrêter par une paroi de vapeur. Mettez les nouvelles idées à l'épreuve avant de les rejeter.

« Gardez vos questions pour la fin »

Combien de fois avez-vous entendu un conférencier prononcer ces paroles ? Trop souvent, il ne reste plus assez de temps pour la période de questions. Ou l'orateur n'avait pas vraiment envie d'y répondre. Mais si vous êtes ouvert aux questions, vous accueillerez celles de vos employés ou toute idée nouvelle quel que soit le moment, quel que soit leur nombre et quel que soit le sujet.

Dommage…

Il était toujours trop occupé et nous savions qu'il valait mieux ne pas l'embêter avec nos questions et nos suggestions. Il aimait s'en tenir au règlement et il s'attendait à ce que nous en fassions autant et à ce que nous exécutions notre travail sans discuter. Le plus triste, c'est que nous avions trouvé une façon plus rapide d'obtenir de meilleurs résultats. Nous savions que nos idées pourraient permettre à la compagnie de faire d'importantes économies. Mais nous n'avons rien dit et avons continué de travailler comme si de rien n'était. Je suis parti et je me suis trouvé du boulot à un endroit où l'on ne craint pas d'innover.

– Un chef d'équipe de production

Quel gaspillage de talents (au profit de la concurrence, bien souvent) simplement parce que personne n'a pris la peine de prêter l'oreille aux questions d'un groupe d'employés qui débordaient d'idées originales !

Pléthore de règles, consignes et autres directives

Certes, il faut bien des règlements pour assurer le bon fonctionnement d'une entreprise, surtout dans le cas d'une société complexe et de taille imposante. Mais il arrive parfois qu'ils se multiplient indépendamment de toute volonté de freiner leur expansion. Il faut alors les codifier dans d'énormes registres et ils finissent par devenir un frein à la productivité et à la créativité. Une équipe s'est un jour affublée en plaisantant du titre de «vaisseau hanté par les règlements».

Employée : Saviez-vous que cette autorisation de dépense d'une valeur de 30 $ m'est revenue trois semaines plus tard comportant quinze signatures, y compris celle du directeur des finances?
Patron : Mais c'est ridicule! Pourquoi vous a-t-il fallu perdre tant de temps et d'énergie?
Employée : Le règlement le veut ainsi.
Patron : Voyons si on peut le changer!

Dans les années 1990, il était à la mode de faire la chasse aux règlements trop contraignants. Certaines entreprises ont même jugé bon de recommencer littéralement à zéro en mettant en place de nouvelles directives, généralement moins tatillonnes et moins nombreuses que les anciennes. Ainsi, dans un centre hospitalier, on a un jour réuni tout le personnel afin d'examiner comment le travail se déroulait. On a procédé au simulacre d'une admission à l'hôpital. Documents en main, une fausse patiente a fait le tour de la salle, passant d'un service à un autre. À chaque étape, on se conformait aux règlements en vigueur. Cet exercice a permis à chacun de constater (avec stupéfaction) que cette patiente a dû exécuter pas moins de cinquante arrêts le long d'un fastidieux parcours bureaucratique avant de pouvoir être soignée.

Lorsque les règles fourmillent de partout, il est temps de remettre leur utilité en question. Si vos employés talentueux s'enlisent à cause de tels règlements, ils perdront leur temps à se frayer un chemin dans le dédale des tracasseries administratives, pour ne pas dire à remplir de la paperasse. Il leur restera alors très peu de temps pour innover et inventer des solutions, des produits et des services nouveaux. Ils se mettront par ailleurs à la recherche d'un emploi où ils pourront travailler en toute liberté, loin des contraintes et des règles qui les étouffent présentement.

voir CHAPITRE 19

EXERCICE PRATIQUE

- ✓ Encouragez vos employés à poser des questions. Faites-leur savoir qu'ils peuvent vous interroger en tout temps.
- ✓ Accordez-leur votre soutien chaque fois qu'ils tentent de diminuer la quantité de règlements en vigueur dans votre entreprise.
- ✓ Organisez régulièrement des réunions consacrées uniquement à l'examen des règles et procédures qui n'ont plus leur raison d'être. Confiez la responsabilité de diriger la séance à un employé différent chaque fois.

RÉSUMÉ

Depuis combien de temps n'avez-vous pas remis en question les règlements en vigueur dans votre entreprise ? Dans quelle mesure encouragez-vous vos employés à mettre en cause les règles établies ? Autorisez-les à s'interroger sur la façon dont le travail est exécuté et sur les procédures qui facilitent ou freinent leur productivité et qui ont une incidence sur leur degré de satisfaction. En les encourageant en ce sens, vous augmenterez grandement vos chances de garder vos meilleurs éléments.

Chapitre 18

Récompensez vos employés les plus méritants

Ce n'était pas vraiment une question d'argent. Bien sûr, j'aurais aimé recevoir une prime quand j'ai ramené un nouveau client, ou quand j'ai fini de remplir un cahier de charges avant l'échéance prévue. Mais j'aurais au moins apprécié un petit mot de félicitations.

– J.A.

Voici donc enfin le chapitre où il est question d'argent, nous direz-vous? Sinon, de quel chapitre s'agit-il? L'argent ne constitue-t-il pas la principale source de motivation pour bien des gens et la raison principale pour laquelle vos employés restent en poste?

Nos concurrents versent entre 10 % et 20 % de plus que ma compagnie pour le même type de travail. Année après année ils essaient de nous débaucher. Quelques-uns se sont laissés tenter. Certes, une augmentation de salaire serait la bienvenue, mais je ne quitterai pas mon boulot pour cette seule raison. C'est qu'en fait je suis récompensé de bien d'autres manières moins tangibles. Mon travail m'apporte beaucoup de satisfaction en soi, sans compter que mon patron ne manque pas de me montrer en permanence son appréciation. Il ne cesse de me répéter à quel point ce que j'accomplis est essentiel au succès de notre équipe. C'est quelqu'un de bienveillant qui trouve toujours une façon originale de montrer qu'il prend nos efforts en considération. J'ai le sentiment de mon importance et que mes mérites sont appréciés à leur juste valeur.

– Un chef de service d'entreprise de divertissement

Les recherches le montrent depuis des dizaines d'années et le simple bon sens vous le dira : versez un salaire équitable ou vos meilleurs éléments vous quitteront. Repérez les entreprises qui œuvrent dans le même secteur industriel que le vôtre et tâchez de découvrir quelle est leur échelle salariale et en quoi consistent les primes et autres avantages d'ordre pécuniaire qu'on y propose. Si vous constatez que votre régime salarial se démarque trop par rapport à la concurrence, attendez-vous au pire. Allez aussitôt trouver votre supérieur hiérarchique ou le responsable de ces questions et faites-lui part de vos observations, dans l'espoir qu'un changement salutaire se produira sous peu.

Versez un salaire équitable et concurrentiel, mais ne vous arrêtez pas en chemin pour autant. Les recherches le démontrent également, l'argent seul ne suffit pas à inciter un employé à rester en poste. Il ne constitue pas le plus important facteur de motivation. Effectuer un travail stimulant et valorisant, avoir l'occasion de progresser, avoir un horaire flexible, avoir un bon patron et voir le fruit de son travail reconnu et apprécié (sans qu'il y ait de l'argent en jeu, bien souvent), voilà autant d'exemples de facteurs qui comptent davantage pour la plupart des gens. Car lorsque ces ingrédients sont absents, les employés de talent démissionnent.

Règles à suivre

Règle n° 1 : *Lorsqu'un employé s'attend à avoir une récompense, il la considère comme un acquis.*

Dommage…

Chaque année je recevais une prime, des stock options et une augmentation de salaire. J'atteignais tous mes objectifs et je faisais du bon boulot. Mais, curieusement, ces récompenses annuelles me laissaient une impression de vide. Ce que j'espérais réellement, c'était que mon patron me fasse savoir qu'il était satisfait de moi. J'aurais voulu qu'il me dise qu'il m'appréciait et qu'il appréciait ma contribution au succès de l'entreprise. Jamais il n'a vraiment reconnu mes mérites. C'est la principale raison pour laquelle j'ai accepté un emploi ailleurs.

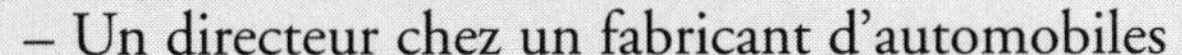

– Un directeur chez un fabricant d'automobiles

Peut-être êtes-vous d'avis que la prime annuelle constitue une forme de récompense et de reconnaissance suffisante pour un travail bien fait. Mais il est possible que vos employés voient les choses autrement. Voitures de fonction, téléphones mobiles, services de planification financière et régimes d'assurance maladie ne sont que quelques exemples d'avantages que beaucoup d'employés s'attendent à recevoir de nos jours. Ils ne peuvent plus constituer une récompense ou un moyen de reconnaissance particulier.

Règle n° 2 : *Les récompenses doivent correspondre aux besoins et aux désirs de vos employés.* De quelle manière souhaiteriez-vous qu'on reconnaisse vos mérites ? Nous avons posé cette question à des dizaines de personnes. Nous avons reproduit ci-dessous certaines des réponses obtenues. Notez à quel point elles diffèrent d'une personne à l'autre.

EXERCICE PRATIQUE

Indiquez, à l'aide d'un crochet, les formes de reconnaissance qui vous conviendraient le mieux. Prenez par ailleurs note de celles qui vous laissent indifférent.

- ❒ Une récompense, remise de préférence en présence de mes pairs.
- ❒ Une plaque que je pourrais accrocher au mur.
- ❒ Un mot de remerciement écrit de la main de mon patron.
- ❒ Un mot de mon patron adressé à son supérieur hiérarchique dans lequel il ferait état de mon excellent travail.
- ❒ Un compliment de temps en temps.
- ❒ La mise en application par mon patron d'une de mes idées.
- ❒ La chance de prendre part à un projet stimulant et d'avant-garde.
- ❒ Une prime quelconque.
- ❒ Une journée de congé.
- ❒ Des paroles élogieuses devant les membres de ma famille.
- ❒ Une augmentation de salaire.
- ❒ La chance de déjeuner avec les membres de la haute direction.
- ❒ La possibilité de travailler avec des employés oeuvrant dans d'autres divisions.
- ❒ La chance de siéger à un comité de direction.
- ❒ Une promotion.
- ❒ Un changement de titre.
- ❒ Un petit souvenir ou un cadeau.
- ❒ Un horaire flexible.
- ❒ Une plus grande autonomie ou marge de manœuvre.

De nombreux directeurs croient à tort que tous apprécient ou désirent le même type de récompense ou de reconnaissance.

Je n'oublierai jamais ce que j'ai ressenti en recevant un prix d'excellence lors du congrès annuel de la compagnie. Sept cents de mes collègues étaient présents à cette occasion. On

m'a appelé publiquement et mon nom est apparu en grosses lettres sur un écran géant. En m'avançant sur scène, je me serais cru à une remise des oscars tellement l'atmosphère était surréaliste. J'ai reçu un magnifique trophée en verre sur lequel mon nom était gravé, le tout accompagné d'un prix en argent. On m'a ensuite pris en photo en compagnie des membres de la haute direction.
En quelques semaines, j'avais dépensé tout l'argent. Mais le trophée est toujours sur mon bureau et les souvenirs que j'ai conservés de cette extraordinaire soirée sont gravés à jamais dans ma mémoire. Jamais auparavant mes mérites n'avaient été reconnus avec autant d'éclat.

– Le vice-président d'un important cabinet de gestion

Cet homme s'est senti pleinement récompensé au cours de cette cérémonie, mais d'autres se seraient sentis gênés ou auraient préféré de loin une marque de reconnaissance d'un autre genre. Par conséquent, *demandez à vos employés quelle forme de reconnaissance ou quel type de récompense leur plairait le mieux.*

voir CHAPITRE 1

La récompense universelle

Qui n'aime pas qu'on fasse son éloge ? Personne ne reçoit jamais trop d'éloges (pourvu qu'ils soient sincères). Quelles que soient leurs différences, pour ainsi dire tous les employés apprécient le fait de savoir à quel point ils sont importants pour le reste de leur équipe, à quel point leur travail est d'une grande valeur et à quel point ce qu'ils accomplissent est extraordinaire. Et ils sont heureux de l'entendre dire encore et encore.

Il avait l'habitude de m'arrêter dans le couloir pour me demander si tout allait bien. Au bout d'un moment il me disait : « Tom, je ne sais pas ce que nous ferions sans toi. C'est toi qui devrais être notre directeur. » Je n'étais qu'un simple comptable, mais il avait le don de me faire voir à quel

point j'étais un rouage important de notre organisation. Je retournais à mon bureau gonflé à bloc et prêt à remettre ça !
– Un comptable de compagnie aérospatiale

Le livre de Ken Blanchard, *The One Minute Manager*[1], rappelle aux directeurs de faire l'éloge de leurs employés. Nous vous suggérons de tenir compte des préférences individuelles de vos employés puis de procéder comme suit :

EXERCICE PRATIQUE

Faites l'éloge de vos employés :

✓ ***De façon spontanée.*** Au moment où vous surprenez les gens en pleine action, remerciez-les sur-le-champ. (Merci Ken Blanchard !)

✓ ***De manière spécifique.*** Louez les gens pour un effort particulier ou un résultat précis (plutôt que pour leur travail en général).

✓ ***De manière réfléchie.*** Emmenez un employé dîner dans un grand restaurant afin de lui montrer que vous appréciez la qualité de son travail.

✓ ***En privé.*** Allez dans le bureau d'un de vos employés, remerciez-le et louez-le personnellement.

✓ ***En public.*** Faites l'éloge d'un employé en présence d'autres personnes (ses collègues, les membres de sa famille, votre supérieur hiérarchique).

✓ ***Par écrit.*** Envoyez-lui une lettre, une note de service ou un courriel. Si la chose paraît utile, envoyez-en une copie à ses collègues ou à la haute direction de votre entreprise.

La rémunération est un droit, la reconnaissance est un don.
– Rosabeth Moss Kanter, auteur
et consultante en gestion

Sortez du cadre habituel

Voici une suggestion qui vous aidera à trouver une façon originale de récompenser vos employés et de leur montrer votre reconnaissance. Songez à tout ce que vous souhaiteriez que votre supérieur fasse pour vous montrer à quel point il vous estime (en dehors de vous accorder une augmentation de salaire ou de faire votre éloge) et dressez-en la liste. Tout en vous souvenant que chacun est différent, utilisez cette liste afin de voir comment récompenser vos propres employés. Voici quelques idées qui vous aideront à démarrer.

Temps libre

Il s'agit là d'un bien inestimable. Accordez un après-midi de congé à un employé exemplaire. Donnez à un autre l'occasion de faire la grasse matinée. Remerciez les membres d'une équipe en leur accordant un vendredi de congé. Laissez vos employés décider du moment où ils feront usage d'un tel présent.

> *Un de nos patrons a créé une banque de congés. Il a mis vingt-cinq jours de congé dans cette banque, puis il les a distribués aux employés et aux équipes qui le méritaient à la suite d'un rendement exceptionnel.*

Cadeaux

Quel genre de cadeaux leur plairait le plus : une machine à café ? un jeu de fléchettes dans le réfectoire ? un terrain de volley-ball entre deux immeubles ? des billets de cinéma ?

> *D'après nous, il vaut mieux dépenser un dollar pour une idée brillante et originale que cinquante dollars pour quelque chose d'ordinaire qui sera vite oublié.*
>
> – Richard File, associé chez Amrigon

Trophées et autres bibelots

Quels menus objets ou trophées seraient appréciés par vos employés ? Il pourrait s'agir d'une plaque personnalisée, d'une tasse portant un mot de remerciement personnel ou d'un aimant de réfrigérateur qui contiendrait un message approprié.

> *Si on observe bien, on constate que la plupart des gens aiment collectionner les menus objets, à condition qu'ils représentent véritablement un cadeau de remerciement pour un service rendu.*
>
> – Tom Peters, auteur et consultant en gestion

> *Le personnage de Gumby est devenu chez nous une récompense très appréciée. Le tout a commencé lorsqu'un de nos employés, grâce à son dévouement extraordinaire, a permis à ses collègues de terminer un projet à temps. Le lendemain, lorsqu'il est arrivé au bureau, une poupée Gumby géante était assise sur sa chaise. Elle avait peut-être coûté cinq dollars, mais elle est devenue depuis la récompense la plus prisée de toute l'entreprise. Ceux qui avaient le bonheur de la mériter ne se contenaient plus de joie.*
>
> – Un consultant de cabinet de transitaires

Occasions en or

Quelles occasions vos employés aimeraient-ils saisir : faire partie d'un comité de direction ou faire une présentation devant les membres de la haute direction ? avoir la chance d'effectuer un voyage dans le jet privé de la compagnie ou de visiter une autre usine ? avoir le choix du prochain projet auquel ils collaboreront ou la chance d'acquérir de nouvelles connaissances ?

voir CHAPITRE 15

- ✓ Un patron a offert à un employé de suivre une formation de son choix (pendant ses heures de travail).
- ✓ Un autre a permis à un de ses employés, en guise de remerciement, de suivre un autre employé à la trace afin d'acquérir ainsi de nouvelles connaissances.
- ✓ Enfin, un troisième a donné à un de ses employés la chance de faire une importante présentation devant les cadres supérieurs de son entreprise.

Plaisir

Et pourquoi pas une sortie pendant les heures de bureau ? Quitter le travail un peu plus tôt afin de jouer au ballon ou de faire une randonnée en groupe ? Faire l'école buissonnière et aller au cinéma ? Ou faire venir de la pizza pour tout le monde et faire la fête au bureau un après-midi ?

> *Notre équipe avait travaillé pendant de longues heures et même les week-ends. Notre patron a alors suggéré de louer une limousine, d'acheter du vin et de bons petits plats et d'aller assister à un concert en plein air. C'est lui qui a réglé l'addition. Nous avons beaucoup apprécié d'être ainsi gâtés et récompensés après tous ces efforts et les excellents résultats que nous avions obtenus.*
>
> – Le vice-président d'un cabinet de contrepartistes

voir CHAPITRE 11

Liberté

Quelle forme de liberté est susceptible de leur plaire : des horaires flexibles ? la liberté de travailler à domicile, de s'habiller simplement, de modifier certaines de leurs habitudes de travailler, de travailler sans la présence d'un surveillant, de gérer leur propre budget ?

> *Un directeur a récompensé sa secrétaire en lui accordant un budget de 400 $ par mois qu'elle pouvait utiliser comme bon lui semblait. Elle avait le loisir d'utiliser cette somme pour acheter de l'équipement de bureau, commander des repas pour les membres du service, etc. Son patron voulait lui montrer ainsi qu'il l'appréciait et lui faisait confiance.*

voir CHAPITRE 19

Argent de poche

Il suffit parfois de faire don d'une petite somme discrétionnaire (entre 50 $ et 100 $) à un employé. Une telle récompense spontanée est souvent beaucoup plus appréciée qu'on pourrait l'imaginer.

> *Alain était très fier de lui. On lui avait réclamé à la dernière minute une série de spécifications techniques et il était*

resté tard au bureau afin de les obtenir. Il en faisait en général plus que ce qu'on lui demandait. En guise de remerciement, son patron lui remit un chèque au montant de 150 $ en lui demandant de se procurer sans tarder un gadget dont il avait envie. Alain s'acheta une superbe table miniature et l'emporta fièrement chez lui. Ses enfants furent tout excités à la vue de l'objet en question. Lorsqu'ils lui demandèrent pourquoi il rapportait un tel présent à la maison, il leur répondit : « Ce cadeau n'est pas pour vous, il est à moi. C'est ma compagnie qui me l'a offert parce que j'ai fait du bon travail. » Ses enfants en furent impressionnés. Quatre ans plus tard, la table est toujours dans le salon familial. Lorsque quelqu'un émet des commentaires élogieux à cet égard, les enfants répondent : « Papa l'a eue en cadeau parce qu'il a fait du bon travail. » Alain ne peut s'empêcher de sourire à chaque occasion.

Grosse récompense en argent

Un salaire élevé ne constitue plus nécessairement le meilleur moyen de séduire les employés les plus talentueux. Mais il n'est pas impossible que cela corresponde aux vœux de certains. Essayez de savoir lesquels, parmi vos meilleurs employés, sont réellement motivés par l'argent. Qu'êtes-vous en mesure de leur offrir ? Une prime offerte pour avoir dépassé les objectifs fixés et les attentes placées en eux leur conviendrait-elle ? Ou une hausse salariale plus importante que prévue ? Songez à la manière dont vous pouvez étirer votre budget pour offrir une récompense en argent lorsque celle-ci est justifiée et voulue. Si vous avez les mains liées parce qu'il vous est impossible d'être plus généreux, voici une autre possibilité qui s'offre à vous : dites simplement la vérité ! Puis, même si la chose peut vous sembler difficile, demandez par quel autre moyen vous pourriez les dédommager de leur peine. Peut-être vous sentirez-vous tout d'abord mal à l'aise tous les deux. Mais si vous insistez, nous sommes persuadées que d'autres solutions se présenteront à vous. Et si vous vous creusez les méninges suffisamment longtemps, il se peut que vous trouviez une forme de monnaie d'échange. Mais l'essentiel demeure que vous fassiez savoir à vos employés à quel point ils comptent à vos yeux, eux et leur contribution au succès de votre entreprise.

EXERCICE PRATIQUE

- ✓ Évaluez en toute honnêteté de quelle manière vous comptez récompenser vos employés et leur montrer votre reconnaissance. Comment savoir si votre manière de faire est efficace ?
- ✓ Demandez à vos employés ce qui a le plus d'importance à leurs yeux.
- ✓ Récompensez-les en fonction de leurs besoins et de leurs désirs personnels.
- ✓ Souvenez-vous de faire sincèrement l'éloge des gens. *Cela fonctionne à tout coup !*

RÉSUMÉ

Toutes les recherches démontrent que l'argent ne constitue pas le principal moyen de garder vos meilleurs employés. Nos propres démarches le confirment. Nous avons posé la même question à une foule d'employés d'un bout à l'autre du pays : « Pourquoi restez-vous en poste ? » Dans aucun des cas l'argent n'a figuré parmi les cinq principales raisons évoquées. Ce n'est pas ainsi que vous garderez vos meilleurs employés. Ils veulent que vous reconnaissiez leurs mérites à leur juste valeur. Assurez-vous que votre échelle salariale est équitable et ne craignez pas de faire l'éloge de vos meilleurs éléments. Trouvez des façons originales de leur manifester votre reconnaissance et vous augmenterez vos chances de les garder à votre service.

1. Ken Blanchard et Spencer Johnson, *The One Minute Manager*, New York, William Morrow, 1982.

Chapitre 19

Accordez plus de liberté à vos employés

Mon patron ne m'accordait pas la liberté de réfléchir et de créer par moi-même, ou encore de gérer mon temps moi-même. Je me sentais contrôlé, oppressé, je n'avais plus d'air pour respirer.

– J.A.

Tout adulte qui a eu l'occasion d'élever un adolescent ou se souvient encore de l'époque où il a lui-même été adolescent sait pertinemment ce que signifie l'expression « Tu me pompes l'air ! ». C'est le genre de commentaire qu'émet toute personne qui se sent emprisonnée ou constamment surveillée, et qui est frustrée de constater que la maîtrise de sa propre vie lui échappe. Dilbert, le personnage de BD qui a été choisi comme porte-parole du syndicat américain des employés de bureau, dépeint régulièrement les directeurs comme des gens obsédés par l'idée de contrôler les faits et gestes de leurs subalternes en ne leur laissant pour ainsi dire aucune marge de manœuvre, tant au propre (en les confinant dans des habitacles cloisonnés) qu'au figuré (en contrôlant leur existence au jour le jour, sans leur laisser la liberté de prendre la moindre décision).

Vous rappelez-vous la dernière fois qu'un de vos supérieurs vous dictait chacun de vos faits et gestes ou se retranchait derrière le règlement pour refuser systématiquement toute idée nouvelle.

Combien de temps avez-vous gardé cet emploi? (Espérons que vous avez changé d'employeur depuis!) Un tel patron n'a aucune idée de l'importance de disposer de son espace intérieur comme de son espace extérieur. Or, des employés qui ne disposent pas suffisamment des deux sont inévitablement appelés à partir.

Espace intérieur et espace extérieur

Nous entendons par *espace intérieur* la liberté dont vos employés ont besoin sur les plans émotif et mental pour avoir le sentiment d'être des individus créatifs, productifs et pensants au sein d'une équipe. Un tel espace leur donne la liberté de:

✓ S'autogérer;
✓ Gérer eux-mêmes leur emploi du temps;
✓ Travailler et réfléchir différemment.

Vous avez, en tant que directeur, la possibilité de laisser à vos employés les plus compétents tout l'espace intérieur nécessaire à leur épanouissement (sans que cela vous coûte un sou en principe); ce faisant, vous augmentez vos chances de les garder.

L'expression *espace extérieur* fait référence à l'encadrement physique qu'on trouve plus particulièrement en milieu de travail. Dans un tel espace les employés doivent pouvoir:

✓ Aménager eux-mêmes leur environnement de travail;
✓ Se déplacer d'un endroit à un autre;
✓ Faire une pause;
✓ S'habiller à leur guise.

Pour satisfaire les exigences de vos employés en matière d'espace extérieur, il se pourrait que vous soyez obligé de sortir du cadre habituel, notamment s'il n'y a pas de précédent en ce sens dans votre entreprise. Avant de vous en dire plus long sur la façon dont certains directeurs s'y prennent pour donner plus d'espace et de liberté à leurs employés, nous vous demandons de faire le petit test qui suit, histoire de voir si vous êtes ou non du genre à lâcher la bride à vos employés. Notez vos réponses.

voir CHAPITRE 17

EXERCICE PRATIQUE

Prenez connaissance des scénarios suivants. Imaginez que différents employés vous font à tour de rôle une requête et réfléchissez aux réponses que vous leur ferez. Choisissez si vous répondriez par oui ou par non, et expliquez pourquoi. Notez vos réponses dans les cases prévues à cet effet.

1. Serait-il possible de modifier légèrement mon horaire de travail? Pour des raisons personnelles, j'aimerais pouvoir commencer une demi-heure plus tôt et terminer une demi-heure plus tôt, trois jours par semaine.
2. Puis-je accomplir ma tâche différemment? J'ai à vous proposer une manière de procéder que vous ne connaissez pas encore.
3. Je voudrais pouvoir réaliser les cinq premières étapes de ce projet avant que nous examinions ensemble le résultat.
4. J'aimerais utiliser une nouvelle technique avec laquelle je suis plus à l'aise et qui devrait me permettre d'accroître mes ventes.
5. Au lieu de suivre la formation que vous m'avez recommandée, je me suis trouvé un mentor avec lequel j'aimerais acquérir de nouvelles compétences.
6. J'ai pris des photos superbes durant mes vacances et je voudrais pouvoir les afficher sur les murs de mon bureau.
7. J'aimerais travailler à domicile deux jours par semaine.
8. J'ai l'intention de travailler le samedi pendant quelques semaines afin de terminer ce projet à temps. Si vous n'y voyez pas d'inconvénient, j'emmènerais mon chien, qui est bien dressé, avec moi au bureau ces jours-là.
9. J'aimerais m'habiller de manière décontractée au bureau au lieu de toujours porter un complet-veston. Je me sens plus à l'aise et mon esprit est plus créatif quand je mets mon jean et mes chaussures de tennis.

10. J'ai toujours réalisé ce genre de projet tout seul jusqu'à présent, mais cette fois j'aimerais réunir une équipe autour de moi parce que je pense que nous pourrions abattre du meilleur boulot plus rapidement.
11. J'aimerais disposer de six semaines de congé sans solde pour entreprendre de construire ma maison.
12. Je voudrais emmener mon bébé au bureau pendant les six premières semaines de son existence.

Tableau de réponses

Vos réponses	1	2	3	4	5	6	7	8	9	10	11	12
Je n'ai pas d'objection.												
C'est hors de question.												
Laissez-moi y réfléchir.												

Cette liste de requêtes vous donne un aperçu de ce que nous entendons par laisser plus de liberté à vos employés. Les cinq premières concernent plus spécifiquement l'espace psychique, alors que les sept autres concernent l'espace physique.

1. Comptez le nombre de fois où vous avez répondu: « D'accord, je n'ai pas d'objection, pourvu que vous terminiez le travail à temps. »
2. Comptez à présent le nombre de fois où vous avez répondu: « C'est hors de question », « Ça ne s'est jamais fait de cette façon » ou « Le règlement l'interdit ».
3. Comptez enfin le nombre de fois où vous avez répondu: « Laissez-moi y réfléchir et en parler d'abord à mon supérieur », « Donnez-moi plus de détails à ce sujet et je vais voir ce que je peux faire ».

Quel est votre score ?

Je n'ai pas d'objection.	8 points et plus	Vous savez accorder une bonne dose de liberté à vos employés. Continuez sur cette lancée !
C'est hors de question.	3 points et plus	Vous parvenez difficilement à laisser vos employés user de leur liberté. Essayez de répondre plus souvent : « Laissez-moi y réfléchir. »
Laissez-moi réfléchir.	1 point et plus	Vous êtes conscient de l'importance de laisser vos employés user de leur liberté. Ceux-ci ne pourront qu'apprécier vos efforts !

Il existe des entreprises où chacune de ces requêtes recevrait un accueil favorable, mais c'est souvent le contraire qui se produit dans un trop grand nombre d'entre elles. Seriez-vous surpris d'apprendre que ces dernières se classent aux derniers rangs des compagnies où les demandeurs d'emploi veulent travailler et qu'elles éprouvent davantage de difficultés à recruter des employés et à les garder ? Elles auront beau offrir d'excellentes conditions salariales, elles perdront inévitablement leurs meilleurs éléments parce que, selon nous, elles ne leur laissent pas suffisamment d'air pour respirer ! Comment pouvez-vous par conséquent accorder suffisamment de liberté à vos propres employés ?

Espace extérieur

Liberté de travailler où bon leur semble

Un des moyens les plus usités d'accorder plus de liberté à un employé consiste à lui permettre de travailler à distance. Selon un sondage mené aux États-Unis par la société Telecommute America, plus de onze millions d'Américains travaillent à partir de leur domicile ou d'un bureau situé à l'extérieur des murs de l'entreprise qui les embauche. Ce sont autant de gens qui mettent beaucoup d'espace entre eux et leur patron, sans que cela semble poser problème. Selon Nancy Kurland, professeur adjointe à l'école des hautes études commerciales de l'université de la Californie du Sud, « les gens qui travaillent à distance font généralement plus d'heures que s'ils étaient au bureau parce qu'ils ont l'impression de jouir d'un privilège qu'ils ne voudraient pas qu'on leur retire[1] ».

Que faire lorsque votre entreprise ne permet pas à vos employés de travailler à domicile ?

> *Nous n'avions jamais autorisé le travail à domicile et j'étais persuadé que nous ne le ferions sans doute jamais. Une de mes meilleures employées m'a demandé si elle pouvait travailler à partir de chez elle deux jours par semaine et je lui ai immédiatement répondu non. Un mois plus tard, elle me remettait sa démission, en me disant d'un air contrit qu'elle avait trouvé un employeur qui l'autorisait à le faire. N'ayant pas les moyens de la laisser filer ainsi, je suis allé trouver mon supérieur hiérarchique et lui ai demandé de faire une entorse au règlement en offrant à cette employée de travailler chez elle à l'essai pendant deux jours par semaine, puis d'évaluer les résultats. Elle a décidé de rester ; son rendement a augmenté de 10 % et c'est depuis une employée fidèle et reconnaissante. Depuis, nous avons passablement assoupli notre position et nous évaluons les demandes de travail à domicile au cas par cas.*
>
> – Un administrateur comptable œuvrant pour une municipalité

Certaines tâches doivent être accomplies sur les lieux de travail et on ne pourra jamais envisager de les faire faire à domicile. En pareil cas, songez à d'autres façons de laisser le champ libre à vos employés.

Il arrive qu'il n'existe aucun règlement au sujet du travail à distance mais certains directeurs l'interdisent de leur propre initiative. Si vous êtes de ceux-là, demandez-vous pourquoi.

Manquez-vous de confiance dans vos employés ? Craignez-vous qu'ils commettent des gaffes ou deviennent moins productifs si vous n'êtes pas là pour les surveiller en permanence ? Dans ce cas, envisagez la possibilité de mettre en place un mode de gestion qui tienne compte des résultats. Précisez clairement quelles sont vos attentes. Que souhaitez-vous qu'ils créent ou produisent ? À l'intérieur de quel délai ? Laissez ensuite vos employés obtenir ces résultats là où ils le désirent.

Dommage...

Je me considère à maints égards comme quelqu'un d'avant-gardiste. Mais, dans certains domaines, je me sens prisonnier de mes anciens schémas de pensée et des règles établies. J'ai perdu trois employés clés au cours de l'année écoulée. Chacun d'eux réclamait quelque chose que je ne pouvais (ou que j'estimais ne pas pouvoir) lui donner, comme la possibilité de travailler à domicile et de s'habiller de manière décontractée. Récemment, j'ai été témoin d'une entente à laquelle une autre directrice en est arrivée avec un de ses plus précieux employés. Elle a réussi à lui obtenir l'autorisation de travailler selon un horaire flexible. Il en est tout enthousiasmé et sa production n'a jamais été aussi élevée. J'envisage par conséquent de modifier mon penchant à rejeter sur-le-champ toute demande inhabituelle qui m'est adressée. Peut-être devrais-je faire preuve de plus de souplesse si je veux garder mes meilleurs éléments.

– Le directeur d'une chaîne hôtelière

Liberté de décrocher

Un jeune et talentueux ingénieur qui travaillait pour une importante société aérospatiale a demandé un jour à son supérieur immédiat de disposer de six semaines de congé (sans solde) pour entreprendre de construire sa maison. Son patron lui donna son accord, tout en sachant que l'absence de cet ingénieur risquait de se faire péniblement sentir. Six semaines plus tard, n'ayant pu avancer dans ses projets comme il l'avait espéré, l'employé en question vint réclamer à son patron quatre semaines supplémentaires. Ce dernier réfléchit à la question, se rappela combien cet employé était précieux à ses yeux, fit parvenir la requête à l'ingénieur divisionnaire et revint avec l'autorisation demandée. Cet employé est resté fidèle et dévoué pendant les vingt-quatre années qui ont suivi. Il est par la suite devenu membre de la haute direction de la compagnie et a alors contribué à l'incroyable succès de cette dernière. Lorsqu'on lui demanda ce qu'il aurait fait si on avait rejeté sa requête, il répondit qu'il aurait démissionné et se serait cherché un nouvel emploi après avoir terminé son projet.

Il est rare de rencontrer des directeurs qui estiment suffisamment leurs employés pour leur accorder la liberté nécessaire pour prendre congé du boulot. Pourtant, dans certains pays et dans certains domaines (notamment dans l'enseignement universitaire), les congés sabbatiques sont chose parfaitement admise. On y encourage même les meilleurs éléments qui le souhaitent à effectuer des voyages ou à acquérir de nouvelles connaissances, voire à se rendre à la montagne pour méditer. La prochaine fois qu'un employé compétent vous demandera un congé sans solde, évaluez-en les avantages et les inconvénients et creusez-vous les méninges pour trouver le moyen de rendre la chose possible. Il se sentira soutenu et vos chances de le garder dans l'avenir s'en trouveront accrues.

Liberté de s'habiller à sa guise

Qui n'a pas entendu parler de ces entreprises de haute technologie où des esprits brillants et créatifs portent des accoutrements tous plus bizarres les uns que les autres ? Certains jugent qu'il n'est pas très convenable ni très professionnel de s'habiller ainsi, et ils vont jusqu'à mettre en cause leur utilité sur la productivité. Les résultats semblent pourtant parler d'eux-mêmes. Prenons l'exemple des sociétés Microsoft et Netscape, où, dans de nombreuses divisions, il n'existe aucun code vestimentaire. Quel degré de succès et de productivité ont-elles atteint au cours des dernières années ? Selon les responsables de ces divisions, les employés peuvent parfois travailler volontairement jusqu'à soixante-dix heures par semaine lorsqu'ils s'efforcent de terminer un projet ou de sortir un nouveau produit. Leur permettre de s'habiller à leur guise semble une bien faible concession, compte tenu de leur dévouement et de leur niveau élevé de productivité.

> *Je n'éprouve pas la nécessité de me mettre sur mon trente et un pour résoudre une équation.*
>
> – Un ingénieur en aérospatiale

Songez aux moments où vous pouvez vous montrer flexible en matière de tenue vestimentaire. Ce pourrait être le vendredi, ou l'été, ou encore le code vestimentaire pourrait être différent pour ceux de vos employés qui ne sont pas en contact direct avec la clientèle. Mettez le règlement de la maison à l'épreuve. Est-il raisonnable ou non ? Si une tenue correcte est exigée, vous ne manquerez certes pas d'appliquer le règlement, mais voyez les choses de façon réaliste et restez imaginatif. C'est incroyable le nombre d'employés qui voient d'un bon œil un code vestimentaire accommodant !

Liberté d'aménager son lieu de travail à sa guise

Les espaces de travail de votre entreprise devraient-ils tous se ressembler ? Quiconque a étudié la question des différences de personnalité sait que l'un des moyens d'exprimer son originalité consiste à aménager son environnement selon ses goûts et son style personnels, que ce soit à la maison ou au bureau, y compris s'il s'agit d'un simple habitacle de travail – pour peu qu'on ait la liberté d'agir à sa guise !

De nombreuses sociétés engagent désormais des firmes spécialisées dans la décoration intérieure et qui exercent leur art à la perfection. Sur certains lieux de travail, les règles en vigueur en matière de décoration sont très strictes et n'autorisent aucune fantaisie personnelle de la part des employés. Qu'en est-il chez vous ? Si le règlement permet une certaine souplesse à cet égard, vous disposez, en tant que directeur, d'une marge de manœuvre dont vous pouvez faire bénéficier vos employés. En ce cas, laissez-les accrocher aux murs leurs photos ou leurs cadres préférés et disposer leur bureau comme bon leur semble. N'exigez pas d'eux que leur espace de travail ressemble exactement au vôtre.

Chez Apple, un fort en thème qui était très visuel s'est senti freiné le jour où on l'a obligé à mettre ses idées sur ordinateur. Histoire de lui faciliter la tâche, son directeur a fait recouvrir les murs de son bureau d'un carton spécial sur lequel il pouvait écrire à l'aide de feutres effaçables à sec.

*****

Afin d'accorder leur espace personnel à ses employés, Netscape les autorise à déterminer eux-mêmes leur horaire de travail, à avoir la tenue vestimentaire qui leur plaît et à aménager leur environnement de travail à leur guise. Ce qui explique pourquoi certains employés ont un divan, un réfrigérateur, une chaîne stéréo, voire un aquarium dans leur bureau.

Espace intérieur

Liberté de s'autogérer, de travailler et de penser différemment

Respecter l'espace intérieur de vos employés implique que vous êtes confiant que vos employés de talent sauront gérer leur emploi du temps avec efficacité et améliorer sans cesse la qualité de leur travail.

Le géant du commerce de détail Nordstrom n'ignore pas ce que signifie laisser une certaine marge de manœuvre à ses employés, en leur accordant un certain pouvoir de décision et la possibilité de s'autogérer. Les directeurs croient que leur culture d'entreprise leur permet justement d'avoir l'un des taux de rétention du personnel les plus élevés de toute l'industrie du commerce de détail. La première règle qui figure dans le livre de règlements de Nordstrom se lit comme suit : « Agissez en toutes circonstances au meilleur de votre jugement. »

Parce que les employés ont le loisir de faire tout ce qui est en leur pouvoir pour donner satisfaction à la clientèle, les clients de Nordstrom ont généralement droit à un service de qualité exceptionnelle. En voici deux exemples: une employée a repassé pour un client une chemise dont il avait besoin d'urgence pour une réunion, alors qu'une autre a emballé des cadeaux qu'une cliente avait achetés chez un concurrent. Le personnel a toute liberté d'utiliser son imagination et ses talents dans le cadre de son travail.
Au service de Nordstrom depuis cinq ans, une employée jugée particulièrement serviable a résumé la situation en ces termes: «À quel autre endroit pourrais-je être aussi bien rémunérée et avoir autant d'autonomie? Nordstrom est l'une des premières compagnies où j'ai eu l'impression de faire partie d'une équipe vraiment exceptionnelle. Ce n'est pas un travail facile, j'en conviens, mais ça me plaît d'y mettre toutes mes énergies. Personne ne me commande et je suis prête à faire tout ce que mon sens du dévouement me dicte. C'est comme si je travaillais à mon compte[2]*.»*

Un pilote de la compagnie Southwest Airlines et un comptable de Microsoft font tous deux état d'une expérience similaire dans un environnement de travail où la bureaucratie a été réduite au minimum. Même s'il s'agit dans les deux cas de situations et d'entreprises entièrement différentes, les deux employés se sentent privilégiés d'avoir un tel degré d'autonomie. Même si le pilote d'avion doit respecter des horaires très stricts et des règles de sécurité clairement définies, il sent que ses supérieurs et la culture d'entreprise de Southwest lui donnent une grande liberté personnelle. Le comptable de Microsoft dépeint un environnement typique de l'atmosphère qui règne dans les entreprises de haute technologie, où les employés de talent sont difficiles à dénicher et à garder. Les directives concernant les horaires, la disposition du lieu de travail, la tenue vestimentaire et même la conception des tâches sont laissées à la discrétion de chacun et de chaque équipe de travail.

EXERCICE PRATIQUE

✓ Laissez vos employés prendre davantage de décisions concernant les divers aspects de leur travail, sans aucune surveillance directe.
✓ Soyez confiant qu'ils sauront accomplir leurs tâches adéquatement et prêtez-leur assistance au besoin.
✓ Permettez-leur d'accomplir leurs tâches différemment, même si leur façon de procéder sort du cadre habituel.

En tant que directeur, vous disposez sans doute d'une plus grande marge de manœuvre à ce chapitre que dans tout autre domaine pour accorder un tant soit peu de liberté à vos employés, et vous en retirerez de grands avantages si vous le faites. Si vous êtes dans l'impossibilité de leur permettre de travailler à distance et de s'habiller de manière décontractée, vous pouvez à tout le moins leur donner le pouvoir de décider eux-mêmes de quelle façon accomplir leurs tâches quotidiennes.

Liberté de gérer son horaire de travail

Voici un domaine où vous pourriez de nouveau être tenté de dire : « Je n'ai aucun contrôle là-dessus. Le règlement concernant les heures de travail et leur utilisation est très strict. » Si tel est le cas, vous devrez envisager d'autres façons d'accorder plus de liberté à vos employés. Nous vous encourageons toutefois à vérifier la rigidité de ces règles et à voir dans quelle mesure elles comportent une certaine souplesse qui vous permettrait de laisser vos employés gérer leur temps en fonction de leurs besoins spécifiques. Voici quelques exemples de la façon dont certains directeurs considèrent la question :

Chez Merck et Hewlett-Packard, les employés travaillent cinq jours par semaine, à raison de huit heures par jour. Ces deux sociétés ont mis au point une version d'horaires flexibles qui leur laisse une marge de deux heures pour commencer le matin et une marge de deux heures pour terminer le soir.

*****

Chez Federal Express, les employés ont le droit d'arriver dix minutes avant ou après l'horaire normal de leur travail, et de partir dix minutes plus tôt ou plus tard à la fin de la journée. Cette marge de manœuvre peut contribuer à réduire sensiblement le temps que ces employés passent dans leur voiture aux heures de pointe, diminuant ainsi leur niveau de tension. (Un décalage de dix minutes peut parfois faire une énorme différence.)

*****

Chez Ernst & Young, on a créé, pour usage interne, une banque de données à l'échelle nationale dans laquelle sont répertoriés tous les employés qui ont un horaire irrégulier. Y figurent leur nom et le type de tâches qu'ils accomplissent, de même que le type d'entente qu'ils ont conclue avec leur directeur et ce qui en est résulté. Chaque employé est libre de la consulter afin d'y trouver un exemple à suivre, depuis les associés jusqu'aux simples employés. Ce programme a connu un tel succès que près de 1 000 des 29 000 employés que compte cette société dans tout le pays travaillent présentement selon un horaire flexible.

Dans le plus important cabinet d'Ernst & Young, le taux de rétention des membres féminins de la haute direction s'est accru de 7 % en dix-huit mois, alors que les recettes ont augmenté de plus de 20 %. Par ailleurs, les personnes travaillant suivant des horaires flexibles ont obtenu des promotions au même rythme que celles qui ont un horaire régulier[3].

RÉSUMÉ

Emplois partagés, horaires flexibles, travail à domicile et personnalisation du lieu de travail : voilà autant de concepts qui impliquent de savoir être à l'écoute des besoins des gens et de les aider à les satisfaire, voire de leur fournir l'occasion de faire les choses différemment. Prenez en compte les requêtes de vos employés. Faites des concessions et adaptez le règlement chaque fois que vous le pouvez. Faites part de leurs demandes à votre supérieur hiérarchique dans le but d'obtenir la souplesse nécessaire pour améliorer les conditions de travail de vos employés.

La liberté de jouer, de s'amuser, de prendre congé, de célébrer une réussite, de faire preuve d'imagination, voilà qui contribue à créer une culture d'entreprise favorable à la rétention du personnel. Vos meilleurs éléments sauront vous montrer leur reconnaissance par leur fidélité et leur dévouement. Ils resteront avec vous et vous donneront le meilleur d'eux-mêmes.

---

1. Jennifer Oldham, « Remote Control », *Los Angeles Times*, 8 juin 1998.
2. James C. Collins et Jerry I. Porras, *Built to Last*, New York, Harper Business, 1994, p. 119.
3. Harriet Johnson Brackey, « It's About Time : New Ways to Reshape the Work Week », *Miami Herald*, 1er juin 1998.

Chapitre 20

Dites la vérité à vos employés

La vérité ne me fait pas peur. Pourquoi a-t-on refusé de me la dire ?

– J.A.

Êtes-vous quelqu'un d'honnête ? Faut-il dire la vérité aux autres ? La plupart des gens répondent à ces deux questions par l'affirmative. Or, combien de fois avez-vous fait des compliments à quelqu'un sans vraiment le penser ? En tant qu'adulte, nous savons que l'honnêteté constitue la meilleure politique à suivre, mais cela ne signifie pas que nous disions toujours la vérité pour autant.

D'après notre enquête, les employés souhaitent qu'on leur dise les choses en face. Ils veulent savoir la vérité en ce qui touche leur rendement et leur entreprise. Ils veulent pouvoir vous dire la vérité en ce qui concerne *votre* performance. S'ils ont l'impression que vous ne leur dites pas la vérité ou qu'ils ne vous disent pas la vérité, leur moral a tendance à baisser, ils sont moins portés à faire confiance à leurs dirigeants et, en définitive, c'est leur loyauté à l'égard de toute l'entreprise qui s'en trouve affectée. Et vous n'ignorez plus maintenant qu'ils sont dès lors susceptibles de démissionner pour offrir leurs services à vos concurrents. Par conséquent, si vous souhaitez garder vos meilleurs éléments, dites-leur la vérité.

Une nouvelle conception de la vérité

Le secret pour réussir à dire la vérité consiste à considérer celle-ci comme un présent. Si vous avez la conviction d'aider réellement les gens à s'améliorer (au travail aussi bien que dans la vie) en leur faisant sincèrement part de vos observations, vous serez alors plus enclin à émettre votre avis. Avez-vous jamais suivi des cours de danse ou de musique ou un instructeur vous a-t-il jamais donné des leçons de tennis, de golf ou de baseball ? Plongez dans vos souvenirs et revoyez-vous en train d'écouter les conseils de cette personne.

Vous a-t-elle montré de quelle manière tenir votre raquette ou votre bâton ? Vous a-t-elle aidé à avoir un meilleur rythme ou à vous harmoniser avec votre instrument ? Ne s'efforçait-elle pas en permanence de perfectionner votre style ? Sans doute ses commentaires oscillaient-ils entre éloges (« C'était excellent, recommence exactement de la même façon ! ») et réprimandes (« Cette fois, tiens ton bâton comme ceci »). Son travail consistait bien souvent à vous permettre de vous regarder dans une glace afin que vous puissiez voir exactement vos mouvements. Peut-être vous a-t-elle même filmé en action. Vous aviez droit aux observations honnêtes de quelqu'un qui souhaitait vous faire prendre conscience que vous pouviez vous améliorer et qui s'ingéniait à vous aider en ce sens. Vos employés attendent de vous que vous en fassiez autant pour eux parce qu'ils ont besoin de vous.

Dites-leur la vérité au sujet de leur travail

Songez aux gens qui travaillent pour vous et qui doivent vous rendre des comptes. Songez à leurs forces et à leurs faiblesses, à ce qu'ils refusent de voir, aux forces dont ils abusent, aux lacunes qui pourraient les freiner dans leur carrière. Avez-vous eu jusqu'à présent l'honnêteté de leur faire part de vos observations ?

Si c'est le cas, quand et comment l'avez-vous fait ? Même les meilleurs des patrons sont susceptibles d'éprouver de la difficulté à être francs avec leurs employés, en particulier si ceux-ci ont certaines lacunes ou s'ils doivent s'améliorer dans certains domaines. Ces directeurs craignent peut-être de blesser leurs employés, de les rebuter, de les décourager, voire de les pousser à démissionner.

Dommage…

J'étais sincèrement persuadé de faire du bon travail. J'avais eu droit à plusieurs promotions, à des évaluations positives et je recevais même une prime à chaque fin d'année. Puis, du jour au lendemain, on a choisi quelqu'un d'autre pour un poste important et on m'a relégué aux oubliettes. Le jour où l'on a réduit les effectifs, j'ai été licencié. C'est seulement à ce moment-là que j'ai appris que mon style de gestion avait posé problème pendant toutes ces années.

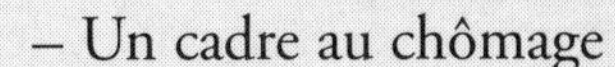

– Un cadre au chômage

La plupart des gens n'ont pas été formés pour apporter de mauvaises nouvelles. Nos aînés nous ont toujours appris que « l'honnêteté rapporte », mais ils nous ont également mis en garde : « Si tu es incapable de dire des paroles gentilles, mieux vaut te taire. » Et c'est ce que nous faisons généralement.

La vérité fait-elle vraiment mal ?

Lorsqu'on les interroge à ce sujet, les employés se plaignent généralement, dans la majorité des entreprises, du manque de communication de la part de leurs dirigeants. Ils veulent savoir à quoi s'en tenir et vérifier si vous partagez leur opinion concernant leur rendement au travail. Bref, ils veulent connaître la vérité.

Des années de recherche confirment que l'absence de toute critique constructive explique en grande partie pourquoi des dirigeants de tous niveaux font parfois fausse route. Il arrive que de tels égarements mènent jusqu'au congédiement mais, plus globalement, ceux-ci dénotent chez eux une incapacité à accomplir ce qu'on les estimait capables de réaliser[1]. Même les « étoiles montantes» de votre entreprise ont besoin de commentaires honnêtes et équilibrés. Trop souvent on se contente de complimenter ces merveilleux, brillants et talentueux employés. L'absence de critiques constructives peut les amener à commettre de graves erreurs susceptibles de mettre brusquement un terme à leur carrière, même après qu'on leur ait accordé diverses promotions et de substantielles hausses salariales et qu'ils ont pu occuper des fonctions importantes. Une telle dégringolade est possible parce que personne ne les a aidés à corriger leurs défauts et à comprendre l'importance de s'améliorer sans cesse. Ils ont fini par se croire invincibles et par refuser de voir la réalité en face. Leur confiance en eux s'est peu à peu transformée en arrogance, en partie parce que leurs supérieurs et les principaux membres de leur entourage ont négligé de leur communiquer à temps des informations complètes, précises et exactes sur eux-mêmes, alors que la vérité aurait pu leur éviter de trébucher.

EXERCICE PRATIQUE

✓ D'ici les trente prochains jours, faites honnêtement part à tous vos employés de vos observations à leur sujet, du plus talentueux au plus simple d'entre eux. Ils le méritent et ils vous seront reconnaissants de votre franchise.

Et si vous l'avez fait... l'an dernier?

Dans plusieurs entreprises, les directeurs ne sont tenus d'émettre leurs commentaires qu'au cours de l'évaluation annuelle des employés. Leurs observations servent à récompenser et à renforcer les comportements et le rendement des employés, à justifier leur augmentation de salaire annuelle ou à les mettre en garde contre les conséquences possibles d'un rendement jugé insatisfaisant. Certains directeurs passent sur les mauvaises nouvelles pour se concentrer uniquement sur les bonnes, alors que d'autres font exactement le contraire. Dans un cas comme dans l'autre, ce processus n'est souvent qu'une source de frustration pour les employés.

Voici deux points à considérer à cet égard:

1. La réunion d'évaluation annuelle est importante et peut être très utile pour vos employés. Mais si elle n'est pas menée consciencieusement, vos employés pourront sentir que vous leur manquez de respect ou qu'ils n'ont aucune importance à vos yeux. Planifiez donc soigneusement ces rencontres et dites-leur la vérité à ce moment-là. Tâchez d'établir un équilibre entre les *bonnes nouvelles* (commentaires positifs) et les *nouvelles utiles* (observations sur ce qui doit être amélioré).
2. Ne vous contentez pas de leur faire part de vos observations une fois par année. Si vous souhaitez garder vos meilleurs éléments, il est essentiel que vous leur donniez franchement votre opinion à leur sujet sur une base régulière.

Dommage…

Dans notre entreprise, employés et patrons remplissent chaque année un compte rendu d'évaluation qui permet de comparer les résultats, de s'entretenir avec les employés au sujet de leur rendement et de ce qu'ils pourraient faire pour l'améliorer. J'ai passé des heures à remplir le mien, à tenter d'évaluer mes forces et mes faiblesses et de voir dans quelle mesure j'avais atteint mes objectifs. J'ai remis mon évaluation à mon patron trois semaines avant notre grande rencontre annuelle. À la réunion même, il est devenu évident qu'il n'avait pas lu mon rapport et qu'il avait rempli son propre compte rendu en toute hâte et à la dernière minute. Il m'avait attribué la moyenne, sans plus, et lorsque je lui ai demandé de quelle manière je pouvais améliorer mes résultats, il a répondu qu'il allait y réfléchir. Vingt minutes plus tard, il a déclaré qu'il avait quelqu'un d'autre à voir. J'avais attendu un an pour connaître l'opinion de mon patron à mon sujet et maintenant qu'il s'y mettait, ses propos étaient proprement insignifiants. Je ne me suis jamais senti aussi ridicule. Peut-être serait-il temps que je cherche un nouvel emploi.

– Un infirmier surveillant d'hôpital

J'ignore comment m'y prendre

Beaucoup de directeurs sont mal à l'aise lorsque vient le temps de faire part de leurs observations à leurs employés, qu'elles soient positives ou négatives, parce qu'ils ignorent comment le faire simplement et efficacement. La plupart n'ont jamais eu d'exemples valables à imiter. La solution consiste à le faire de manière à ce que votre interlocuteur ne soit pas sur la défensive. Comment être à la hauteur de la situation ? Répondez par vrai ou faux aux affirmations du petit test suivant afin de voir si vous savez communiquer adéquatement avec vos employés.

Test

✓ Je fais mes observations en privé. (Je choisis un endroit où la personne peut entendre mes commentaires sans être distraite ou embarrassée.)
______ Vrai ______ Faux

✓ Je fais mes remarques au moment opportun. (Je décide à quel moment je ferai mes commentaires à quelqu'un et j'utilise ce temps à cet escient.)
______ Vrai ______ Faux

✓ Je fais fréquemment des observations. (Je commente immédiatement toute action qui a besoin d'être corrigée ou félicitée.)
______ Vrai ______ Faux

✓ Mes remarques portent davantage sur l'avenir que sur le passé. (Je m'étends surtout sur ce qu'il est possible de faire pour améliorer les choses que sur les erreurs commises.)
______ Vrai ______ Faux

✓ Je fais des remarques spécifiques, assorties d'exemples précis. (« Il me semble que vous devriez déléguer davantage. Vous vous êtes tapé le projet du dernier trimestre à vous tout seul ! »)
______ Vrai ______ Faux

✓ Mes remarques contiennent des informations susceptibles d'aider la personne à prendre des décisions. (« Vos collègues souhaiteraient que vous les intégriez davantage dans le processus de planification. »)
______ Vrai ______ Faux

✓ Mes remarques comportent des suggestions destinées à aider la personne à progresser et à s'améliorer. (« Je crois que vous auriez intérêt à perfectionner vos talents de négociateur, surtout si ce poste vous intéresse. »)
______ Vrai ______ Faux

✓ Mes remarques laissent place au dialogue. (« Dites-moi ce que vous en pensez. Comment pensez-vous améliorer la situation ? »)
______ Vrai ______ Faux

✓ Mes remarques visent à préparer la prochaine étape. (« Je propose de nous revoir dans une semaine afin d'élaborer un plan de développement approprié à votre cas. Entretemps, songez à ce que vous voudriez y inclure. »)
______ Vrai ______ Faux

Quel est votre score ? Si la plupart de ces énoncés sont vrais dans votre cas, c'est magnifique ! À présent, allez demander à vos employés s'ils sont du même avis que vous. Demandez-leur de vous dire la vérité.

En toute confidence

Une autre manière de procéder qui gagne en popularité dans de nombreuses entreprises, grandes et petites, consiste à faire en sorte que vos employés reçoivent des commentaires tous azimuts, à savoir aussi bien de vous que de leurs confrères de travail, de leurs clients et de leurs subalternes. Les commentaires en question doivent porter spécifiquement sur leurs aptitudes (compétences, comportements, attitudes et traits de caractère) et mettre en lumière leurs points forts ainsi que les points qu'ils auraient intérêt à améliorer, l'objectif de cet exercice étant de les aider à se développer. Comme cette évaluation est généralement faite de manière anonyme, ceux qui émettent leurs commentaires le font avec une grande sincérité. Souvent, il est important et utile pour vos employés (et pour vous) qu'ils connaissent les réactions de personnes autres que leur employeur. C'est là un excellent moyen d'y parvenir.

EXERCICE PRATIQUE

✓ Si un de vos employés éprouve de la difficulté à comprendre ou à admettre qu'il a des lacunes à combler, ou s'il refuse d'accepter vos commentaires à cet égard, peut-être la méthode tous azimuts conviendrait-elle en pareil cas. Demandez au directeur du personnel de vous aider à trouver la bonne approche et l'instrument d'évaluation le mieux approprié à la situation.

Dites-leur la vérité au sujet de leur entreprise

voir CHAPITRE 9

Les recherches confirment amplement le fait que, pour être satisfaits, vos employés ont besoin d'être « au parfum ». Ils veulent savoir ce qui se passe dans leur entreprise, notamment en ce qui concerne les défis qui attendent cette dernière aussi bien que les revers de fortune qu'elle a pu subir. Les dirigeants qui ne craignent pas de dire la vérité à leurs employés gagnent en retour la confiance de ces derniers. Cette confiance mutuelle devient alors un atout puissant.

Nous n'ignorons toutefois pas que vous n'êtes pas toujours libre de leur dire la vérité. Ainsi, on a pu vous transmettre certains renseignements que vous n'êtes pas censé divulguer à vos subordonnés. Ce pourrait être une interdiction formelle, par exemple, de discuter avec les membres de votre équipe d'une fusion, d'une réorganisation ou d'un changement imminent au niveau de la haute direction.

Mais il arrive parfois que certains directeurs gardent simplement pour eux certaines informations, persuadés qu'ils sont que cela leur confère un certain pouvoir ou qu'il vaut mieux pour leurs employés d'ignorer ce qui se passe. Nous savons à quel point la vérité peut parfois être difficile à dire, surtout quand il s'agit d'une mauvaise nouvelle. Dans un tel cas, dites les choses simplement, face à face et sans tarder. Si vous avez commis une erreur, avouez-le et assumez vos responsabilités. Vous en sortirez grandi aux yeux de vos employés, et il en ira de même du niveau de confiance qui règne au sein de votre service.

Exigez qu'on vous dise la vérité

Nous préférons succomber sous les éloges que d'être sauvés par les critiques.

– Norman Vincent Peale

Il a jusqu'ici été question de l'importance pour vous de dire la vérité à vos employés. Mais qu'en est-il de l'inverse ? Nombreux sont les directeurs (en particulier aux plus hauts échelons) qui n'ont pas fait l'objet d'une évaluation ou n'ont pas eu de remarques pertinentes depuis des années. Au moment où ils atteignent les plus hauts sommets de la hiérarchie, ils ne reçoivent plus guère de critiques ou de commentaires objectifs, notamment en ce qui a trait à leur manière d'administrer. Souvent, tant que les principaux objectifs sont atteints, la haute direction reçoit des éloges pour la qualité de sa gestion.

Qui oserait alors dire à l'empereur qu'il est nu ? Personne, sans doute. Pareille négligence génère des dirigeants qui n'ont plus l'occasion de grandir, d'être encore plus efficaces et de garder leurs meilleurs éléments.

Dans presque tous les domaines autres que le monde moderne des affaires, experts et grands maîtres ne cessent de réclamer qu'on leur dise la vérité concernant leur rendement ou leur performance et ils ne cessent de se perfectionner. Les athlètes, les musiciens et les spécialistes des arts martiaux en sont autant d'exemples. Vous avez la possibilité de créer un environnement où la vérité est bienvenue. Et vous pouvez donner l'exemple à vos employés dans votre manière de solliciter et d'accepter les critiques. Faites en sorte de les considérer comme autant de présents que l'on vous fait.

Même des gens qui ne craignent pas de dire les choses telles qu'elles sont éprouvent des émotions partagées lorsqu'on leur dit la vérité. Comme s'il se produisait une réaction chimique, votre visage s'empourpre, votre sang entre en ébullition et vous vous sentez prêt à exploser. Voilà qui trahit votre envie de vous défendre et de vous justifier. Efforcez-vous plutôt de combattre cette réaction en écoutant pour mieux apprendre.

– Jerry Hirshberg[2]

RÉSUMÉ

Dire la vérité est une habitude saine, tant sur le plan personnel que professionnel. Les employés à qui vous ne craignez pas de dire la vérité en ce qui les concerne et concerne leur entreprise, et qui ne craignent pas de vous dire la vérité en retour éprouveront une plus grande satisfaction et feront preuve de plus de loyauté à votre égard. Et les employés heureux et fidèles sont ceux que vous parviendrez à garder.

---

1. Morgan W. McCall, Michael M. Lombardo et A. Morrison, *The Lessons of Experience*, Lexington, Massachussetts, Lexington Books, 1988.
Morgan W. McCall, *High Flyers*, Cambridge, Massachussetts, Harvard Business School Press, 1998.
2. Jerry Hirshberg, *The Creative Priority: Driving Innovative Business in the Real World*, New York, HarperCollins, 1998.

Chapitre 21

Soyez à l'écoute de vos employés

Mon patron ne m'a jamais vraiment compris.

– J.A.

« Tu n'écoutes pas ce que je dis. Tu ne m'écoutes *jamais.* » Si l'on vous fait souvent ce genre de remarques, poursuivez votre lecture. Pourquoi y a-t-il encore et toujours des formations à ce sujet? Pourquoi les enquêtes répètent-elles inlassablement aux directeurs qu'ils font de piètres auditeurs? Pourquoi le message n'est-il pas enfin compris?

La plupart des directeurs ne croient pas vraiment qu'il soit nécessaire d'être à l'écoute des autres. Ils sont persuadés qu'il est beaucoup plus important pour la réussite de leur entreprise de concentrer toute leur attention sur les résultats et sur la clientèle que d'écouter ce que leurs employés ont à dire. Auraient-ils raison?

Mon patron me comprend. Il écoute ce que j'ai à lui dire et je sens qu'il me comprend. Plus il est à l'écoute, plus je me dévoile et plus nos liens se renforcent. Nous en sommes venus à nous faire mutuellement confiance. Avec mes autres patrons, j'avais l'habitude de m'autocensurer. Mais à lui je ne cache rien, de sorte qu'il n'est jamais surpris. Il maîtrise mieux la situation. Notre relation privilégiée nous permet de mieux utiliser notre créativité, de prendre de plus gros risques, de repousser nos

limites et d'accomplir des choses hors du commun. Je n'ai jamais eu de meilleur patron et je n'ai jamais été aussi productif. Pour l'instant, rien ne pourrait m'inciter à quitter ce poste.
– Le premier vice-président d'une firme d'ingénierie

voir CHAPITRE 2

Nos recherches nous ont sans cesse confortées dans notre conviction qu'une relation professionnelle insatisfaisante avec leur directeur constitue l'une des principales causes de démission des employés. Les articles parus dans les bulletins de liaison des entreprises aussi bien que dans divers magazines permettent de croire qu'il en est ainsi même à notre époque où la loyauté a perdu de son sens.

EXERCICE PRATIQUE

✓ Faites une pause dans votre lecture et notez trois ou quatre choses que vous avez apprises cette semaine grâce à vos employés. Il peut s'agir d'une idée visant à améliorer un processus de fabrication, d'une suggestion visant à donner satisfaction à un client ou d'une solution à un problème qui s'est posé au sein de votre service. S'il ne vous vient aucune idée à l'esprit, il est probable que vous n'avez pas été suffisamment à l'écoute de vos employés.

Pour garder vos meilleurs éléments, misez à fond sur la communication. S'ils ont le sentiment que vous les écoutez, que vous les comprenez et que vous les appréciez, ils travailleront davantage et seront plus productifs. Ils voudront rester avec vous et travailler pour vous. Sinon, ils partiront.

Faire la sourde oreille équivaut à rater une belle occasion

Une directrice hoche la tête tout en murmurant « oui oui » à trente-cinq reprises. Est-elle vraiment en train d'écouter ce que son interlocuteur lui dit ? Probablement pas. Par conséquent, qu'est-ce qui empêche un directeur d'écouter attentivement ? À quoi pensez-vous quand un employé vous adresse la parole ?

EXERCICE PRATIQUE

Qu'est-ce qui vous vient à l'esprit chaque fois qu'un employé s'adresse à vous ? Répondez honnêtement :

- ✓ Je vois déjà où il veut en venir. J'ai au moins cinq longueurs d'avance sur lui.
- ✓ Je n'ai pas de temps à perdre avec cette histoire. J'ai un travail fou qui m'attend.
- ✓ Le voilà qui commence à s'énerver. Je ne veux pas en entendre davantage.
- ✓ Je me demande comment les choses se passent à l'école pour fiston.
- ✓ Qu'est-ce que je pourrais bien lui répondre ? Il faut bien que je défende ma position, après tout.
- ✓ Elle m'ennuie avec ses histoires. Pendant qu'elle cause, je vais en profiter pour préparer ma réunion.

Comment avez-vous répondu ? Peut-être êtes-vous persuadé que, pour être de leur temps, les directeurs sont tenus désormais d'accomplir de multiples tâches, comme occuper leur esprit pendant qu'un interlocuteur leur adresse la parole ou préparer leur réponse de manière à répliquer dès que l'autre aura fini de parler. Peut-être faites-vous preuve d'impatience. Peut-être êtes-vous convaincu que votre temps et vos idées sont plus précieux que ceux de vos employés. À moins que vous ayez tout simplement oublié comment prêter attention à quelqu'un et écouter attentivement ce qu'il a à dire. Quelle que soit la raison, le résultat est le même. Quand vous faites la sourde oreille aux propos de l'autre, vous perdez certaines informations. Mais le plus grave, c'est que vous ratez l'occasion d'avoir une relation basée sur le respect avec cette personne.

Une question de choix

Peut-être avez-vous déjà une grande capacité d'écoute et même l'habitude d'écouter les autres, mais il est probable que vous l'utilisez de manière sélective. Soyez conscient de la manière dont vous procédez. Prenez la décision d'être encore plus attentif à leurs propos. Efforcez-vous réellement de comprendre vos employés de talent.

> *Ce que j'en retiens essentiellement, et ce qui m'a incité à continuer de travailler pour cette compagnie pendant de nombreuses années, tient à une chose toute simple. Tous les vendredis nous nous rendions tous ensemble au bistrot du coin. Le directeur général faisait alors son apparition et nous lançait: «Alors, comment a été la semaine?» Tout un chacun lui faisait part des difficultés qu'il avait rencontrées, des succès qu'il avait obtenus ou des problèmes restés en suspens. Nous réglions très peu de choses, en réalité (sauf en certaines occasions), mais nous avions la chance de nous exprimer. Et le plus étonnant, c'est qu'il nous écoutait avec beaucoup d'intérêt. Quand nous rentrions à la maison pour le week-end, nous éprouvions un véritable sentiment de bien-être.*
>
> – Un employé d'entreprise de vente d'ameublement au détail

Niveaux d'écoute

D'après les spécialistes, il existe différents niveaux d'écoute. Ainsi, selon Madelyn Burley-Allen, il existe deux niveaux d'écoute superficielle: le premier consiste à entendre les mots prononcés sans vraiment prêter attention à leur signification et le deuxième, à écouter par à-coups (en prêtant attention aux propos de votre interlocuteur de manière sporadique). En revanche, l'écoute empathique constitue le niveau le plus intense. Il consiste à ne pas juger l'autre, à concentrer son attention sur lui et à chercher sincèrement à le comprendre[1].

Très peu de gens consacrent une partie de leur temps à écouter les autres avec empathie, car la plupart ignorent comment développer cette habileté. Voici un moyen d'y parvenir.

Les mots clés

Beaucoup de directeurs font preuve d'une meilleure écoute à partir du moment où ils apprennent à utiliser une technique toute simple, qui consiste à identifier les mots clés d'une phrase. Voici comment fonctionne cette méthode.

Imaginez le scénario suivant: un chef de service, que nous appellerons Martin, demande à vous parler. Vous organisez une rencontre avec lui. Vous accueillez Martin dans votre bureau et vous lui demandez en quoi vous pouvez lui être utile. Celui-ci vous fait part en ces termes de ses préoccupations: «J'ai des difficultés avec un employé. Il semble manquer de motivation en ce moment.»

1. Identifiez les mots clés (qui ressortent à cause de leur importance).
   *«J'ai des **difficultés** avec un employé. Il me semble **manquer de motivation** en ce moment.»*
2. Cherchez à en savoir plus long sur la signification de ces mots clés.
   «De quel genre de difficultés s'agit-il?» ou «En quoi vous donne-t-il l'impression de manquer de motivation?»
3. Écoutez la réponse.
   *«Il n'est pas aussi **productif** que d'habitude.»*
4. Identifiez le mot clé de la réponse et poussez plus loin votre enquête.
   «En quoi sa productivité a-t-elle baissé?»
5. Écoutez la réponse.
   *«Il abat **moins** d'ouvrage en une semaine et la **qualité** de son travail a **diminué** également.»*
6. Identifiez les mots clés et interrogez de nouveau.
   «Pourquoi pensez-vous qu'il abat moins d'ouvrage?» ou «Pouvez-vous me donner des précisions concernant la baisse de qualité de son travail?»
7. Continuez ainsi en restant attentif aux mots importants et en vous informant sur leur sens véritable.

Tout en vous attachant aux mots clés, posez des questions ouvertes qui invitent votre interlocuteur à développer sa pensée. (Ce genre de questions commence par *qui*, *que*, *quoi*, *où*, *quand*, *comment*, *pourquoi*, etc.) En procédant ainsi, vous finissez par avoir une meilleure connaissance du problème, et votre employé a l'impression que vous êtes à son écoute. Il acquiert la conviction que vous vous souciez réellement de ce qui le préoccupe et que vous cherchez une solution à ses difficultés. Cette méthode vous oblige à faire preuve d'empathie tout en vous concentrant sur les propos de votre interlocuteur. Lorsque vous faites attention aux mots clés des phrases qu'ils prononcent, il devient impossible de prêter distraitement l'oreille aux propos des autres. (Note : faites-en l'essai chez vous. Votre conjointe, vos enfants et vos amis seront agréablement surpris de constater que vous avez appris à les écouter.)

Dommage…

Je l'observais en train de lire son courrier pendant que ses employés s'adressaient à lui. J'ai moi-même eu droit à ce genre de traitement à diverses reprises. Peut-être s'imaginait-il que nous ne remarquions pas son petit manège ou que nous admirions sa capacité de faire plusieurs choses à la fois. Loin de là ! Nous avions le sentiment d'être à ses yeux des gens sans importance qu'il ne se donnait pas la peine d'écouter la plupart du temps.

– Un cadre subalterne

Ce qui handicape l'écoute

Voici quelques fâcheuses habitudes susceptibles de vous empêcher d'avoir une bonne écoute et, par conséquent, de comprendre vos employés et même de les garder.

Interrompre les autres

Avez-vous déjà essayé d'avoir une conversation avec quelqu'un qui termine vos phrases à votre place ? Ou qui vous interrompt pour émettre ses idées brillantes sur le sujet évoqué ? Si vous agissez constamment de la sorte avec vos employés, ils finiront par perdre patience et ils cesseront de vous soumettre leurs questions et leurs idées.

Prenez conscience des fois où vous interrompez vos employés. Utilisez la méthode des mots clés. Laissez-les parler pendant que vous les écoutez. Lorsqu'ils ont de bonnes idées, sachez le reconnaître et laissez-les les exposer jusqu'au bout.

Se justifier

Un auditeur sur la défensive a aussi l'habitude d'interrompre les autres. Il défend ses idées, son opinion sur un sujet, le statu quo ou encore sa position ou son rôle au sein de l'entreprise. Prenez conscience des fois où vous tentez de vous justifier. Arrêtez-vous et demandez plutôt à vos employés d'expliquer leurs idées ou leur position. Efforcez-vous de vraiment les comprendre au lieu d'adopter une attitude défensive.

Parler sans arrêt

Certaines personnes donnent l'impression d'être de véritables moulins à paroles. Elles passent plus de temps à parler qu'à écouter. Quel est le pourcentage de votre temps que vous passez à parler : 20 % ou 80 % ? Nous avons été créés avec une bouche et deux oreilles pour une bonne raison, a déjà dit quelqu'un : nous devrions écouter deux fois plus que nous ne parlons. Efforcez-vous par conséquent de donner à vos employés la chance de s'exprimer davantage.

Écoutez attentivement

Certains directeurs se demandent ce qu'ils peuvent espérer retirer du fait d'avoir une meilleure écoute. Voici quelques réponses à ce sujet :

✓ *Des informations utiles.* Vos employés de talent souhaitent que vous prêtiez l'oreille aux idées et aux solutions qu'ils ont à proposer. Ils veulent que leurs mérites soient reconnus.

voir CHAPITRE 18

En plus de prêter l'oreille à mes suggestions, ma patronne m'a permis de les soumettre à la réunion du conseil d'administration. J'en étais tout fier !

– Un directeur de société de gestion immobilière

- ✓ ***Une motivation accrue de la part de leurs employés.*** Qu'attendent-ils de vous et de leur travail ? Qu'est-ce qui les motive à se lever le matin et à se rendre au travail ?

Il m'a demandé ce que j'aimais dans mon travail et ce qui me stimulait moins. Il m'a écouté. Une fois qu'il a eu compris ce qui motivait mon action, il m'a suggéré de confier une partie des tâches que j'affectionne le moins à un de mes collègues qui, lui, les aime. Il me donne vraiment l'impression de me comprendre.

– Le chef d'une équipe médicale

- ✓ ***Une meilleure connaissance de leurs problèmes.*** Il est essentiel que vous sachiez quelles difficultés et quels obstacles vos employés rencontrent dans l'exécution de leurs tâches.

Un de mes subalternes a une employée de talent prénommée Denise dont le rendement avait diminué sans que nous sachions pourquoi. Je lui ai proposé de la rencontrer à deux. Nous avons demandé à Denise ce qui semblait la préoccuper et elle s'est ouverte à nous. Elle nous a appris qu'elle combattait un cancer mais qu'elle n'avait pas osé nous en parler. Nous l'avons écoutée pendant deux heures. À la fin, elle nous a dit qu'elle se sentait soulagée de nous avoir dévoilé son secret. C'était il y a deux ans. Denise a depuis surmonté cette épreuve et a même obtenu une promotion récemment.

– Le directeur d'une firme de publicité

Apprenez à mieux connaître vos employés

Il est encore temps pour vous de faire preuve d'une meilleure écoute et d'en apprendre davantage sur les employés de talent que vous souhaitez garder. Imaginez-vous dans la peau d'un archéologue en train d'effectuer des fouilles. Mettez votre curiosité au service des relations que vous entretenez avec vos employés et voyez ce que vous parvenez à découvrir.

EXERCICE PRATIQUE

✓ Invitez ceux de vos employés que vous ne connaissez pas bien à déjeuner en votre compagnie. Posez-leur des questions sur eux et leurs centres d'intérêt. Exercez-vous à faire de l'écoute active.

✓ Acceptez le fait que vos employés aient un style différent les uns des autres. Écoutez aussi bien ceux qui s'expriment avec difficulté que ceux qui ont la parole facile.

✓ Écoutez les suggestions de vos employés et faites le nécessaire pour les suivre. Quand ils verront que vous avez mis une de leurs idées en pratique, ils auront le sentiment que vous les écoutez.

✓ Portez attention aux petits détails. La prochaine fois que l'occasion se présentera, jetez un coup d'œil aux photos de famille ou aux trophées qui ornent leur bureau et posez des questions à ce sujet.

✓ Laissez votre porte ouverte. Un employé nous a déclaré: « Parfois, quand j'étais stressé et tendu, j'allais trouver mon patron dans son bureau et il me demandait: "Qu'est-ce que je peux faire pour toi ? Tu as besoin de te confier ?" J'ai toujours eu le sentiment qu'il m'acceptait et me comprenait tel que j'étais. »

✓ Ralentissez le rythme et prenez le temps d'être à l'écoute. Il arrive parfois que les directeurs pensent et agissent trop vite pour prendre la peine de connaître et de comprendre leurs employés.

✓ Libérez votre bureau (n'y laissez même pas traîner le dernier rapport que vous avez à lire) de manière à concentrer toute votre attention sur votre employé.

✓ Notez la couleur de ses yeux. Vous établirez ainsi un meilleur contact visuel avec lui.

✓ Souvenez-vous d'employer la méthode des mots clés afin de mieux être à l'écoute de vos employés.

RÉSUMÉ

Efforcez-vous de comprendre vos employés en étant réellement à leur écoute. Soyez conscient de la manière dont vous écoutez les autres et cherchez à vous améliorer à cet égard (il y a toujours quelque chose à corriger). Vos efforts seront récompensés. Les employés qui auront le sentiment d'être compris resteront avec vous. Ceux qui n'auront pas cette impression iront chercher ailleurs un patron qui saura les écouter.

---

1. Madelyn Burley-Allen, *Listening: The Forgotten Skill*, New York, Wiley, 1995, p. 14.

Chapitre 22

Respectez les valeurs de vos employés

Mon directeur ayant des valeurs très différentes de celles prônées par notre entreprise, les miennes lui paraissaient encore moins pertinentes.

– J.A.

Il est essentiel, si vous souhaitez garder vos meilleurs éléments, de vous assurer que leurs valeurs s'harmonisent avec celles de votre entreprise. Les entreprises se donnent des directions à suivre, des missions et des valeurs, mais elles disposent rarement d'un processus qui aiderait leurs employés à les faire coïncider avec leurs propres valeurs. Beaucoup d'employés n'ont en fait jamais procédé à un examen approfondi de leurs propres valeurs. Si vous leur demandiez: «Quelles sont vos valeurs?» ou «Quelles sont les valeurs qui sous-tendent votre plan de carrière?», ils éprouveraient sans doute de la difficulté à vous répondre. Or, le risque de perdre des employés à cause d'un conflit de valeurs est beaucoup plus grand qu'à cause d'un différend salarial.

Quand on accomplit un travail en harmonie avec ses valeurs, on s'alimente à sa «flamme intérieure». Les plus grandes réalisations surviennent lorsque les gens se sentent poussés à accomplir quelque chose qui correspond à leurs valeurs les plus fondamentales.

– Anne Greenblatt, Université Stanford

Où suis-je ?

Le personnage de Dorothée, dans *Le Magicien d'Oz*, connaît sans doute ce que ressent tout employé qui fait les frais d'une réorganisation, d'une restructuration ou d'un réaménagement au sein d'une société. Il est dépassé par les événements, comme si un cyclone l'avait emporté et déposé en terre inconnue. Pour l'employé, la situation se résume en ces termes : « Je suis dépassé par les événements. J'ignore où je suis. Je n'ai jamais demandé à me retrouver là. J'espère que je vais m'y plaire. »

Lorsque de tels bouleversements surviennent, la nature humaine et la nécessité de faire face à nos obligations nous contraignent généralement à nous adapter le plus rapidement possible aux circonstances. Le vrai problème survient d'habitude au bout de quelques mois, alors que certains employés constatent que leur souplesse et leur capacité d'adaptation les privent de quelque chose qu'ils chérissent par-dessus tout, et qui correspond presque toujours à leurs valeurs personnelles.

« Les employés ont toujours recherché leur satisfaction personnelle, mais ce qui a peut-être changé au cours de la dernière décennie, c'est ce que cette satisfaction personnelle représente pour chacun », estime Les Taylor, directeur de programme chez Applied Materials, un institut spécialisé dans le développement des ressources humaines basé à Santa Clara, en Californie. « Les gens nous ont obligés à revoir nos priorités. Le défi des entreprises, lorsque les employés reviennent à des valeurs fondamentales, consiste à être suffisamment souples pour pouvoir assouplir leurs règlements[1]. »

Dommage…

Nous avons dirigé un jour un atelier qui se déroulait au siège social d'une importante banque multinationale. Au nombre des participants, on comptait des hommes et des femmes qui étaient considérés comme les futurs dirigeants de la banque – tous avaient un énorme potentiel – et la banque avait décidé de miser à fond sur eux. Nous procédions à l'examen de leurs valeurs à l'aide d'un document de travail intitulé « Investir dans ses propres valeurs[2] ». Chaque participant devait choisir sept valeurs, en y apposant une étiquette de couleur, sur un total de trente-cinq valeurs différentes. Une étiquette verte signifiait que cette valeur était mise en application et une étiquette jaune qu'elle ne l'était pas encore, mais qu'il y avait possibilité qu'elle le soit un jour; enfin, une étiquette rouge voulait dire qu'il n'y avait aucune possibilité qu'elle soit jamais mise en application. Pendant que nous déambulions dans la salle afin de voir les valeurs que les gens choisissaient, nous pouvions constater avec satisfaction qu'ils utilisaient presque exclusivement des étiquettes vertes. C'était là un indice du haut degré de satisfaction à ce chapitre. Certes, quelques étiquettes jaunes apparaissaient ici et là, mais il n'y avait là rien d'irréparable: on allait vraisemblablement remuer ciel et terre pour donner satisfaction à ces futurs dirigeants de haut calibre.

Mais un jeune homme visiblement en colère avait jugé bon d'apposer une étiquette rouge sur sa feuille. Il avait procédé avec une telle énergie qu'on eût dit qu'il voulait se venger de l'offense que la valeur en question lui avait faite. On nous avait fait savoir que l'individu en question était particulièrement brillant et constituait une importante « acquisition ». On l'avait spécialement embauché à cause de sa créativité, de ses idées novatrices et de sa capacité à réfléchir en dehors du cadre établi. Et il était le seul, parmi un groupe composé d'une trentaine d'individus, à avoir apposé une étiquette rouge à côté d'une des valeurs qu'il chérissait le plus. L'étiquette avait en fait été collée brusquement sur le mot « créativité », qui représentait une valeur extrêmement importante à ses yeux. Lorsque nous lui avons demandé d'expliquer la raison de son choix, il a répliqué avec véhémence: « Parce qu'il est impossible d'être créatif dans cette banque! »

Le motif pour lequel on avait retenu ses services constituait la raison même pour laquelle on allait le perdre : on lui refusait ce qu'on appréciait le plus chez lui. Son directeur aurait-il pris la peine d'avoir un entretien avec ce brillant élément, peut-être aurait-il été en mesure de comprendre la nature exacte de cet épineux problème de créativité.

Avec un peu de courage, ce directeur aurait même pu demander à ce jeune homme : « Est-ce moi qui vous brime dans vos élans ? » Certes, il faut un certain cran pour poser ce genre de question, mais un entretien mené avec un peu d'adresse aurait pu empêcher cet employé de grand talent de partir.

Comment déterminer quelles valeurs ont un fort pouvoir de rétention sur vos employés ? Vous pouvez utiliser à cette fin un outil d'analyse similaire à celui mentionné ci-dessus, ou encore inventer votre propre méthode. Un tel examen des valeurs pourrait faire partie intégrante de votre prochaine réunion du personnel, ou vous pouvez poser l'une ou l'autre des questions suivantes dans le cadre d'un entretien à bâtons rompus avec un employé :

EXERCICE PRATIQUE

À la découverte des valeurs qui tiennent à cœur à vos employés. Sélectionnez celles qui vous semblent les plus pertinentes.

✓ Lorsque vous partez pour le travail, qu'est-ce qui vous motive le plus ?

a. L'idée de pouvoir relever de nouveaux défis ;
b. L'idée de pouvoir apprécier la compagnie de vos collègues ;
c. L'idée de pouvoir organiser vous-même votre journée de travail ;
d. L'idée de pouvoir disposer d'une journée de routine, calme.

✓ L'idée d'entreprendre un nouveau projet vous enthousiasme, à condition de…
   a. Pouvoir acquérir de nouvelles connaissances ;
   b. Pouvoir travailler avec de nouveaux collaborateurs ;
   c. Pouvoir en garder la maîtrise ;
   d. Pouvoir travailler sans pression et sans effort.

✓ Si vous remportiez le gros lot à la loterie, qu'est-ce qui vous inciterait à rester avec nous malgré tout ?
   a. Le besoin d'être stimulé par la compétition ;
   b. Le besoin de revoir vos compagnons de travail ;
   c. Le besoin d'avoir des objectifs professionnels stimulants ;
   d. La peur de ne pas savoir quoi faire de votre temps.

✓ Un emploi idéal devrait vous permettre de…
   a. Pouvoir utiliser votre créativité ;
   b. Pouvoir être utile à la société ;
   c. Pouvoir lancer votre propre entreprise ;
   d. Pouvoir travailler moins de huit heures par jour.

✓ En rétrospective, votre travail vous a paru le plus satisfaisant lorsque…
   a. Vous preniez part à des projets stimulants ;
   b. Vous veniez en aide aux autres ;
   c. Vous pouviez travailler de manière entièrement autonome ;
   d. Vous n'aviez pas de travail à emporter à la maison.

✓ Vous travaillez au meilleur de vos capacités lorsque…
   a. Votre curiosité est stimulée et votre niveau d'énergie est élevé ;
   b. Vous travaillez en équipe ;
   c. Vous travaillez seul ;
   d. Vous n'avez aucun délai à respecter.

✓ Le succès équivaut pour vous à...
   a. Rechercher l'excellence en tout ;
   b. Travailler en étroite collaboration avec des amis ;
   c. Être le maître de votre propre destinée ;
   d. Être satisfait du travail accompli.

Les réponses « a » donnent à penser que ces employés ont besoin d'objectifs pour bien fonctionner. Aidez-les à dénicher des occasions de travailler à des projets stimulants qui débouchent sur des résultats tangibles et leur donneront le sens de l'accomplissement.

Les réponses « b » donnent à penser que ces personnes sont centrées sur autrui. Recherchez le moyen d'accroître leurs relations interpersonnelles, peut-être en les invitant à collaborer à des groupes de travail ou à des projets en équipe.

Les réponses « c » sont typiques des gens qui tiennent à leur autonomie. Trouvez des situations qui renforceront leur motivation personnelle et leur procureront un sentiment de liberté. Évitez de surveiller trop étroitement leurs faits et gestes.

Les réponses « d » donnent à penser que ces personnes recherchent l'équilibre et un travail routinier et bien ordonné. Ce sont d'excellents soldats, mais ils ont besoin de la plus grande attention et d'être rassurés en période de bouleversement.

Mettre les différences en valeur

Nous avons lu des centaines de transcriptions d'interviews de départ. Nous avons été étonnées de constater le nombre de fois où des employés de talent ont quitté leur entreprise parce que leurs valeurs ne s'harmonisaient pas avec celles de leur supérieur immédiat.

Les directeurs ont parfois tendance à projeter leurs valeurs sur leurs employés. Or, c'est grâce à la diversité des valeurs en présence que vous pourrez renforcer votre équipe. Vos employés les plus créatifs vous apporteront des idées novatrices. Les plus autonomes pourront travailler de manière productive pendant de longues heures d'affilée sans que vous ayez à leur pousser dans le dos. Les plus ordonnés et les plus réguliers seront vos employés les plus fiables et les plus solides. Mais n'essayez pas d'inciter ceux qui sont les plus ordonnés à faire preuve de créativité. Sachez découvrir quelles sont les valeurs importantes de chacun et tâchez de les exploiter pour le plus grand bénéfice de toute votre équipe.

EXERCICE PRATIQUE

voir CHAPITRE 21

✓ Découvrez ce qui compte le plus pour vos employés. Qu'est-ce qu'ils attendent de leur travail ? Posez-leur la question et soyez attentif à leurs réponses.
✓ Faites preuve de créativité. Taillez le travail à leur mesure ou affectez-les à un autre poste de manière à ce que leurs tâches correspondent davantage à leurs valeurs personnelles.

Ce n'est pas par hasard si le mot « gens » est placé en tête de la devise de Federal Express (*« People. Service. Profits**. »). Accorder la priorité aux gens représente une attitude parfaitement sensée parce que votre réussite en affaires est avant tout fondée sur votre capacité à motiver vos employés[3]. Garder ses employés est en partie un art et en partie une science. La science consiste à savoir ce qu'il faut faire, mais l'art consiste à savoir *comment* le faire.

RÉSUMÉ

Même si beaucoup de directeurs sont persuadés que c'est en leur offrant plus d'argent qu'ils parviendront à garder leurs meilleurs éléments, ce n'est pas le cas. Il est de loin beaucoup plus important que les valeurs de vos employés s'harmonisent avec celles de votre entreprise. Quelle satisfaction vos employés les plus talentueux éprouvent-ils dans l'accomplissement de leurs tâches quotidiennes ? Connaissez-vous suffisamment les valeurs de vos employés pour pouvoir répondre adéquatement à cette question ? Il n'est pas difficile de connaître les valeurs des gens, et pourtant celles-ci constituent un élément puissant dans la décision de vos employés de rester ou de partir. Imaginez que vos employés sont vos clients et posez-vous ces questions : qu'est-ce qui compte le plus à leurs yeux ? Comment puis-je les aider à l'obtenir ?

---

* « Des gens. Des services. Des bénéfices. » (N.D.T.)

1. Katherine Thornberry, « Valley Firms Get Creative to Retain Hot Employees », *Business Journal of San Jose*, 1er juin 1998.

2. « Invest in Your Values : A Self Assessment Instrument », Career Systems International, 1999.

3. D. Keith Denton, « *Recruitment, Retention and Employee Relations* », Westport, Connecticut, Quorum Books, 1992, p. 48.

Chapitre 23

Favorisez le bien-être de vos employés

Pour réussir dans cette entreprise, il aurait fallu que je me ruine la santé et que j'arrête d'avoir du plaisir. Or, je n'étais pas prêt à faire ça.

– J.A.

Votre entreprise insiste-t-elle pour que tous les employés passent un examen médical annuel ? Investit-elle dans des gymnases, des piscines ou des ateliers de gestion du stress ? Si ces questions vous font rire, attendez la suite. Les compagnies qui prennent le bien-être de leurs employés à cœur en y consacrant le temps, les ressources et l'énergie nécessaires estiment que le jeu en vaut la chandelle, non seulement en termes de stabilité mais aussi en termes de productivité et d'énergie disponible pour le travail. Mais ce chapitre ne concerne pas ce que votre entreprise est en mesure de faire ou non. Nous sommes plutôt intéressées à savoir comment *vous*, en tant que directeur, vous pouvez inscrire le bien-être de vos employés sur la liste de vos priorités.

Nous ne nous faisons pas d'illusions. Nous savons pertinemment que le seul fait de brasser des affaires dans un environnement de plus en plus compétitif contribue, que nous le voulions ou non, à engendrer des tensions qui viennent nous compliquer la vie. Mais, au lieu de chercher qui blâmer pour cet état de fait, nous préférons trouver le moyen de faire coexister ces deux mondes tout aussi exigeants l'un que l'autre.

– Richards P. Kearns, vice-président de Price Waterhouse

Le bien-être et la survie des mieux adaptés

Le milieu du travail ressemble de nos jours à un monde où règne une forte concentration d'énergie alliée à une productivité élevée. Pour jouer un rôle actif dans un tel environnement, il est essentiel que vous et vos employés soyez en pleine forme, tant mentalement, émotionnellement que physiquement. Dans ce monde où la concurrence est féroce, être bien dans sa peau est une nécessité plutôt qu'un simple vœu pieux. Si vous ne l'êtes pas, vous ne survivrez pas. En favorisant le bien-être de vos employés, vous augmentez vos chances qu'ils continuent à jouer efficacement leur rôle.

Qu'est-ce que le bien-être ?

Pour les uns, être bien dans sa peau peut signifier s'inscrire au marathon de Boston et terminer l'épreuve en quatre heures. Pour d'autres, cela veut dire être enfin débarrassés de leurs migraines. Pour d'autres encore, cela correspond au fait de perdre du poids ou de combattre le stress et la haute pression avant leur prochaine visite médicale. Bref, la signification varie en fonction de chacun.

Nous définissons le bien-être comme un état d'équilibre physique, mental et émotif. Pour avoir une idée plus précise à ce sujet, essayez de vous souvenir de vos dernières vacances, alors que vous étiez parfaitement détendu, en pleine forme et débordant d'énergie, mentalement éveillé (voire débordant de créativité) et pleinement satisfait sur le plan émotif. Il peut sembler exagéré d'espérer que vous et vos employés éprouviez au boulot les mêmes impressions que si vous étiez en vacances, mais il est utile de garder à l'esprit ce scénario idéal pendant que vous vous efforcez d'augmenter le degré de bien-être et de santé de vos employés.

La gestion du bien-être

voir CHAPITRE 21

Montrez à vos employés que vous vous souciez de leur bien-être. Intéressez-vous à eux. L'histoire suivante illustrera ce que nous entendons par là.

Dommage… (ou presque)

Yolande s'était récemment absentée de son travail pendant plusieurs jours et, contrairement à son habitude, elle paraissait distante et manquait d'entrain depuis son retour. En temps normal, elle était d'une grande vivacité et aimait plaisanter avec ses collègues, qu'elle égayait souvent de sa bonne humeur. Comme elle accomplissait normalement ses tâches, son directeur hésitait à l'interroger sur ses absences et son changement d'humeur. Il avait par ailleurs l'impression qu'en ce faisant il s'aventurerait sur le terrain de sa vie privée et il ne voulait pas courir ce risque. Il préféra ne rien dire.

Trois mois plus tard, Yolande, le cœur en larmes, remettait sa démission. Encore sous le choc, son patron lui fit savoir qu'il refusait de la voir partir et que lui et toute son équipe la tenaient en haute estime. Cette réponse parut la surprendre et elle ne put s'empêcher d'exprimer son étonnement. « J'étais persuadée que vous étiez totalement insensible à mon sort, puisque vous n'avez jamais pris la peine de me demander pourquoi je m'absentais si souvent et pourquoi j'avais l'air malheureuse quand je revenais. J'en ai conclu que tout le monde s'en porterait mieux si je partais définitivement. »

Le patron de Yolande fit alors ce qu'elle attendait de lui depuis des semaines. Il lui demanda de quelle manière il pouvait l'aider à traverser les durs moments qu'elle semblait connaître. Il n'a pas insisté pour connaître le fond de l'histoire ; il s'est contenté de lui proposer son aide. Yolande s'est alors mise à pleurer (de gratitude, cette fois) et lui a expliqué qu'elle avait des problèmes de santé et qu'elle était dépassée par ses responsabilités en tant que mère de famille et employée. Elle a ajouté qu'elle était davantage accablée par le stress que cette situation intenable engendrait que par la maladie elle-même.

En l'espace de quelques minutes, ce qui ressemblait à la démission d'une employée talentueuse s'est transformé en un plan destiné à lui permettre de maintenir un certain équilibre entre ses diverses responsabilités tout en lui garantissant de recouvrer la santé. Ainsi, elle put travailler à domicile deux jours par semaine et arriver au bureau plus tôt le matin afin de faire la sieste l'après-midi. Sa loyauté et son dévouement envers son patron et le personnel de son service s'en sont trouvés fortement accrus, cependant que sa productivité demeurait élevée. Quelques mois plus tard, elle était complètement rétablie et reprenait ses activités normalement.

Heureusement pour tout le monde, le patron de Yolande a réagi juste à temps. Il a abordé de front le problème en demandant à son employée ce qu'il pouvait faire pour l'aider et en réfléchissant avec elle aux solutions possibles. Parions que les chances de voir Yolande chercher son bonheur ailleurs sont plutôt faibles désormais. La seule erreur que son patron a commise a été de ne pas s'y prendre plus tôt.

Il importe peu de savoir ce qui s'oppose au bien-être de vos employés. Qu'il s'agisse d'un problème de santé, de stress ou d'ordre émotif, votre réaction doit demeurer la même. Demandez-leur simplement dans quelle mesure vous pouvez leur venir en aide, puis, avec leur collaboration, dressez un plan d'action.

EXERCICE PRATIQUE

✓ Observez attentivement vos employés et voyez s'il y a quelque chose d'inhabituel dans leur comportement ou dans leurs habitudes. Ne tardez pas à leur proposer votre aide au besoin. Cela semble si simple, et pourtant rares sont les directeurs qui agissent ainsi.

Un de mes ingénieurs les plus talentueux avait l'habitude de s'emporter régulièrement, ce qui causait beaucoup de remous au sein de notre service. Mon supérieur m'a suggéré de le congédier. Mais j'ai jugé qu'il méritait qu'on lui consacre un peu de temps. Je me suis donc entretenu avec lui et je l'ai mis en rapport avec les responsables du programme d'aide aux employés, où on l'a pris en charge. Il a réussi à régler ses problèmes et, depuis, c'est un plaisir de travailler de nouveau avec lui. Le fait de lui avoir apporté mon soutien a en quelque sorte constitué un message à son intention et à l'intention des autres membres du personnel. Notre équipe est sortie de cette épreuve grandie et plus productive que jamais.

– Un directeur de firme d'ingénierie

✓ Lorsqu'un employé vous fait part de ses difficultés, faites preuve de créativité et collaborez avec lui afin de penser à des solutions possibles et d'établir un plan d'action destiné à corriger la situation.

J'embauche des travailleurs du savoir (des gens qui travaillent avec leurs cerveaux). Lorsqu'ils sont malheureux ou ne sont pas dans leur assiette, c'est comme s'ils venaient travailler avec la moitié de leurs capacités. Et ça, je ne peux pas me le permettre. Par conséquent, je m'efforce par tous les moyens de les garder heureux et en bonne santé !

– Le directeur général d'une société d'informatique basée en Californie

Le « facteur H »

Il est généralement admis que le maintien de l'harmonie entre la vie professionnelle et la vie privée constitue un facteur important du bien-être de chacun. Pour le directeur qui est sensible à cette question, il s'agit là d'un énorme défi à relever. Un groupe d'employés que nous connaissons bien s'est penché si longtemps sur cette question qu'ils se contentent de la désigner sous le nom de « facteur H », tellement ce sujet est presque devenu tabou pour eux à force d'en parler et de constater qu'ils disposaient de peu de moyens pour régler ce problème.

Nous sommes persuadées au contraire de la nécessité de traiter de ce problème, d'y réfléchir... et même de tenter de lui apporter une solution ! Que signifient les mots « équilibre » et « harmonie » pour vous et vos employés ? (La définition varie de l'un à l'autre, vous verrez.)

Alan Quarry, le président de la société Quarry Communications, basée à Waterloo, en Ontario, semble avoir trouvé une solution à ce problème. Il remet chaque année à chacun de ses 90 employés la somme de 150 $ qu'ils ont la liberté de dépenser à leur guise dans le but de créer un peu plus d'harmonie dans leur vie. Il exige simplement en retour de savoir à quoi l'argent a servi. Les réponses qu'il obtient ne font que confirmer à quel point nos besoins en la matière varient à l'infini. Selon les cas, l'argent a servi à payer des cours de danse sociale, une batterie d'orchestre, des outils de jardinage, des cours de taï-chi ou de kick-boxing, etc. Il s'agit au fond d'un montant insignifiant qui permet toutefois à cet homme d'envoyer un message clair à ses employés. Disposez-vous d'un budget discrétionnaire que vous pourriez utiliser de façon similaire ?

Nous ne voulons surtout pas vous donner l'impression que cette question dépend uniquement de vous ou qu'il est de votre devoir de fournir des réponses à tous les problèmes de vos employés. Nous voulons toutefois vous faire comprendre que vous pouvez prendre certaines mesures pour favoriser leur harmonie et leur bien-être.

Considérez la vie comme un jeu au cours duquel vous devez jongler avec cinq balles, qui correspondent respectivement au travail, à la famille, à la santé, aux amis et au domaine spirituel. Tout en les maintenant en l'air, vous constatez que le travail est représenté par une balle de caoutchouc : si vous l'échappez, elle rebondira. Mais les quatre autres sont faites de cristal. Si vous en échappez une, elle s'en trouvera à jamais endommagée ou couverte de rayures, d'éraflures ou de marques, si elle ne vole pas tout simplement en éclats. Bref, rien ne sera plus jamais comme avant. Il est important de comprendre cela.

– Brian Dyson, directeur général
de Coca-Cola Enterprises

Exigeant, c'est peu dire

L'obligation de faire plus avec moins, d'être plus vif que la concurrence, d'être plus créatif, plus novateur, de se démarquer des autres, de comprimer les dépenses et d'être constamment disponible en incite plusieurs à trouver leur boulot trop exigeant.

Dommage…

Le responsable d'une clinique de santé a remarqué un jour qu'il parlait avec brusquerie à ses employés, qu'il avait de la difficulté à dormir la nuit et qu'il n'avait plus beaucoup d'entrain. À la question d'un ami qui lui demandait à quoi il consacrait son temps libre il répliqua: «Je consacre tout mon temps à mon travail!» Autrefois, il passait ses soirées à la maison ou il allait au cinéma, sortait avec des amis, faisait un peu de lecture ou écoutait de la musique pour se détendre. Il avait l'habitude de suivre des cours de conditionnement physique quatre soirs par semaine. Mais tout cela n'était plus qu'un vague souvenir à présent. Son nouveau patron avait donné le ton: tous ceux qui étaient le moindrement ambitieux ou qui étaient soucieux de la bonne marche de l'établissement devaient rester au bureau tous les soirs. Pour l'harmonie et le bien-être personnels, il faudrait repasser! Ce nouveau régime se traduisit pour ce cadre supérieur par une lassitude de ses employés à l'égard de sa mauvaise humeur permanente (deux d'entre eux avaient déjà démissionné), une baisse inhabituelle de productivité (sans doute à cause de la fatigue), des maux de tête persistants et un ressentiment accru envers

son patron et l'établissement. Il a commencé récemment à consulter les offres d'emploi affichées sur Internet, avec l'espoir qu'il existe encore des endroits où l'on puisse travailler sans y laisser sa peau !

Ce cadre supérieur démissionnera dès qu'il aura déniché un emploi où la question du bien-être des employés constitue au moins un sujet de discussion et où son futur employeur est d'avis qu'il existe une vie après l'ouvrage.

Qu'en est-il dans votre cas ? Quel genre d'exemple donnez-vous à vos employés et quelles sont vos attentes à leur égard ? Posez-vous ces questions :

- ✓ Est-ce que je maintiens en place un système de valeurs qui incite mes employés à se tuer à la tâche ? Suis-je un bourreau de travail ?
- ✓ Est-ce que j'incite mes employés à venir au bureau ou à travailler chez eux le week-end ? À quelle fréquence ?
- ✓ Est-ce que je tiens de nombreuses réunions tôt le matin ou tard l'après-midi ?
- ✓ Est-ce que je complimente mes employés pour le nombre d'heures qu'ils passent au bureau ou, au contraire, pour la qualité du travail qu'ils accomplissent ?

Où vous situez-vous ? Par l'exemple qu'ils donnent, par leurs attentes ou par la manière dont ils récompensent leurs employés, les directeurs dissuadent souvent ces derniers de mener une vie harmonieuse. Prenez conscience de vos agissements et demandez-vous si vous incitez ou non vos employés à maintenir un équilibre entre leur vie professionnelle et leur vie privée.

EXERCICE PRATIQUE

- ✓ ***Donnez l'exemple.*** Prenez conscience de vos comportements et des attentes que ces comportements suscitent chez vos employés. Si vous souhaitez les voir mener une vie plus harmonieuse, il vous appartient de leur servir de modèle à cet égard. Faites-leur savoir comment vous procédez pour parvenir à cet équilibre. Vos employés sont peut-être persuadés que vous en êtes incapable, après tout. (Espérons qu'ils se trompent!)

- ✓ ***Lancez la discussion sur cette question*** lors de la prochaine réunion du personnel (ou dans le cadre d'un entretien en tête-à-tête). Consacrez toute la réunion à cette question.
- ✓ ***Demandez à vos employés avec quoi ils doivent jongler*** et ce qui est le plus important à leurs yeux. (Ne vous étonnez pas si, pour beaucoup d'entre eux, le travail n'est pas leur plus grande priorité.)
- ✓ ***Aidez vos employés à mener une vie équilibrée.*** Encouragez-les dans leurs activités préférées. Demandez-leur où en sont leurs cours de golf ou en quoi consistent les loisirs de leurs enfants.

Travail astreignant et stress

Hans Selye, qui a découvert comment gérer le stress, a affirmé un jour: « Être libéré du stress, c'est être mort. » Nous sommes d'accord sur ce point: la vie est souvent stressante. Mais Selye et les autres pionniers dans ce domaine ont aussi découvert qu'un niveau optimal de stress contribue à l'atteinte d'un rendement maximal, cependant qu'une dose excessive de stress est synonyme au contraire de piètre rendement, voire cause de maladies.

Dans le monde de l'entreprise, il est rare qu'il y ait trop peu de stress. Parfois, on y atteint un niveau optimal de stress qui conduit à un rendement maximal. Mais, trop souvent, le niveau de stress est excessif et a des conséquences négatives, à la fois sur la santé des employés et sur leur productivité. Il semble y avoir un rapport étroit entre le stress et l'absence d'harmonie. Là où il n'y a pas d'équilibre, la charge de travail devient généralement excessive et engendre beaucoup de tension nerveuse.

Lorsque les gens mènent une vie équilibrée, ils semblent éprouver moins de stress au boulot, ou alors ils le gèrent beaucoup mieux. Que pouvez-vous faire, en tant que directeur, pour réduire le stress de vos employés ?

EXERCICE PRATIQUE

✓ Surveillez les signes qui indiquent un niveau de stress trop élevé. Dès que vous percevez ces signes, demandez à vos employés comment ils se sentent. Ils apprécieront que vous leur posiez la question et vous feront peut-être des confidences à ce sujet.

Il avait l'air tellement tendu et anxieux que je l'ai fait venir à mon bureau et que je lui ai demandé ce que je pouvais faire pour l'aider. Il s'est alors confié à moi. Ou plutôt, il a commencé à se défouler ! Je me suis contenté de l'écouter avec empathie pendant qu'il exprimait sa frustration, sa colère et sa déception. Après une heure, il m'a remercié, m'a dit qu'il se sentait beaucoup mieux et il est retourné à son ouvrage. Je présume qu'il avait simplement besoin que je l'écoute et que je le soutienne en silence.

– Un gérant d'entreprise manufacturière

✓ Une fois que vous connaissez le nœud du problème, vous pouvez collaborer avec votre employé afin de le solutionner. Gardez l'esprit ouvert et soyez prêt à envisager des solutions qui ne cadrent pas avec le règlement en vigueur. Réfléchissez avec votre employé à des réponses possibles à ses problèmes de stress. Considérez notamment les options suivantes :

- Transférer une partie du travail à d'autres employés. Voyez qui pourrait s'en charger et réfléchissez à la manière dont vous ferez votre requête.
- Faire davantage de pauses. Faire un tour pour se dégourdir les jambes et se changer les idées.
- Apprendre à se relaxer, à faire de la visualisation, apprendre des techniques de respiration. Suivre des cours de gestion du stress ou de yoga.

- Faire de l'exercice comme moyen de combattre le stress. S'inscrire à des cours de gymnastique ou faire de la marche ou de la course à pied.
- Consulter un psychologue ou un conseiller professionnel.
- Dormir suffisamment, manger adéquatement et diminuer la caféine et la nicotine et les autres produits chimiques qui engendrent le stress.
- Prendre des vacances.

✓ Appuyez les démarches de vos employés qui veulent mettre en pratique certaines méthodes de gestion du stress. Ainsi, si Michel décide de prendre quinze minutes, deux fois par jour, pour se promener d'un bon pas afin de chasser les tensions, faites en sorte de l'encourager en ce sens. Vous en serez le premier bénéficiaire.

✓ Prenez le parti de réduire le stress au travail.

Un de mes confrères était un patron très grossier et il avait récemment perdu deux de ses principaux employés. Je constatais que le niveau de tension continuait de monter dans son service et je me suis décidé à dire franchement ce que j'en pensais. L'intervention de son supérieur aidant, il s'est calmé considérablement et le niveau de stress a diminué de beaucoup. Je me sentais un peu mal à l'aise d'être intervenu de cette façon, mais ses employés m'en furent particulièrement reconnaissants ; d'ailleurs, nous n'en avons plus perdu aucun par la suite.

– Un gestionnaire comptable

RÉSUMÉ

Votre entreprise a davantage de chances de bien fonctionner si vos employés se portent bien. Vos meilleurs éléments ne craindront pas de trimer dur, d'être productifs et de rester en poste si vous créez pour eux un environnement qui favorise leur équilibre et leur bien-être sur les plans émotionnel, physique et mental.

Chapitre 24

Génération X : à manipuler avec soin

J'ai vu trois jeunes employés plier bagages et partir, essentiellement parce que nous étions trop rigides avec eux et que nous avions tendance à épier leurs moindres faits et gestes. Il aurait mieux valu leur laisser une plus grande liberté d'action.

– J.A.

Avertissement! Ce chapitre renferme des généralisations, voire des stéréotypes. Nous n'ignorons pas – et vous le savez très certainement – que les besoins des jeunes de la Génération X correspondent en bonne partie aux besoins de tous les travailleurs. Nous croyons toutefois que ce groupe démographique possède des caractéristiques propres sur lesquelles il vaut la peine de se pencher.

Lorsqu'on ne fait pas partie de la Génération X, on a parfois l'impression qu'il s'agit d'une autre espèce. Les membres de cette génération ont en commun des valeurs et des habitudes de travail susceptibles de dérouter plus d'un directeur. C'est à se demander ce qu'ils veulent, ce qu'ils ont comme besoins particuliers et ce qu'il faut pour les satisfaire. Pourtant, ils ont sensiblement les mêmes espoirs et les mêmes ambitions que les travailleurs des générations précédentes. Ils sont semblables à leurs aînés, et pourtant ils diffèrent de ces derniers sur quelques points précis.

Les attentes de tous les employés semblent en voie de se modifier, et la Génération X constitue le principal catalyseur de ce changement d'attitude. Elle semble donner le ton pour les travailleurs de tous les âges. Une question importante à se poser à l'égard des employés qui font partie de cette génération est celle-ci : « Comment est-il possible de maximiser leur potentiel tout en les encourageant à rester en poste ? » Cette question vaut certes pour tous vos employés, mais les réponses aux attentes de la Génération X risquent de vous paraître inhabituelles.

Comment est née la Génération X

Afin de mieux comprendre cette génération, il peut être utile d'examiner dans quel contexte elle est apparue. Si vous êtes d'âge mûr, vous avez été témoin des changements rapides survenus dans le monde du travail depuis trente ans. Au cours de la deuxième moitié des années soixante, l'exploration spatiale et ses retombées technologiques ont grandement influencé le monde du travail. La conscience sociale qui s'était développée au cours des années soixante-dix a cédé la place, au cours des années quatre-vingt, à la nécessité de gagner sa vie. Au sein des entreprises, le contrat social qui s'était établi entre employeurs et employés a été rompu. Environ 44,5 millions d'Américains sont nés et ont grandi pendant cette période de mutations (soit entre 1965 et 1976). L'étiquette « Génération X » dont ils ont été par la suite affublés provient d'un roman de l'auteur Douglas Copeland, de Vancouver.

Les enfants de la Génération X ont connu beaucoup d'incertitudes au cours de leur plus jeune âge. Plusieurs d'entre eux rentraient à la maison avant leurs parents, qui travaillaient à l'extérieur, et ont donc été amenés très tôt à se prendre en charge après l'école. Plusieurs d'entre eux ont été élevés au sein d'une famille monoparentale. Grâce aux jeux vidéo, à la télévision et aux ordinateurs, ils ont appris à ingurgiter des informations qui leur parvenaient rapidement de différentes sources. Ayant assisté aux licenciements massifs survenus au sein des entreprises, à la fin des emplois à vie et aux conséquences du déséquilibre entre vie familiale et vie professionnelle, plusieurs d'entre eux se sont juré qu'on ne les prendrait pas au piège. Ils sont le reflet d'un changement d'attitude, conscient ou non. La loyauté et le dévouement à toute épreuve à l'égard des entreprises ont fait place chez eux à la fidélité envers eux-mêmes. Pour eux, le dévouement à l'égard d'une entreprise ne se conçoit qu'à travers un rapport de réciprocité.

La conséquence des bouleversements survenus au cours des trente dernières années se traduit par une nouvelle conception du monde du travail et de la carrière professionnelle telle qu'elle est définie désormais. Les travailleurs plus âgés ont vécu ces changements et en ont ressenti toute la brusquerie. Les enfants de la Génération X en ont été témoins et ils en ont tiré les leçons en s'adaptant aux expériences qu'ont connues leurs parents.

Au cours de la courte existence de cette génération, il est devenu extrêmement difficile de dénicher des employés qualifiés et compétents et de les garder. Les gens sont devenus la principale ressource des entreprises. Ce sont eux qui procurent à ces entreprises un avantage marginal sur leurs concurrents. Or, bon nombre d'entreprises ont continué de s'en tenir à l'ancien modèle, exigeant de leurs employés fidélité et loyauté sans leur offrir de contrepartie. Les employés de la Génération X savent lire entre les lignes. Ils sont persuadés qu'il appartient à l'entreprise, donc à vous en tant que directeur, de les comprendre, de maximiser leur potentiel et de chercher à les retenir.

Voici quelques clés qui vous aideront à comprendre le mode de pensée des jeunes de la Génération X, mais souvenez-vous que plusieurs des caractéristiques propres à cette génération s'appliquent également aux travailleurs de tout âge.

Une carrière constituée d'emplois divers

En jetant un coup d'œil au curriculum vitae des jeunes de la Génération X, les travailleurs plus âgés en viennent souvent à la conclusion qu'il s'agit d'une main-d'œuvre instable et qui manque de loyauté à l'égard de leurs employeurs. Mais si un tel parcours peut sembler erratique aux yeux d'un directeur d'entreprise, il est parfaitement justifié aux yeux du jeune qui postule un emploi. L'opinion selon laquelle un C.V. doit témoigner d'une longue fidélité à l'égard d'un même employeur est aujourd'hui dépassée. Pour un jeune, une entreprise constitue un endroit où acquérir expérience et nouvelles compétences, un tremplin vers de nouvelles occasions favorables, à saisir sur place ou ailleurs. En faisant état de cinq ou six boulots différents en l'espace de quelques années à peine, le C.V. de bon nombre d'entre eux est le simple reflet de cette réalité.

> *Je compte rester ici tant et aussi longtemps que je pourrai acquérir de nouvelles connaissances et que je me sentirai partie intégrante de cette organisation. J'ai déjà songé à démissionner à plusieurs reprises, mais ce qui m'incite à rester en poste, c'est que je suis constamment stimulée sur le plan intellectuel. Je considère mon poste actuel et les compétences qu'il m'a permis d'acquérir comme un élément du puzzle que constitue ma carrière dans son ensemble. Il ne fait aucun doute dans mon esprit que je ne vais pas moisir ici jusqu'à la fin de mes jours. Je suis d'ailleurs incapable de m'imaginer prisonnière d'une même entreprise pour toute la durée de ma carrière.*
>
> – Tanya, 28 ans, directrice de projet

Est-ce une simple question d'argent ?

La compensation monétaire reste un facteur très important aux yeux des jeunes de la Génération X. Mais le salaire seul ne constitue pas pour eux une motivation suffisante. Il faut plus que des billets verts pour les appâter et les garder à votre service. La plupart d'entre eux cherchent en fait à obtenir des réponses satisfaisantes aux questions suivantes :

1. Quelles nouvelles compétences puis-je acquérir ? Dans quelle mesure cet emploi constituera-t-il un plus dans mon C.V. ?
2. Cet emploi s'intègre-t-il dans le cadre de mon plan général de carrière ?
3. Ce poste s'harmonise-t-il avec mes valeurs et mes intérêts personnels ?
4. Ce poste saura-t-il me stimuler sur une base régulière et me permettre d'apporter une contribution valable au succès de l'entreprise et de voir mes mérites reconnus et appréciés à leur juste valeur ?
5. Combien cet emploi me rapportera-t-il ?

voir CHAPITRE 22

Rick, un graphiste de 28 ans qui travaille à son compte, a récemment décliné une offre très alléchante. « On m'a proposé un contrat en vue de faire toutes les illustrations d'une compagnie informatique en pleine expansion du nord de la Californie. Je l'ai refusé parce qu'il m'obligeait à revenir à un style de graphisme que j'avais exploité pendant des années dans un emploi précédent. J'ai ouvert ma propre boîte pour pouvoir développer des idées qui correspondent davantage à mon propre style. J'aurais pu facilement accepter ce nouveau contrat. Mais j'aurais eu l'impression de me trahir moi-même. Bien entendu, il est essentiel pour moi d'offrir à ma clientèle ce qu'elle désire, mais il est tout aussi important pour moi de savoir que je fais ce qui est bien à mes yeux. »

Ils veulent leur liberté et vos commentaires

Que vous ayez un poste à leur proposer ou un projet à leur confier, les jeunes de la Génération X veulent connaître exactement quelles sont vos attentes à leur égard. Parallèlement, une fois ces paramètres définis, ils veulent disposer de toute la liberté ainsi que de l'espace et des ressources nécessaires pour parvenir aux résultats escomptés. Il ne s'agit cependant pas dans leur esprit d'une menace du genre : « J'agis à ma façon ou je m'en vais. » Les jeunes sont plutôt obsédés par leur désir d'apprendre et de réussir.

Sans doute est-ce là la raison pour laquelle ils préfèrent que vous leur fassiez régulièrement part de vos observations plutôt que de voir leur rendement évalué officiellement à l'occasion. Conséquence logique de leurs choix, ils ne tolèrent pas qu'on soit sur leurs talons. (« C'est également vrai des employés de ma génération », nous direz-vous. Et vous avez parfaitement raison. Mais il s'agit ici d'un point capital dont vous avez intérêt à vous souvenir si vous souhaitez garder vos jeunes employés de talent.)

La mère : (qui appelle son fils de 27 ans à son travail) : Est-ce que je peux te parler ?
Le fils : (qui garde le silence, ne sachant trop comment interpréter cette question) :
La mère : Je veux dire : as-tu le droit de recevoir des appels personnels ?
Le fils : Je verrais mal qu'il en soit autrement !

La question a complètement mystifié ce dernier. Il était impensable, dans son esprit, qu'un règlement aussi étrange ait pu restreindre sa liberté de mouvement. Pour un jeune, un détail aussi insignifiant en apparence peut faire la différence entre rester en poste ou partir. Un employé plus âgé pourrait tout aussi bien détester ce genre de règlement, mais il pesterait vraisemblablement en silence sans songer à démissionner pour autant.

À bas la loyauté, vive la réciprocité !

Les jeunes de la Génération X ont assisté à la mort du concept d'emploi à vie. Nombre d'entre eux ont vu leurs parents dévoués et fidèles être mis à pied pendant la période de licenciements massifs qu'ont connue nombre d'entreprises. La réalité à laquelle ces dernières sont confrontées de nos jours les incite à préserver leur autonomie et à ne compter que sur eux-mêmes. Ils savent que la plupart des entreprises n'hésiteront guère à laisser partir un employé qui serait incapable d'atteindre son plein potentiel. Dans la même veine, eux-mêmes n'hésiteraient pas à quitter une entreprise qui les empêcherait d'atteindre leur plein potentiel.

Dommage...

Le salaire était honnête. L'endroit me convenait parfaitement. Mais je savais que je pouvais faire beaucoup mieux. Or, on voulait que je continue à faire la même chose. Alors je suis parti.

– Un jeune employé d'entreprise
de haute technologie

Les jeunes de la Génération X ne sont pas partisans de la fidélité à toute épreuve qui prévalait autrefois. Ce qu'ils proposent en échange, c'est une forme de loyauté qui repose sur la réciprocité. Ils sont généralement capables de dévouement et de se plier aux exigences des tâches qui leur sont confiées, mais dans le cadre d'une forme de partenariat. Le meilleur moyen pour vous de vous assurer leur loyauté consiste encore à établir avec eux des rapports fondés sur le respect des intérêts personnels et l'atteinte d'objectifs communs.

Montrez tout et ne gardez rien pour vous

Jadis propriété des dirigeants et autres initiés, l'information est considérée par les jeunes comme un bien tangible dont ils veulent bénéficier eux aussi. Élevés dans un environnement dans lequel ils étaient constamment stimulés de mille et une façons, les représentants de la Génération X sont conditionnés pour recevoir l'information qu'ils désirent et dont ils ont besoin. Vouloir les priver de renseignements qu'ils jugent essentiels à la réalisation d'un projet ne peut qu'entamer leur confiance en vous et leur motivation. À l'inverse, le fait de partager avec eux des informations utiles et de combler leurs lacunes raffermira leur confiance en vous, stimulera leur créativité et les incitera à assumer l'entière responsabilité d'un projet.

Plaisir et travail vont de pair

voir CHAPITRE 11

Il me faut un gros salaire, une prime au moment de la signature du contrat et une cafetière. Oh! j'oubliais: ma perruche m'accompagne au travail. Je suis l'homme nouveau de la compagnie. Je suis indispensable.

– Roberto Ziche,
couverture de *Fortune,* 16 mars 1998

Pour les jeunes de la Génération X, le travail n'exclut pas forcément le plaisir. Ils veulent s'insérer dans un environnement de travail qui leur donne envie de s'amuser et d'utiliser leur créativité. Ils tiennent énormément à maintenir un équilibre entre leur vie professionnelle et leur vie personnelle. Même si certains s'empressent de qualifier cette génération de fainéants qui refusent de s'acquitter de leurs devoirs, les jeunes peuvent être les premiers à relever leurs manches pour travailler fort jusqu'aux petites heures du matin. Ils conçoivent le travail comme un cycle au cours duquel ils peuvent par moments donner le meilleur d'eux-mêmes et se relaxer à d'autres occasions. Ils ont vu leurs parents se défoncer au travail, et qu'ont-ils obtenu en échange?

Si vous avez des jeunes sous votre responsabilité, comment comptez-vous les garder?

EXERCICE PRATIQUE

- ✓ Enrichissez-vous au contact des jeunes. Demandez-leur leur avis et soyez disposé à les écouter. Ils pourraient bien être les premiers à quitter le navire si vous ne le faites pas.
- ✓ Précisez vos attentes. Assurez-vous qu'ils connaissent bien les règles du jeu. Indiquez clairement quels règlements sont immuables et lesquels sont flexibles. Définissez des lignes de conduite puis laissez-les se débrouiller.
- ✓ Expliquez-leur non seulement le «comment» mais aussi le «pourquoi» d'un mandat, de manière à ce qu'ils en comprennent les tenants et les aboutissants. Précisez de quelle

manière vous souhaitez les voir accomplir une tâche particulière, mais brossez-leur également un tableau général de la situation. En leur faisant voir que leur tâche ou leur projet s'insère dans un plus vaste ensemble, vous les aidez à développer leur sens des responsabilités et des valeurs.

- ✓ Exprimez-vous. Faites-leur part de vos observations sur une base régulière. Les évaluations annuelles ne suffisent pas aux jeunes. Faites-le de manière informelle et sans artifice, mais dans un but précis et en vue d'obtenir des résultats précis. Un bilan hebdomadaire est plus significatif à leurs yeux et correspond davantage à leurs besoins immédiats.
- ✓ Multipliez les possibilités. Donnez-leur l'occasion de relever des défis qui les aideront à développer leur sens des responsabilités et à se faire connaître. Les jeunes se lassent vite des tâches fastidieuses qui n'en finissent plus. Confiez-leur des mandats portant sur des problèmes spécifiques ou demandez-leur de mettre au point leur propre plan d'action ou de proposer de nouvelles idées.

Utilisez ces stratégies avec *tous* vos employés. De même, appliquez aux jeunes de la Génération X les autres stratégies élaborées dans ce livre.

Remarque

Ce livre doit beaucoup à Tara Mello. Elle a fait de la recherche et de la mise en page pour nous, en plus de nous servir de caisse de résonance et de catalyseur tout au long du processus de rédaction. Elle fait partie de la Génération X. Nous lui avons demandé pourquoi elle a continué de travailler pour nous pendant des mois même si son salaire laissait à désirer. Voici ce qu'elle nous a répondu :

> *Je continue de travailler à ce projet parce qu'il me permet de faire appel à ma créativité. Lorsque nous nous réunissons, même au téléphone, pour parler des différents concepts qui forment la trame de ce livre et de la manière dont*

ils s'imbriquent les uns dans les autres, je déborde d'énergie. Ce que j'acquiers comme connaissance ne correspond pas à ce qu'un mentor ou un directeur m'aurait normalement appris. En lieu et place, deux femmes qui travaillent à leur compte et connaissent beaucoup de succès me transmettent leur expérience. Cela me donne des idées pour mes propres projets et pour maintenir un équilibre entre ma vie professionnelle et ma vie privée.

Mon intérêt pour le sujet constitue une autre raison pour laquelle je reste en poste. J'ai appris une foule de choses sur l'art de retenir ses effectifs et sur d'autres sujets connexes, à tel point que j'ai confiance de pouvoir garder mes employés le jour où je serai directrice d'entreprise. J'ai d'ailleurs utilisé certaines des stratégies décrites dans ce livre pour garder les bénévoles de la meute de scouts que je suis chargée de superviser.

Ma dernière raison a à voir avec le fait que j'accomplis des tâches valorisantes qui constituent ma contribution personnelle à l'évolution de la société. Il existe beaucoup de tensions et de frustrations au sein des entreprises de nos jours et tout cela est malsain. (En tout cas, je ne me verrais pas travailler dans un tel environnement.) Si ce projet peut aider ceux qui choisissent de travailler dans de grosses boîtes à se trouver une niche plus confortable, j'aurai alors le sentiment que mes efforts auront servi à quelque chose.

RÉSUMÉ

Il sera toujours difficile de garder les jeunes de la Génération X. Même si leurs besoins ne diffèrent guère de ceux des autres employés, ils sont plus portés à exprimer leurs désirs et à démissionner rapidement s'ils n'obtiennent pas ce qu'ils demandent. Ils constituent la première génération à rejeter en bloc le concept de fidélité à l'entreprise. Celui-ci a fait place à quelque chose de plus enrichissant et de beaucoup plus gratifiant : un rapport de collaboration employeur-employé fondé sur des objectifs communs. Nous pouvons être reconnaissants à la Génération X de cette contribution salutaire au monde du travail.

Chapitre 25

Cédez une partie de vos pouvoirs

Mon patron voulait toujours voulu avoir raison. Tant pis pour lui !

– J.A.

Imaginez une bretelle d'accès à l'autoroute située au cœur d'une ville animée, une intersection ne comportant aucun panneau routier ou une queue devant un cinéma. Lorsque quelqu'un dit avec un sourire accompagné d'un signe approprié : « Allez-y ! », la première chose qui nous vient à l'esprit, c'est qu'il s'agit d'un geste remarquable qu'on observe malheureusement trop rarement.

De même, il est rare que les gens cèdent ainsi à leur travail. Il semble que la plupart des directeurs cherchent à s'accrocher à leur pouvoir, à leur prestige ou à leur autorité une fois qu'ils sont en poste. Avoir ainsi le sentiment de sa puissance ou de son importance peut être très enivrant à court terme, mais cela ne va pas sans conséquences graves à long terme.

D'après des études et d'après notre propre expérience, lorsque vous cédez à l'occasion devant vos employés, vous les habilitez à réfléchir par eux-mêmes, à être plus créatifs, plus enthousiastes et, vraisemblablement, plus productifs. Leur entrain et le sens de leur valeur en tant que membres de votre équipe augmenteront vos chances qu'ils restent en poste.

De la difficulté de renoncer à un pouvoir nouvellement acquis

L'un des plus grands plaisirs que l'on puisse éprouver, lorsqu'on vient d'être nommé à la tête d'une centaine d'employés ou plus, est celui procuré par une sensation nouvelle de toute-puissance. Même si vous ne recherchez pas délibérément le pouvoir, ce sera assurément une grande satisfaction pour votre amour-propre que d'avoir été choisi comme celui qui est le mieux qualifié pour prendre d'importantes décisions, diriger les activités d'autres personnes et même recevoir éventuellement des félicitations pour les succès de votre équipe.

Une fois que vous aurez acquis ce genre de pouvoir, il pourra vous sembler difficile de vous en départir, ne serait-ce qu'en partie. Plusieurs des modèles à suivre que nous avons eus nous ont appris à nous accrocher à ce pouvoir, à l'exercer au besoin équitablement en jouant les dictateurs bienveillants, mais à ne jamais le céder. Les manuels de gestion des années quatre-vingt ont insisté sur la nécessité de déléguer, semant la confusion dans l'esprit des gestionnaires. « Pourquoi, se demandèrent-ils, autoriserais-je mes employés à prendre davantage de décisions, à recevoir le crédit de leurs réalisations et à assumer davantage de responsabilités ? Et quand vous aurez répondu à cette question, dites-moi comment je dois m'y prendre pour leur accorder plus de pouvoir. »

Examinons par conséquent ces deux questions fondamentales : pourquoi céder une partie de vos pouvoirs et comment vous y prendre ?

Qu'avez-vous à gagner en cédant une partie de vos prérogatives ?

Voici un cas qui illustre les avantages qu'il peut y avoir à renoncer à ses pouvoirs.

Dommage...

La directrice d'une importante compagnie de recherche pharmaceutique, que nous appellerons Joanne, s'est réveillée un bon matin en constatant que 20 % de ses employés effectuaient 80 % du travail. Elle s'en inquiéta pour diverses raisons :

Les quelque 80 % d'employés qui ne faisaient pas vraiment appel à leurs facultés intellectuelles et créatrices semblaient par ailleurs quelque peu apathiques et détachés de leur travail, comme s'ils agissaient machinalement. Leur niveau de satisfaction était visiblement peu élevé et elle savait qu'ils pourraient dans bien des cas être plus productifs si l'on parvenait à les intéresser davantage à ce qu'ils faisaient.

Si sa compagnie n'utilisait pas mieux les talents dont elle disposait et ne faisait pas davantage appel à leur créativité afin de rester à l'avant-garde de cette industrie, la concurrence tirerait tôt ou tard partie de ces lacunes.

Elle et une poignée d'employés brillants étaient débordés d'ouvrage et devaient en outre consacrer beaucoup de temps à répondre aux questions des autres et à les aider à solutionner leurs problèmes.

Elle avait déjà perdu quelques employés de talent et appris, en lisant la transcription des entrevues de départ, qu'ils n'avaient pas été suffisamment stimulés et avaient fini par s'ennuyer à la tâche.

Qu'est-ce qui cloche dans cette histoire ?

Joanne était consciente qu'il lui fallait :

- ✓ rehausser le niveau d'intelligence et de créativité de ses troupes ;
- ✓ réduire le niveau d'apathie de ses employés et les amener à se sentir davantage concernés par leur travail ;
- ✓ accroître leur degré de satisfaction si elle voulait en tirer quelque chose (telle une hausse de la productivité) ;
- ✓ cesser de perdre son temps (et éviter que ses plus talentueux collaborateurs en fassent de même) à répondre aux

questions des autres et à prendre des décisions à leur place;
- ✓ garder ses meilleurs éléments.

Après avoir évalué la situation, Joanne savait qu'elle se devait d'agir si elle voulait atteindre ces objectifs. Il lui fallut un certain temps pour comprendre qu'elle avait depuis le début la solution à ses problèmes. Nous verrons plus loin comment Joanne s'y est prise pour les régler. Pour l'instant, voyons où en est votre situation.

EXERCICE PRATIQUE

Répondez aux questions suivantes:
- ✓ Après une décennie de licenciements massifs, votre entreprise est-elle, comme bien d'autres, de nouveau performante?
- ✓ Vos pouvoirs sont-ils plus étendus que jamais? La pression et votre charge de travail augmentent-elles constamment à cause des attentes de vos supérieurs?
- ✓ Certains de vos employés sont-ils apathiques ou peu enclins à venir travailler le lundi matin?
- ✓ Plusieurs de vos employés attendent-ils de vous que vous leur disiez encore ce qu'ils doivent faire à chaque étape de leur mandat?
- ✓ Avez-vous perdu des éléments talentueux de votre équipe parce qu'ils s'ennuyaient ou qu'ils éprouvaient le besoin de relever de nouveaux défis?
- ✓ Vos concurrents vous talonnent-ils?

voir CHAPITRE 15

Si vous avez répondu par la négative à toutes ces questions, soit vous déléguez déjà une partie de vos attributs à vos employés, soit la pression sur vous n'est pas encore assez forte pour que vous sentiez le besoin de le faire. Dans un cas comme dans l'autre, passez à un autre chapitre afin de vous attaquer à un problème plus urgent ou à une lacune que vous jugez utile de combler.

Si vous avez répondu oui à quatre questions ou plus, poursuivez votre lecture. Vous venez de cerner les raisons pour lesquelles vous devriez céder une partie de vos pouvoirs. Il est impératif pour vous de le faire si vous souhaitez réussir dans ce monde de plus en plus compétitif et si vous souhaitez garder vos meilleurs éléments.

> *Dans une entreprise où la délégation de pouvoirs est bien implantée, le rôle du directeur consiste à indiquer à ses employés comment effectuer une tâche et à leur fournir les moyens d'y parvenir. Le directeur est en fait au service de ses subordonnés.*
>
> – Alan Greenberg, de l'American Management Association

Qui a le droit de passage ?

Peut-être êtes-vous convaincu de l'utilité de céder davantage de vos prérogatives à vos employés, tout en ignorant par où commencer. Les règles à cet égard peuvent vous paraître confuses ou difficiles à retenir, au même titre que les règlements de la circulation qui régissent la jonction d'une bretelle à une autoroute ou la traversée d'un carrefour où il n'y a aucun panneau de signalisation.

En ce qui concerne la question de céder vos pouvoirs à vos employés, l'incertitude est encore plus grande dans la mesure où il n'existe aucune règle en ce domaine. Il y a certes une culture d'entreprise et des modèles au sein de chaque entreprise, mais vous avez, en tant que directeur, une importante liberté d'action à cet égard.

Revoyons le cas que nous avons vu précédemment, afin de voir comment Joanne s'y est prise pour régler son problème.

Dommage... (fin heureuse)

Joanne en est venue à la conclusion qu'au moins 80 % de ses employés devaient être en mesure de penser par eux-mêmes, et non pas seulement 20 %. Elle a analysé les raisons pour lesquelles ils attendaient ses directives et attendaient d'elle des réponses à leurs questions tout en laissant leurs cerveaux se rouiller un peu plus chaque jour. Une de ses conclusions la bouleversa : elle était en grande partie responsable du problème !

Joanne avait obtenu une promotion parce qu'elle était brillante et une excellente meneuse d'hommes. Elle avait trouvé particulièrement gratifiant d'avoir des pouvoirs étendus, d'avoir davantage de personnel et un plus gros budget à gérer, ainsi que son propre bureau. Elle avait comme politique de laisser les gens lui rendre visite à tout moment avec leurs problèmes et leurs questions. Elle avait un sentiment aigu de son importance et de son intelligence dans la mesure où elle trouvait des solutions aux problèmes que ses employés lui soumettaient jour après jour. (N'avez-vous jamais éprouvé ce sentiment ?) Elle a commencé à entrevoir qu'elle était la cause du « syndrome des cerveaux endormis ». En effet, pourquoi ses employés se seraient-ils efforcés de réfléchir par eux-mêmes puisqu'elle leur mâchait le travail ?

Joanne fit alors ce qui lui est apparu comme le meilleur moyen de leur céder une partie de ses pouvoirs. Elle accrocha un écriteau à sa porte sur lequel on pouvait lire :

C'est tout ? Pour l'essentiel, oui. Joanne expliqua à ses employés qu'elle les avait sous-estimés et ne leur avait pas rendu service en répondant à toutes leurs questions et en leur donnant des instructions détaillées. Elle leur avoua qu'elle avait privé la compagnie d'un formidable potentiel intellectuel et créateur en donnant des réponses plutôt qu'en posant des questions. Dès lors, lorsque les gens pénétraient dans son bureau avec des questions comme ils l'avaient toujours fait, elle pointait la pancarte du doigt et leur posait des questions susceptibles de les amener à réfléchir par eux-mêmes. En voici quelques exemples :

D'après vous, en quoi consiste le problème ?
D'après vous, qui serait le plus susceptible de le régler ?
Quelles sont les options qui s'offrent à nous ?

Ces questions ont incité les employés à régler leurs problèmes de manière créative, à compter les uns sur les autres plutôt que de toujours s'en remettre à leur supérieur et à proposer diverses solutions. Elle leur prodigua des marques d'encouragement et fit l'éloge de ceux qui s'efforçaient de trouver des solutions originales et de nouvelles manières de procéder. La productivité et le taux de stabilité de son équipe dépassèrent bientôt ceux de tous les autres services de la compagnie. Les autres directeurs vinrent la trouver pour savoir quels tours de magie elle utilisait pour obtenir des résultats aussi phénoménaux.

Joanne se prit à rire en leur révélant le secret de son succès. « J'ai dû mettre mon amour-propre de côté. Je ne pouvais pas me permettre de continuer à jouer les petits génies qui savent tout si je voulais que le cerveau de mes employés continue de fonctionner. J'ai dû leur céder une partie de mes prérogatives et les considérer comme des collègues brillants et ambitieux. Il m'a fallu déléguer, leur céder une partie des pouvoirs et de l'importance que je m'étais accordés jusque-là. Il en résulte que nous en sortons tous gagnants. Mon travail s'en trouve facilité en plus d'être plus gratifiant, cependant que nous obtenons de meilleurs résultats que jamais. Mais le plus intéressant demeure que mes meilleurs éléments sont plus heureux et plus motivés que jamais et qu'ils ont l'intention de rester en poste tant qu'ils pourront s'amuser. »

Mais la manière de procéder de Joanne est plus significative qu'il n'y paraît à première vue. L'écriteau « Pas de réponses » pourrait être une source de mécontentement s'il ne s'accompagnait de ces précisions essentielles :

1. Comptez sur vos employés pour trouver les réponses à leurs questions. Même si vous aviez procédé différemment, tenez compte des solutions qu'ils ont imaginées et soutenez-les sur toute la ligne.
2. Gardez votre calme si vos employés se trompent après que vous leur ayez cédé une partie de vos pouvoirs. Déléguer comporte des risques et il faut vous attendre à certains échecs. Au lieu de sévir, collaborez avec eux afin d'apprendre de leurs erreurs. Mettez l'accent sur ce qui doit être fait pour éviter qu'elles se reproduisent, plutôt que de les blâmer et de ressasser les mauvais souvenirs.

   Un cadre supérieur a commis un jour une erreur qui a coûté 10 millions de dollars à sa compagnie. Lorsqu'il est entré dans le bureau de son directeur, il s'attendait à ce que celui-ci se mette en colère et aille même jusqu'à le congédier. Son patron lui demanda ce qu'il avait appris de son erreur et celui-ci commença aussitôt à lui indiquer ce qu'il ferait différemment la prochaine fois. Puis il attendit que le couperet tombe. En vain. Il finit alors par demander : « Avez-vous l'intention de me congédier ? » Ce à quoi son patron répondit : « Pourquoi vous mettrais-je à la porte ? Je viens d'investir 10 millions de dollars pour que vous appreniez votre leçon. »

3. Soyez au service de vos employés. Soyez disponible et devenez une personne-ressource pour eux. Déléguer ne signifie pas que vous prenez la première porte de sortie. Déléguer confine au désastre dans trop de cas où un directeur se décharge de ses responsabilités sur le dos de ses employés pour se consacrer à des tâches plus importantes à ses yeux.

La technique du « Pas de réponses » ne peut fonctionner que si vous êtes disposé à collaborer avec vos employés, à réfléchir à des solutions avec eux lorsqu'ils sont en panne d'idées, ainsi qu'à les guider et à leur faire part de vos observations en cours de route.

4. Considérez-les comme des collaborateurs plutôt que comme des subordonnés. Montrez-le-leur à l'occasion en accomplissant des tâches qui peuvent sembler « indignes » de vous.

Un pilote de la compagnie Southwest Airlines discutait avec un jeune couple assis avec un bébé dans la première rangée de sièges de l'avion. On embarquait les bagages dans la soute lorsque la mère s'est aperçue que le biberon du bébé s'y trouvait plutôt que d'être dans son sac à main. Elle regarda avec agitation par le hublot et aperçut leur valise bleue. Le pilote lui demanda de la lui montrer et se précipita sur la piste. Sur les indications de la jeune femme, le pilote récupéra la valise, l'ouvrit et trouva le biberon. Lorsqu'il revint dans l'avion avec l'objet en question, les agents de bord et tous les passagers qui avaient assisté à la scène se mirent à applaudir. Il aurait pu demander à un subalterne de faire le travail, mais songez à ce qu'il a gagné en descendant de son piédestal et en le faisant lui-même.

5. Laissez les honneurs aux autres. (Il ne s'agit pas d'une contradiction de notre part. Nous vous proposons simplement une autre solution.) Il pourrait bien s'agir de la décision la plus difficile à prendre pour vous. En tant que héros, vous pourriez recevoir les applaudissements de vos employés ainsi que tout le crédit du succès de votre équipe. Descendre de son piédestal peut signifier partager le devant de la scène et les applaudissements avec tous les membres de votre équipe. Paradoxalement, votre cote de popularité montera auprès de vos employés chaque fois que vous leur laisserez la liberté de se servir de leur intelligence et de leur créativité (et d'en recevoir tout le crédit).

Les directeurs de la compagnie Nordstrom descendent de leur piédestal en mettant en pratique ce qu'enseigne le manuel des employés : « Agissez en toutes circonstances au meilleur de votre jugement. » L'un d'eux nous a raconté cette histoire à propos d'une employée arrivée en retard et à bout de souffle au retour du déjeuner. Lorsqu'il lui demanda pourquoi elle était aussi essoufflée (et non pourquoi elle était en retard), elle répondit : « Une de mes clientes, qui est enceinte, avait commandé un nouveau peignoir de bain et il vient juste d'arriver. Quand je l'ai appelée pour lui faire le message, on m'a appris qu'elle était partie accoucher à l'hôpital ce matin. J'ai donc décidé d'utiliser mon heure de déjeuner pour passer la voir et le lui apporter. » La cliente a envoyé une lettre d'appréciation à la haute direction de Nordstrom et cette employée a eu droit, en retour, à des félicitations accompagnées d'une récompense pour la qualité de son service à la clientèle.

Est-ce le genre de service à la clientèle que vous êtes susceptible de rencontrer dans un milieu de travail sévèrement contrôlé où les moindres faits et gestes des employés sont surveillés ? Sans doute pas. Soyez certain que des employés autorisés à utiliser leur liberté d'action auront des idées brillantes et prendront des initiatives en accomplissant des tâches que vous ne leur aurez nullement demandé de faire. Ils se porteront eux-mêmes garants de l'excellence de vos services. Vous pourriez même en avoir le souffle coupé !

RÉSUMÉ

En cédant de vos prérogatives, vous augmenterez vos chances de garder vos meilleurs éléments. Plus vos employés auront la liberté d'user de leur créativité, de prendre des décisions et de contribuer réellement au succès de votre équipe, plus leur satisfaction ira croissant. Parallèlement, votre capacité de faire face à la concurrence et d'atteindre vos objectifs augmentera. Vous avez le pouvoir de déléguer. Faites-en l'expérience et constatez le résultat par vous-même !

Chapitre 26

Rendez-vous au sommet !

Un de mes employés les plus talentueux a donné sa démission hier. Dire que je croyais tout savoir sur l'art de garder ses meilleurs éléments ! Je suis bien décidé à créer un milieu de travail où ce genre d'incident ne se reproduira pas.

– J.A.

Vous voici au dernier chapitre de ce livre. Les chemins qui ont pu vous y mener sont nombreux. Certains d'entre vous ont peut-être pris la peine de lire chacun des chapitres précédents. D'autres se sont probablement contentés de les parcourir rapidement ou de se concentrer sur quelques chapitres avant d'aboutir ici. D'autres encore ont pu choisir de se rendre directement ici parce qu'ils aiment commencer par la fin.

Mais quelle que soit la route que vous avez suivie, nous aimerions que vous répondiez à une série de questions. Pour ceux qui ont déjà lu tous les autres chapitres ou qui les ont feuilletés, ces questions vous permettront de vérifier ce que vous avez retenu de votre lecture, et ce qu'il vous reste encore à faire. Pour ceux qui commencent par ce chapitre, cet inventaire vous renverra directement aux chapitres que vous pourriez avoir envie de lire en premier. Dans un cas comme dans l'autre, ce test d'évaluation a été élaboré à votre intention.

Chaque question porte sur le sujet principal de chaque chapitre. Répondez honnêtement et demandez-vous si vous partagez (encore) les avis émis concernant la gestion du personnel. Chaque question est conçue pour vous permettre de saisir l'essence de la philosophie et des stratégies décrites dans le chapitre correspondant. (Remarque : il est impossible de répondre « non » à l'ensemble des vingt-six questions.)

Quel est votre Indice de Probabilité de Rétention (IPR) ?

Test d'autoévaluation

Si vous répondez oui, voir chapitre :

		Oui	Non	
POURQUOI	1	☐	☐	Avez-vous le sentiment que vous ne devriez pas poser de questions tant que vous ignorez comment réagir à la réponse ?
RESPONSABILITÉ	2	☐	☐	Êtes-vous persuadé qu'il n'est pas en votre pouvoir de garder vos meilleurs éléments ?
CARRIÈRE	3	☐	☐	Êtes-vous d'avis que, même si vous devez en permanence servir de guide à vos employés, ceux-ci sont assez grands pour savoir quels points faibles ils devraient améliorer ?
DIGNITÉ	4	☐	☐	Vous demandez-vous comment vous êtes censé reconnaître autant de besoins individuels ?
ENRICHISSEMENT	5	☐	☐	Croyez-vous qu'il soit difficile d'enrichir la plupart des tâches ?
FAMILLE	6	☐	☐	Êtes-vous d'avis que la plupart des employés préfèrent maintenir une cloison étanche entre leur vie familiale et personnelle et leur vie professionnelle ?
OBJECTIFS	7	☐	☐	Êtes-vous persuadé que la plupart des employés ne songent qu'à gravir les échelons de la hiérarchie ?
RECRUTEMENT	8	☐	☐	Croyez-vous que le plus important à considérer, au moment d'embaucher quelqu'un, c'est de s'assurer que ses qualifications correspondent au profil recherché ?

INFORMATION	**9**	☐	☐	Êtes-vous persuadé qu'il est préférable de ne pas partager avec vos employés certaines informations importantes concernant votre entreprise ?
MESQUIN	**10**	☐	☐	Croyez-vous que vos employés ne portent pas vraiment attention à ce que vous dites ou faites ?
PLAISIR	**11**	☐	☐	Avez-vous tendance à vous éloigner quand les autres font la pause, s'échangent des blagues et se changent les idées ?
CONTACT	**12**	☐	☐	Craignez-vous de voir vos employés vous quitter éventuellement si vous les mettez en contact avec les gens des autres services ?
GUIDE	**13**	☐	☐	Avez-vous le sentiment de ne pas avoir le temps nécessaire pour leur faire part de vos expériences ou de vos réactions quand vous songez à tout le travail qui vous attend ?
COMPTER	**14**	☐	☐	Êtes-vous persuadé que tous vos efforts pour garder vos employés n'en valent pas vraiment la peine ?
OCCASIONS	**15**	☐	☐	Êtes-vous d'avis que les occasions de progresser sont rares ?
PASSION	**16**	☐	☐	Avez-vous trop peu de temps à consacrer à vos employés pour voir avec eux s'ils font ce qu'ils aimeraient faire ?
CADRE	**17**	☐	☐	Êtes-vous persuadé qu'il est difficile, au sein de votre entreprise, de sortir du cadre établi ?
RÉCOMPENSE	**18**	☐	☐	Êtes-vous persuadé que vos efforts pour reconnaître les mérites de vos employés ne servent pas à grand-chose ?
LIBERTÉ	**19**	☐	☐	Êtes-vous plus à l'aise en sachant exactement ce que vos employés font de leur temps de travail ?
VÉRITÉ	**20**	☐	☐	Êtes-vous d'avis qu'il vaut mieux pour vous ne pas être trop direct lorsque vous faites part à vos employés de vos observations ?
ÉCOUTE	**21**	☐	☐	Avez-vous le sentiment d'être tout aussi à l'écoute de vos employés que n'importe quel autre directeur et qu'il vous est difficile de faire mieux à ce chapitre ?

VALEURS	**22**	☐	☐	Croyez-vous qu'il serait indiscret de votre part de chercher à connaître les valeurs auxquelles vos employés tiennent le plus ?
BIEN-ÊTRE	**23**	☐	☐	Croyez-vous qu'il relève essentiellement du centre de conditionnement et des programmes de gestion du stress de votre entreprise de s'occuper du bien-être de vos employés ?
GÉNÉRATION X	**24**	☐	☐	Avez-vous renoncé à comprendre vos plus jeunes employés ?
CÉDEZ	**25**	☐	☐	Est-il si difficile pour vous de partager vos pouvoirs ou les feux de la rampe avec vos employés ?
SOMMET	**26**	☐	☐	Êtes-vous d'avis que cette histoire de chercher à garder ses employés n'est qu'une nouvelle mode et que, comme toutes les modes, elle disparaîtra bientôt ?

Qu'avez-vous obtenu comme résultat ? Voici comment tirer parti de ce test et décider de la suite des événements.

EXERCICE PRATIQUE

✓ *Notez vos résultats.* Si vous avez enregistré davantage de « non » que de « oui », vous êtes sur la bonne voie. Mais si vous avez beaucoup plus de « oui » que de « non », vous avez du pain sur la planche. Notez vos « oui » à l'aide d'un surligneur et reportez-vous aux chapitres correspondants. Lisez-les (ou relisez-les) et relevez une ou deux idées ou stratégies que vous pourriez mettre rapidement à l'essai. Démarrez ainsi et restez vigilant et patient. Il faut compter au moins six semaines avant qu'une nouvelle habitude s'installe.

Dans l'ensemble, j'ai réussi à mettre en place une assez bonne culture d'entreprise. Mais tout aussi ouvert d'esprit que je croyais l'être, je constate que je dois encore faire des efforts pour laisser plus de liberté à mes employés. Liberté de faire les choses à leur manière, du moment qu'ils obtiennent les résultats escomptés, et même de moduler leur horaire à leur guise, dans la mesure du possible. Voilà ce sur quoi je vais mettre l'accent au cours des prochains mois.

– Un chef d'équipe d'entreprise manufacturière

✓ ***Suscitez les réactions de votre entourage.*** Au début, vos tentatives pourront vous paraître un peu bizarres. Demandez à vos employés ou à vos collègues de confiance de vous faire part de leurs observations. Demandez-leur de vous dire ce qui fonctionne bien et ce qui ne fonctionne pas du tout.

J'ai pris la décision de montrer à mes employés que je me préoccupais de leur sort et que je respecte le travail qu'ils exécutent pour moi. Au début, quand je pénétrais dans leur espace de travail et que je m'enquérais de la situation, ils me jetaient un regard nerveux, comme s'ils s'attendaient à ce que j'émette une critique ou que je manifeste mon mécontentement. Après quelques semaines, ils ont commencé à se détendre et à se montrer plus chaleureux. Je leur ai demandé leurs commentaires et l'un des plus volubiles d'entre eux m'a fait savoir que lui et d'autres employés avaient remarqué mon changement d'attitude et l'appréciaient. Cette réaction favorable m'incite à continuer.

– Un directeur de cabinet d'ingénierie

✓ ***Offrez-vous une récompense et choisissez un autre thème.*** Soyez conscient de votre succès et félicitez-vous comme vous le méritez. Puis choisissez une nouvelle stratégie à développer.

Je me suis appliqué à être un meilleur mentor et j'ai effectivement fait des progrès à ce chapitre. Je me suis félicité, mais les réactions de mes employés constituent à mes yeux une plus grande récompense encore. Je m'attaque maintenant à la question du plaisir. Voilà trop longtemps que nous travaillons à plein régime, sans prendre le temps de nous détendre. J'ai songé à mener le bal en commandant de la pizza vendredi après-midi et en décrochant tous les téléphones. Mon intention est simplement de lancer la discussion afin de voir avec mon équipe comment nous pourrions avoir plus de plaisir à l'ouvrage. Je suis convaincu qu'ils vont me soumettre quelques bonnes idées.

– Le propriétaire d'une agence
de recrutement de cadres

C'est au sommet qu'on respire le mieux

Nous avons eu l'idée de ce chapitre alors que nous travaillions avec une entreprise qui croit en l'utilité de tenir des « réunions au sommet ». Ce sont en général les cadres supérieurs qui organisent de telles rencontres. Ils mettent habituellement en présence trois ou quatre équipes ou personnes qui œuvrent dans des services différents dans le but d'élaborer le meilleur scénario ou la meilleure stratégie possible, ou encore de trouver l'élément autour duquel tous feront converger leurs énergies et leurs engagements. De telles rencontres ne prennent fin que lorsqu'on a trouvé ce que l'on cherchait. La persistance est le mot d'ordre.

Nous vous souhaitons de persister, vous également. Faites en sorte que votre lieu de travail devienne si productif et si épanouissant que vos meilleurs éléments auront envie d'y rester pour créer et faire leur marque. Voilà le sommet que nous vous souhaitons d'atteindre.

Nous vous avons donné tous les outils en notre possession pour que vous y arriviez. La suite ne dépend plus que de vous.

– Beverly et Sharon

Table des matières

Affaires et vie pratique

* 1001 prénoms, leur origine, leur signification, Jeanne Grisé-Allard
100 stratégies pour doubler vos ventes, Robert L. Riker
* Acheter et vendre sa maison ou son condominium, Lucille Brisebois
* Acheter une franchise, Pierre Levasseur
À la retraite, re-traiter sa vie, Lucie Mercier
* Les annuelles en pots et au jardin, Albert Mondor
* Les assemblées délibérantes, Francine Girard
* La bible du potager, Edward C. Smith
* Bonne nouvelle, vous êtes engagé!, Bill Marchesin
* La bourse, Mark C. Brown
* Bricoler pour les oiseaux, France et André Dion
* Le chasse-insectes dans la maison, Odile Michaud
* Le chasse-insectes pour jardins, Odile Michaud
* Le chasse-taches, Jack Cassimatis
* Choix de carrières — Après le collégial professionnel, Guy Milot
* Choix de carrières — Après le secondaire V, Guy Milot
* Choix de carrières — Après l'université, Guy Milot
Clicking, Faith Popcorn
* Comment cultiver un jardin potager, Jean-Claude Trait
Comment lire dans les feuilles de thé, William W. Hewitt
Comment rédiger son curriculum vitæ, Julie Brazeau
Comment voir et interpréter l'aura, Ted Andrews
* Comprendre le marketing, Pierre Levasseur
La conduite automobile, Francine Levesque
La couture de A à Z, Rita Simard
Découvrir la flore forestière, Michel Sokolyk
* Des bulbes en toutes saisons, Pierre Gingras
Des pierres à faire rêver, Lucie Larose
* Des souhaits à la carte, Clément Fontaine
* Devenir exportateur, Pierre Levasseur
* Écrivez vos mémoires, S. Liechtele et R. Deschênes
* L'entretien de votre maison, Consumer Reports Books
* L'étiquette des affaires, Elena Jankovic
* EVEolution, Faith Popcorn et Lys Marigold
* Faire son testament, Me Gérald Poirier et Martine Nadeau
* Fleurs de villes, Benoit Prieur
* Fleurs sauvages du Québec, Estelle Lacoursière et Julie Therrien
* La généalogie, Marthe F.-Beauregard et Ève B.-Malak
* Gérer ses ressources humaines, Pierre Levasseur
* Les graminées, Sandra Barone et Friedrich Oehmichen
* Le grand livre des vivaces, Albert Mondor
La graphologie en 10 leçons, Claude Santoy
* Le guide Bizier et Nadeau, R. Bizier et R. Nadeau
* Le guide de l'auto 2001, J. Duval et D. Duquet
* Guide complet du bricolage et de la rénovation, Black & Decker
* Guide des arbres et des plantes à feuillage décoratif, Benoit Prieur
* Guide des fleurs pour les jardins du Québec, Benoit Prieur
* Le guide des plantes d'intérieur, Coen Gelein
* Guide des plantes pour la maison, Benoit Prieur
* Guide des voitures anciennes tome I et tome II, J. Gagnon et C. Vincent
* Guide du jardinage et de l'aménagement paysager au Québec, Benoit Prieur
* Guide du potager, Benoit Prieur
* Le guide du savoir-écrire, Jean-Paul Simard
* Le guide du vin 2001, Michel Phaneuf
* Guide gourmand 97 — Les 100 meilleurs restaurants de Montréal, Josée Blanchette
* Guide gourmand — Les bons restaurants de Québec — Sélection 1996, D. Stanton
* Le guide Mondoux, Yves Mondoux
Guide pratique des premiers soins, Raymond Kattar
Guide pratique des vins d'Italie, Jacques Orhon
* Guide Prieur saison par saison, Benoit Prieur
* Les hémérocalles, Benoit Prieur

L'île d'Orléans, Michel Lessard
* **J'aime les azalées,** Josée Deschênes
* **J'aime les bulbes d'été,** Sylvie Regimbal
J'aime les cactées, Claude Lamarche
* **J'aime les conifères,** Jacques Lafrenière
* **J'aime les petits fruits rouges,** Victor Berti
J'aime les rosiers, René Pronovost
* **J'aime les tomates,** Victor Berti
* **J'aime les violettes africaines,** Robert Davidson
J'apprends l'anglais..., Gino Silicani et Jeanne Grisé-Allard
Le jardin d'herbes, John Prenis
* **Jardins d'ombre et de lumière,** Albert Mondor
Les jardins fleuris d'oiseaux, France et André Dion
* **Lancer son entreprise,** Pierre Levasseur
* **La loi et vos droits,** Me Paul-Émile Marchand
Ma grammaire, Roland Jacob et Jacques Laurin
* **Mariage, étiquette et planification,** Suzanne Laplante
* **Le meeting,** Gary Holland
La menuiserie, Black & Decker
Mieux connaître les vins du monde, Jacques Orhon
Le nouveau guide des vins de France, Jacques Orhon
* **Nouveaux profils de carrière,** Claire Landry
L'orthographe en un clin d'œil, Jacques Laurin
* **Ouvrir et gérer un commerce de détail,** C. D. Roberge et A. Charbonneau
* **Passage obligé,** Charles Sirois
* **Le patron,** Cheryl Reimold
* **Le petit Paradis,** France Paradis
* **La planification fiscale étape par étape,** Diane Blais et Michel Lanteigne
* **Prévoir les belles années de la retraite,** Michael Gordon
Le principe 80/20, Richard Koch
Le rapport Popcorn, Faith Popcorn
* **Les secrets d'une succession sans chicane,** Justin Dugal
La taxidermie moderne, Jean Labrie
* **Les techniques de jardinage,** Paul Pouliot
Techniques de vente par téléphone, James D. Porterfield
* **Tests d'aptitude pour mieux choisir sa carrière,** Linda et Barry Gale
* **Tout ce que vous devez savoir sur le condominium,** Robert Dubois
Les travaux d'électricité, Black & Decker
Une carrière sur mesure, Denise Lemyre-Desautels
L'univers de l'astronomie, Robert Tocquet
Un paon au pays des pingouins, B. Hateley et W. H. Schmidt
La vente, Tom Hopkins
Votre destinée dans les lignes de la main, Michel Morin

Affaires publiques, vie culturelle, histoire

Aller-retour au pays de la folie, S. Cailloux-Cohen et Luc Vigneault
* **Antiquités du Québec — Objets anciens,** Michel Lessard
* **Apprécier l'œuvre d'art,** Francine Girard
* **Autopsie d'un meurtre,** Rick Boychuk
* **Avec un sourire,** Gilles Latulippe
* **La baie d'Hudson,** Peter C. Newman
* **Banque Royale,** Duncan McDowall
* **Boum Boum Geoffrion,** Bernard Geoffrion et Stan Fischler
Le cercle de mort, Guy Fournier
* **Claude Léveillée,** Daniel Guérard
* **Les conquérants des grands espaces,** Peter C. Newman
* **Dans la fosse aux lions,** Jean Chrétien
* **Dans les coulisses du crime organisé,** A. Nicaso et L. Lamothe
* **Le déclin de l'empire Reichmann,** Peter Foster
* **De Dallas à Montréal,** Maurice Philipps
* **Deux verdicts, une vérité,** Gilles Perron et Daniel Daignault
* **Les écoles de rang au Québec,** Jacques Dorion
* **Enquête sur les services secrets,** Normand Lester
* **Étoiles et molécules,** Élizabeth Teissier et Henri Laborit
La généalogie, Marthe F. Beauregard et Ève B. Malak

Gilles Villeneuve, Gerald Donaldson
Gretzky — Mon histoire, Wayne Gretzky et Rick Reilly
* **Les insolences du frère Untel,** Jean-Paul Desbiens
* **Jacques Normand,** Robert Gauthier
* **Jacques Parizeau, un bâtisseur,** Laurence Richard
* **Les liens du sang,** Antonio Nicaso et Lee Lamothe
* **La maison au Québec,** Yves Laframboise
* **Marcel Tessier raconte...,** Marcel Tessier
* **Maurice Duplessis,** Conrad Black
Meubles anciens du Québec, Michel Lessard
* **Moi, Mike Frost, espion canadien...,** Mike Frost et Michel Gratton
* **Montréal au XXe siècle — regards de photographes,** Collectif dirigé par Michel Lessard
Montréal — les lumières de ma ville, Yves Marcoux et Jacques Pharand
Montreal, the lights of my city, Jacques Pharand et Yves Marcoux
Montréal, métropole du Québec, Michel Lessard
* **Les mots de la faim et de la soif,** Hélène Matteau
* **Notre Clémence,** Hélène Pedneault
* **Objets anciens du Québec — La vie domestique,** Michel Lessard
* **Option Québec,** René Lévesque
Parce que je crois aux enfants, Andrée Ruffo
Paul-Émile Léger tome 1. Le Prince de l'Église, Micheline Lachance
Paul-Émile Léger tome 2. Le dernier voyage, Micheline Lachance
Paul-Émile Léger - coffret 2 volumes, Micheline Lachance
* **Pierre Daignault, d'IXE-13 au père Ovide,** Luc Bertrand
* **Plamondon — Un cœur de rockeur,** Jacques Godbout
* **Pleins feux sur les... services secrets canadiens,** Richard Cléroux
* **Pleurires,** Jean Lapointe
Prisonnier à Bangkok, Alain Olivier et Normand Lester
Quebec, city of light, Michel Lessard et Claudel Huot
Québec from the air, Pierre Lahoud et Henri Dorion
Québec, ville de lumière, Michel Lessard et Claudel Huot
Québec, ville du Patrimoine mondial, Michel Lessard
Le Québec vu du ciel, Pierre Lahoud et Henri Dorion
* **Les Quilico,** Ruby Mercer
René Lévesque, portrait d'un homme seul, Claude Fournier
Riopelle, Robert Bernier
Sauvez votre planète !, Marjorie Lamb
* **Saveurs des campagnes du Québec,** Jacques Dorion
* **La sculpture ancienne au Québec,** John R. Porter et Jean Bélisle
Sir Wilfrid Laurier, Laurier L. Lapierre
La stratégie du dauphin, Dudley Lynch et Paul L. Kordis
Syrie terre de civilisations, Michel Fortin
* **Le temps des fêtes au Québec,** Raymond Montpetit
* **Trudeau le Québécois,** Michel Vastel
* **Un amour de ville,** Louis-Guy Lemieux
* **Un siècle de peinture au Québec,** Robert Bernier
Villages pittoresques du Québec, Yves Laframboise

Animaux

* **Le chien dans votre vie,** Matthew Margolis et Catherine Swan
Chiens hors du commun, Dr Joël Dehasse
L'éducation du chien, Dr Joël Dehasse et Dr Colette de Buyser
* **Encyclopédie des oiseaux du Québec,** W. Earl Godfrey
* **Guide des oiseaux saison par saison,** André Dion et Michel Sokolyk
Le monde fascinant des oiseaux, Rebecca Rupp
* **Nos animaux,** D. W. Stokes et L. Q. Stokes
* **Nos oiseaux, tome I,** Donald W. Stokes
* **Nos oiseaux, tome II,** Donald W. Stokes et Lillian Q. Stokes
* **Nos oiseaux, tome III,** Donald W. Stokes et Lillian Q. Stokes
* **Nourrir nos oiseaux toute l'année,** André Dion et André Demers
La palette sauvage d'Audubon, David M. Lank
* **Papillons et chenilles du Québec et de l'est du Canada,** Jean-Paul Laplante
Vous et vos oiseaux de compagnie, Jacqueline Huard-Viaux
Vous et vos poissons d'aquarium, Sonia Ganiel
Vous et votre bâtard, Ata Mamzer

Vous et votre Beagle, Martin Eylat
Vous et votre Beauceron, Pierre Boistel
Vous et votre Berger allemand, Martin Eylat
Vous et votre Bernois, Pierre Van Der Heyden
Vous et votre Bobtail, Pierre Boistel
Vous et votre Boxer, Sylvain Herriot
Vous et votre Braque allemand, Martin Eylat
Vous et votre Briard, Pierre Van Der Heyden
Vous et votre Bulldog, Pierre Van Der Heyden
Vous et votre Bullmastiff, Pierre Van Der Heyden
Vous et votre Caniche, Sav Shira
Vous et votre Chartreux, Odette Eylat
Vous et votre chat de gouttière, Annie Mamzer
Vous et votre chat tigré, Odette Eylat
Vous et votre Chihuahua, Martin Eylat
Vous et votre Chow-chow, Pierre Boistel
Vous et votre Cockatiel (Perruche callopsite), Michèle Pilotte
Vous et votre Collie, Léon Éthier
Vous et votre Dalmatien, Martin Eylat
Vous et votre Danois, Martin Eylat
Vous et votre Doberman, Paula Denis
Vous et votre Épagneul breton, Sylvain Herriot
Vous et votre furet, Manon Paradis
Vous et votre Husky, Martin Eylat
Vous et votre Labrador, Pierre Van Der Heyden
Vous et votre Lévrier afghan, Martin Eylat
Vous et votre lézard, Michèle Pilotte
Vous et votre Loulou de Poméranie, Martin Eylat
Vous et votre perroquet, Michèle Pilotte
Vous et votre perruche ondulée, Michèle Pilotte
Vous et votre petit rongeur, Martin Eylat
Vous et votre Rottweiler, Martin Eylat
Vous et votre Schnauzer, Martin Eylat
Vous et votre serpent, Guy Deland
Vous et votre Setter anglais, Martin Eylat
Vous et votre Siamois, Odette Eylat
Vous et votre Teckel, Pierre Boistel
Vous et votre Terre-Neuve, Marie-Edmée Pacreau
Vous et votre Tervueren, Pierre Van Der Heyden
Vous et votre tortue, André Gaudette
Vous et votre Westie, Léon Éthier
Vous et votre Yorkshire, Sandra Larochelle

Cuisine et nutrition

* **Les 250 meilleures recettes de Weight Watchers,** Collectif
* **À la découverte des fromageries du Québec,** André Fouillet
L'alimentation durant la grossesse, Hélène Laurendeau et Brigitte Coutu
Les aliments et leurs vertus, Jean Carper
Les aliments miracles pour votre cerveau, Jean Carper
Les aliments pour rester jeune, Jean Carper
Les aliments qui guérissent, Jean Carper
* **Apprêter et cuisiner le gibier,** collectif
Le barbecue, Patrice Dard
* **Bien manger sans se serrer la ceinture,** Marie Breton
* **Biscuits et muffins,** Marg Ruttan
Bon appétit !, Mia et Klaus
La bonne cuisine des saisons, Victor-Antoine d'Avila-Latourette
Bonne table, bon sens, Anne Lindsay
Bonne table et bon cœur, Anne Lindsay
Les bonnes soupes du monastère, Victor-Antoine d'Avila-Latourrette
* **Bons gras, mauvais gras,** Louise Lambert-Lagacé et Michelle Laflamme
Les bons légumes du monastère, Victor-Antoine d'Avila-Latourrette
Le boulanger électrique, Marie-Paul Marchand
* **Le cochon à son meilleur,** Philippe Mollé
* **Cocktails de fruits non alcoolisés,** Lorraine Whiteside

Combler ses besoins en calcium, Denyse Hunter
Comment nourrir son enfant, Louise Lambert-Lagacé
La congélation de A à Z, Joan Hood
Les conserves, Sœur Berthe
* **Crème glacée et sorbets,** Yves Lebuis et Gilbert Pauzé
Cuisine amérindienne, Françoise Kayler et André Michel
La cuisine au wok, Charmaine Solomon
* **La cuisine chinoise traditionnelle,** Jean Chen
La cuisine des champs, Anne Gardon
La cuisine du monastère, Victor-Antoine d'Avila-Latourrette
La cuisine, naturellement, Anne Gardon
* **Cuisiner avec le four à convection,** Jehane Benoit
Cuisine traditionnelle des régions du Québec, Institut de tourisme et d'hôtellerie du Québec
Le défi alimentaire de la femme, Louise Lambert-Lagacé
* **Délices en conserve,** Anne Gardon
Des insectes à croquer, Insectarium de Montréal et Jean-Louis Thémis
* **Les desserts sans sucre,** Jennifer Eloff
Devenir végétarien, V. Melina, V. Harrison et B. C. Davis
* **Du moût ou du raisin? Faites vous-même votre vin,** Claudio Bartolozzi
* **Faire son pain soi-même,** Janice Murray Gill
* **Faire son vin soi-même,** André Beaucage
Fruits & légumes exotiques, Jean-Louis Thémis
* **Le guide des accords vins et mets,** Jacques Orhon
Harmonisez vins et mets, Jacques Orhon
Huiles et vinaigres, Jean-François Plante
Le juste milieu dans votre assiette, Dr B. Sears et B. Lawren
Le lait de chèvre un choix santé, Collectif
* **Le livre du café,** Julien Letellier
Mangez mieux, vivez mieux !, Bruno Comby
Ménopause, nutrition et santé, Louise Lambert-Lagacé
* **Menus et recettes du défi alimentaire de la femme,** Louise Lambert-Lagacé
* **Les muffins,** Angela Clubb
* **La nouvelle boîte à lunch,** Louise Desaulniers et Louise Lambert-Lagacé
La nouvelle cuisine micro-ondes, Marie-Paul Marchand et Nicole Grenier
La nouvelle cuisine micro-ondes II, Marie-Paul Marchand et Nicole Grenier
Les passions gourmandes, Philippe Mollé
* **Les pâtes,** Julien Letellier
* **La pâtisserie,** Maurice-Marie Bellot
Plaisirs d'été, Collectif
* **Poissons, mollusques et crustacés,** Jean-Paul Grappe et l'I.T.H.Q.
* **Les recettes du bien-être absolu,** Dr Barry Sears
Réfléchissez, mangez et maigrissez !, Dr Dean Ornish
La sage bouffe de 2 à 6 ans, Louise Lambert-Lagacé
La santé au menu, Karen Graham
* **Soupes et plats mijotés,** Marg Ruttan et Lew Miller
Telle mère, telle fille, Debra Waterhouse
Les tisanes qui font merveille, Dr Leonhard Hochenegg et Anita Höhne
Un homme au fourneau, Guy Fournier
Une cuisine sage, Louise Lambert-Lagacé
* **Votre régime contre l'acné,** Alan Moyle
* **Votre régime contre la colite,** Joan Lay
* **Votre régime contre la cystite,** Ralph McCutcheon
* **Votre régime contre la sclérose en plaque,** Rita Greer
* **Votre régime contre l'asthme et le rhume des foins,** R. Newman Turner
* **Votre régime contre le diabète,** Martin Budd
* **Votre régime contre le psoriasis,** Harry Clements
* **Votre régime pour contrôler le cholestérol,** R. Newman Turner
* **Les yogourts glacés,** Mable et Gar Hoffman

Plein air, sports, loisirs

* **30 ans de photos de hockey,** Denis Brodeur
* **L'ABC du bridge,** Frank Stewart et Randall Baron
* **Almanach chasse et pêche 93,** Alain Demers
L'arc et la chasse, Greg Guardo
* **Les armes de chasse,** Charles Petit-Martinon

Les armes de chasse et de tir, Jean-Georges DesChenaux
L'art du pliage du papier, Robert Harbin
Astrologie 2001, Andrée D'Amour
La basse sans professeur, Laurence Canty
La batterie sans professeur, James Blades et Johnny Dean
Beautés sauvages du Québec, H. Wittenborn et A. Croteau
Les bons cigares, H. Paul Jeffers et Kevin Gordon
Le bridge, Viviane Beaulieu
Carte et boussole, Björn Kjellström
Le chant sans professeur, Graham Hewitt
* **Charlevoix,** Mia et Klaus
* **Circuits pittoresques du Québec,** Yves Laframboise
La clarinette sans professeur, John Robert Brown
Le clavier électronique sans professeur, Roger Evans
Comment vaincre la peur de l'eau..., R. Zumbrunnen et J. Fouace
Le golf après 50 ans, Jacques Barrette et Dr Pierre Lacoste
* **Les clés du scrabble,** Pierre-André Sigal et Michel Raineri
Corrigez vos défauts au golf, Yves Bergeron
* **Le curling,** Ed Lukowich
* **De la hanche aux doigts de pieds — Guide santé pour l'athlète,** M. J. Schneider et M. D. Sussman
* **Devenir gardien de but au hockey,** François Allaire
* **Les éphémères du pêcheur québécois,** Yvon Dulude
L'esprit de l'aïkido, Massimo N. di Villadorata
* **Exceller au softball,** Dick Walker
* **Exceller au tennis,** Charles Bracken
* **Les Expos,** Denis Brodeur et Daniel Caza
La flûte à bec sans professeur, Alain Bergeron
La flûte traversière sans professeur, Howard Harrison
* **Les gardiens de but au hockey,** Denis Brodeur
Le golf au féminin, Yves Bergeron et André Maltais
Le grand livre des patiences, Pierre Crépeau
Le grand livre des sports, Le groupe Diagram
Les grands du hockey, Denis Brodeur
Les grands noms du jazz, Christophe Rodriguez
* **Guide complet de la couture,** collectif
Le guide complet du judo, Louis Arpin
Le guide complet du self-defense, Louis Arpin
* **Le guide de la chasse,** Jean Pagé
* **Guide de la forêt québécoise,** André Croteau
* **Le guide de la pêche au Québec,** Jean Pagé
Guide de mise en forme, P. Anctil, G. Thibault et P. Bergeron
* **Le guide des auberges et relais de campagne du Québec,** François Trépanier
* **Guide des jeux scouts,** Association des Scouts du Canada
Le guide de survie de l'armée américaine, Collectif
Guide d'orientation avec carte, boussole et GPS, Paul Jacob
Guide pratique de survie en forêt, Jean-Georges Deschenaux
La guitare électrique sans professeur, Robert Rioux
La guitare sans professeur, Roger Evans
L'harmonica sans professeur, Alain Lamontagne et Michel Aubin
* **Les Îles-de-la-Madeleine,** Mia et Klaus
* **Initiation à l'observation des oiseaux,** Michel Sokolyk
* **Jacques Villeneuve,** Gianni Giansanti
* **J'apprends à nager,** Régent la Coursière
* **Le Jardin botanique,** Mia et Klaus
* **Je me débrouille à la chasse,** Gilles Richard
* **Je me débrouille à la pêche,** Serge Vincent
* **Jeux cocasses au vieux Forum,** Denis Brodeur et Jacques Thériault
Jeux de puissance au hockey, Charles Thiffault
* **Jeux pour rire et s'amuser en société,** Claudette Contant
Jouer au golf sans viser la perfection, Bob Rotella et Bob Cullen
Jouons au scrabble, Philippe Guérin
Le karaté Koshiki, Collectif
Le karaté Kyokushin, André Gilbert
* **Leçons de golf,** Claude Leblanc
Le livre des patiences, Maria Bezanovska et Paul Kitchevats
Le livre du billard, Pierre Morin
* **Manon Rhéaume,** Chantal Gilbert

Manuel de pilotage, Transport Canada
Le manuel du monteur de mouches, Mike Dawes
Le marathon pour tous, Pierre Anctil, Daniel Bégin et Patrick Montuoro
* **Mario Lemieux,** Lawrence Martin
* **Maurice Richard,** Craig Macinnis
La médecine sportive, Dr Gabe Mirkin et Marshall Hoffman
Mouvements d'antigymnastique, Marie Lise Labonté
* **La musculation pour tous,** Serge Laferrière
* **La nature en hiver,** Donald W. Stokes
* **Nos oiseaux en péril,** André Dion
L'ouverture aux échecs pour tous, Camille Coudari
* **Les papillons du Québec,** Christian Veilleux et Bernard Prévost
Parlons franchement des enfants et du sport, J. E. LeBlanc et L. Dickson
Pêcher la truite à la mouche, Collectif
* **La photographie sans professeur,** Jean Lauzon
Le piano jazz sans professeur, Bob Kail
Le piano sans professeur, Roger Evans
La planche à voile, Gérald Maillefer
La plongée sous-marine, Richard Charron et Michel Lavoie
Poker !, Martin Dupras
Pour l'amour du ciel, Bernard R. Parker
* **Les Québécois à Lillehammer,** Bernard Brault et Michel Marois
* **Racquetball,** Jean Corbeil
* **Racquetball plus,** Jean Corbeil
The St. Lawrence, the untamed beauty of the great river, Jean-François Hamel et Annie Mercier
* **Rivières et lacs canotables du Québec,** Fédération québécoise du canot-camping
Le Saint-Laurent : beautés sauvages du grand fleuve, Jean-François Hamel et Annie Mercier
Le Saint-Laurent, un fleuve à découvrir, Marie-Claude Ouellet
S'améliorer au tennis, Richard Chevalier
* **Le saumon,** Jean-Paul Dubé
Le saxophone sans professeur, John Robert Brown
* **Le scrabble,** Daniel Gallez
Les secrets du blackjack, Yvan Courchesne
Le solfège sans professeur, Roger Evans
* **Sylvie Fréchette,** Lilianne Lacroix
La technique du ski alpin, Stu Campbell et Max Lundberg
Techniques du billard, Robert Pouliot
* **Le tennis,** Denis Roch
* **Tiger Woods,** Tim Rosaforte
* **Le tissage,** Germaine Galerneau et Jeanne Grisé-Allard
Tous les secrets du golf selon Arnold Palmer, Arnold Palmer
365 activités à faire après l'école, Cynthia MacGregor
La trompette sans professeur, Digby Fairweather
* **Les vacances en famille : comment s'en sortir vivant,** Erma Bombeck
Villeneuve — Ma première saison en Formule 1, J. Villeneuve et G. Donaldson
Le violon sans professeur, Max Jaffa
Voir plus clair aux échecs, Henri Tranquille et Louis Morin
Le volley-ball, Fédération de volley-ball

Psychologie, vie affective, vie professionnelle, sexualité

20 minutes de répit, Ernest Lawrence Rossi et David Nimmons
101 conseils pour élever un enfant heureux, Lisa McCourt
1001 stratégies amoureuses, Marie Papillon
À dix kilos du bonheur, Danielle Bourque
L'adultère est un péché qu'on pardonne, Bonnie Eaker Weil et Ruth Winter
* **Aider mon patron à m'aider,** Eugène Houde
Aimer et se le dire, Jacques Salomé et Sylvie Galland
Aimer un homme sans se laisser dominer, Harrison Forrest
À la découverte de mon corps — Guide pour les adolescentes, Lynda Madaras
À la découverte de mon corps — Guide pour les adolescents, Lynda Madaras
L'amour comme solution, Susan Jeffers
* **L'amour, de l'exigence à la préférence,** Lucien Auger
* **L'amour en guerre,** Guy Corneau
L'amour entre elles, Claudette Savard
Les anges, mystérieux messagers, Collectif

Apprendre à dire non, Marcelle Lamarche et Pol Danheux
Apprenez à votre enfant à réfléchir, John Langrehr
L'apprentissage de la parole, R. Michnik Golinkoff et K. Hirsh-Pasek
L'approche émotivo-rationnelle, Albert Ellis et Robert A. Harper
Arrête de bouder!, Marie-France Cyr
Arrosez les fleurs pas les mauvaises herbes, Fletcher Peacock
L'art de discuter sans se disputer, Robert V. Gerard
L'art de parler en public, Ed Woblmuth
L'art d'être parents, Dr Benjamin Spock
* **Astrologie 2000,** Andrée d'Amour
Attention, parents !, Carol Soret Cope
Au cœur de l'année monastique, Victor-Antoine d'Avila-Latourrette
Balance en amour, Linda Goodman
Bébé joue et apprend, Penny Warner
Bélier en amour, Linda Goodman
Bientôt maman, Janet Whalley, Penny Simkin et Ann Keppler
* **Le bonheur au travail,** Alan Carson et Robert Dunlop
Cancer en amour, Linda Goodman
Capricorne en amour, Linda Goodman
Ces chers parents !..., Christina Crawford
Ces gens qui remettent tout à demain, Rita Emmett
Ces gens qui vous empoisonnent l'existence, Lillian Glass
* **Ces hommes qui méprisent les femmes... et les femmes qui les aiment,** Dr Susan Forward et Joan Torres
Ces pères qui ne savent pas aimer, Monique Brillon
Cessez d'être gentil, soyez vrai, Thomas d'Ansembourg
Ces visages qui en disent long, Jeanne-Élise Alazard
Changer en douceur, Alain Rochon
Changer ensemble — Les étapes du couple, Susan M. Campbell
Changer, oui, c'est possible, Martin E. P. Seligman
Les clés du succès, Napoleon Hill
Comment aider mon enfant à ne pas décrocher, Lucien Auger
Comment communiquer avec votre adolescent, E. Weinhaus et K. Friedman
Comment contrôler l'inquiétude et l'utiliser efficacement, Dr E. M. Hallowell
Comment faire l'amour sans danger, Diane Richardson
* **Comment parler en public,** S. Barrat et C. H. Godefroy
Comment s'amuser à séduire l'autre, Lili Gulliver
Comment s'entourer de gens extraordinaires, Lillian Glass
Communiquer avec les autres, c'est facile !, Érica Guilane-Nachez
Le complexe de Casanova, Peter Trachtenberg
* **Comprendre et interpréter vos rêves,** Michel Devivier et Corinne Léonard
La concentration créatrice, Jean-Paul Simard
La côte d'Adam, M. Geet Éthier
Couples en péril réagissez !, Dr Arnold Brand
Découvrez votre quotient intellectuel, Victor Serebriakoff
Découvrir un sens à sa vie avec la logothérapie, Viktor E. Frankl
Le défi de vieillir, Hubert de Ravinel
* **De ma tête à mon cœur,** Micheline Lacasse
La dépression contagieuse, Ronald M. Podell
La deuxième année de mon enfant, Frank et Theresa Caplan
Développez votre charisme, Tony Alessandra
Devenez riche, Napoleon Hill
* **Dieu ne joue pas aux dés,** Henri Laborit
Dominez votre anxiété avant qu'elle ne vous domine, Albert Ellis
Les douze premiers mois de mon enfant, Frank Caplan
* **Du nouvel amour à la famille recomposée,** Gisèle Larouche
Les dynamiques de la personne, Denis Ouimet
Dynamique des groupes, Jean-Marie Aubry
En attendant notre enfant, Yvette Pratte Marchessault
* **Les enfants de l'autre,** Erna Paris
Les enfants de l'indifférence, Andrée Ruffo
* **L'enfant unique — Enfant équilibré, parents heureux,** Ellen Peck
L'Ennéagramme au travail et en amour, Helen Palmer
Entre le rire et les larmes, Élisabeth Carrier
L'esprit dispersé, Dr Gabor Maté
* **L'esprit du grenier,** Henri Laborit
Êtes-vous faits l'un pour l'autre ?, Ellen Lederman

* **L'étonnant nouveau-né,** Marshall H. Klaus et Phyllis H. Klaus
Être soi-même, Dorothy Corkille Briggs
* **Évoluer avec ses enfants,** Pierre-Paul Gagné
Exceller sous pression, Saul Miller
* **Exercices aquatiques pour les futures mamans,** Joanne Dussault et Claudia Demers
Fantaisies amoureuses, Marie Papillon
La femme indispensable, Ellen Sue Stern
La force intérieure, J. Ensign Addington
Le fruit défendu, Carol Botwin
Gémeaux en amour, Linda Goodman
Le goût du risque, Gert Semler
Le grand dauphin blanc, Bruno Saint-Cast
* **Le grand manuel des cristaux,** Ursula Markham
La graphologie au service de votre vie intime et professionnelle, Claude Santoy
Guérir des autres, Albert Glaude
* **La guérison du cœur,** Guy Corneau
Le guide du succès, Tom Hopkins
* **Heureux comme un roi,** Benoît L'Herbier
Histoire d'une femme traquée, Gaëtan Dufour
L'histoire merveilleuse de la naissance, Jocelyne Robert
Horoscope chinois 2001, Neil Somerville
Les initiales du bonheur, Ronald Royer
L'insoutenable absence, Regina Sara Ryan
J'ai commis l'inceste, Gilles David
* **J'aime,** Yves Saint-Arnaud
J'ai rendez-vous avec moi, Micheline Lacasse
Jamais seuls ensemble, Jacques Salomé
Je crois en moi et je vais mieux !, Christ Zois et Patricia Fogarty
Je réinvente ma vie, J. E. Young et J. S. Klosko
Le jeu excessif, Ladouceur, Sylvain, Boutin et Doucet
* **Le journal intime intensif,** Ira Progoff
Le langage du corps, Julius Fast
Lion en amour, Linda Goodman
Le mal des mots, Denise Thériault
Maman a raison, papa n'a pas tort…, Dr Ron Taffel
Maman, bobo !, Collectif
Les manipulateurs et l'amour, Isabelle Nazare-Aga
Les manipulateurs sont parmi nous, Isabelle Nazare-Aga
Ma sexualité de 0 à 6 ans, Jocelyne Robert
Ma sexualité de 6 à 9 ans, Jocelyne Robert
Ma sexualité de 9 à 12 ans, Jocelyne Robert
La méditation transcendantale, Jack Forem
Le mensonge amoureux, Robert Blondin
Nous divorçons — Quoi dire à nos enfants, Darlene Weyburne
Mère à la maison et heureuse ! Cindy Tolliver
Mettez du feng shui dans votre vie, George Birdsall
* **Mon enfant naîtra-t-il en bonne santé ?,** Jonathan Scher et Carol Dix
* **Mon journal de rêves,** Nicole Gratton
Parent responsable, enfant équilibré, François Dumesnil
Parle, je t'écoute…, Kris Rosenberg
Parle-moi… j'ai des choses à te dire, Jacques Salomé
Parlez-leur d'amour et de sexualité, Jocelyne Robert
Parlez pour qu'on vous écoute, Michèle Brien
Partir ou rester ?, Peter D. Kramer
Pas de panique !, Dr R. Reid Wilson
Pensez comme Léonard de Vinci, Michael J. Gelb
Père manquant, fils manqué, Guy Corneau
Petit bonheur deviendra grand, Éliane Francœur
La peur d'aimer, Steven Carter et Julia Sokol
Les peurs infantiles, Dr John Pearce
Peut-on être un homme sans faire le mâle ?, John Stoltenberg
* **Les plaisirs du stress,** Dr Peter G. Hanson
La plénitude sexuelle, Michael Riskin et Anita Banker-Riskin
Poissons en amour, Linda Goodman
Pour en finir avec le trac, Peter Desberg
Pour entretenir la flamme, Marie Papillon
Pourquoi l'autre et pas moi ? — Le droit à la jalousie, Dr Louise Auger

Pourquoi les hommes s'en vont, Brenda Shoshanna
Le pouvoir d'Aladin, Jack Canfield et Mark Victor Hansen
Le pouvoir de la couleur, Faber Birren
Le pouvoir de la pensée « négative », Tony Humphreys
Le pouvoir de l'empathie, A.P. Ciaramicoli et C. Ketcham
Préparez votre enfant à l'école dès l'âge de 2 ans, Louise Doyon
* **Prévenir et surmonter la déprime,** Lucien Auger
Le principe de Peter, L. J. Peter et R. Hull
Les problèmes de sommeil des enfants, Dr Susan E. Gottlieb
Psychologie de l'enfant de 0 à 10 ans, Françoise Cholette-Pérusse
* **La puberté,** Angela Hines
La puissance de la vie positive, Norman Vincent Peale
La puissance de l'intention, Richard J. Leider
Qui a peur d'Alexander Lowen ?, Édith Fournier
Réfléchissez et devenez riche, Napoleon Hill
La réponse est en moi, Micheline Lacasse
Les rêves, messagers de la nuit, Nicole Gratton
Les rêves portent conseil, Laurent Lachance
Rêves, signes et coïncidences, Laurent Lachance
Rompre pour de bon !, Joyce L. Vedral
* **Rompre sans tout casser,** Linda Bérubé
Ronde et épanouie !, Cheri K. Erdman
* **S'affirmer au quotidien,** Éric Schuler
S'affirmer et communiquer, Jean-Marie Boisvert et Madeleine Beaudry
S'aider soi-même davantage, Lucien Auger
Sagittaire en amour, Linda Goodman
Scorpion en amour, Linda Goodman
Se comprendre soi-même par des tests, Collaboration
Se connaître soi-même, Gérard Artaud
* **Le secret de Blanche,** Blanche Landry
Secrets d'alcôve, Iris et Steven Finz
Les secrets de la flexibilité, Priscilla Donovan et Jacquelyn Wonder
Les secrets de l'astrologie chinoise ou le parfait bonheur, André H. Lemoine
Les secrets des 12 signes du zodiaque, Andrée D'Amour
Séduire à coup sûr, Leil Lowndes
* **Se guérir de la sottise,** Lucien Auger
S'entraider, Jacques Limoges
* **La sexualité du jeune adolescent,** Dr Lionel Gendron
La sexualité pour le plaisir et pour l'amour, D. Schmid et M.-J. Mattheeuws
Si je m'écoutais je m'entendrais, Jacques Salomé et Sylvie Galland
* **Superlady du sexe,** Susan C. Bakos
Surmonter sa peine, Adele Wilcox
La synergologie, Philippe Turchet
Taureau en amour, Linda Goodman
Te laisse pas faire ! Jocelyne Robert
Le temps d'apprendre à vivre, Lucien Auger
Tics et problèmes de tension musculaire, Kieron O'Connor et Danielle Gareau
Tirez profit de vos erreurs, Gerard I. Nierenberg
Tout se joue avant la maternelle, Masaru Ibuka
* **Travailler devant un écran,** Dr Helen Feeley
Un autre corps pour mon âme, Michael Newton
* **Un monde insolite,** Frank Edwards
Une vie à se dire, Jacques Salomé
* **Un second souffle,** Diane Hébert
Verseau en amour, Linda Goodman
* **La vie antérieure,** Henri Laborit
Vieillir au masculin, Hubert de Ravinel
Vierge en amour, Linda Goodman
Vivre avec un cardiaque, Rhoda F. Levin
Vos enfants consomment-ils des drogues ?, Steve Carper et Timothy Dimoff
Votre enfant est-il trop sensible ?, Janet Poland et Judi Craig
Votre enfant est-il victime d'intimidation ?, Sarah Lawson
Vouloir c'est pouvoir, Raymond Hull
Vous valez mieux que vous ne pensez, Patricia Cleghorn

Santé, beauté

Alzheimer — Le long crépuscule, Donna Cohen et Carl Eisdorfer
L'arthrite, Dr Michael Reed Gach
L'arthrite — méthode révolutionnaire pour s'en débarrasser, Dr John B. Irwin
Au cœur de notre corps, Marie Lise Labonté
Bien vivre, mieux vieillir, Marie-Paule Dessaint
Bon vin, bon cœur, bonne santé !, Frank Jones
Le cancer du sein, Dr Carol Fabian et Andrea Warren
La chirurgie esthétique, Dr André Camirand
* **Comment arrêter de fumer pour de bon,** Kieron O'Connor, Robert Langlois et Yves Lamontagne
Le corps heureux, Thérèse Cadrin Petit et Lucie Dumoulin
Cures miracles, Jean Carper
De belles jambes à tout âge, Dr Guylaine Lanctôt
* **Dites-moi, docteur…,** Dr Raymond Thibodeau
Dormez comme un enfant, John Selby
Dos fort bon dos, David Imrie et Lu Barbuto
Dr Dalet, j'ai mal, que faire ?, Dr Roger Dalet
* **Être belle pour la vie,** Bronwen Meredith
La faim de vivre, Geneen Roth
Guide critique des médicaments de l'âme, D. Cohen et S. Cailloux-Cohen
* **Guide de la santé (le),** Clinique Mayo
L'hystérectomie, Suzanne Alix
L'impuissance, Dr Pierre Alarie et Dr Richard Villeneuve
Initiation au shiatsu, Yuki Rioux
* **Maigrir : la fin de l'obsession,** Susie Orbach
Maladies imaginaires, maladies réelles ?, Carla Cantor et Dr Brian A. Fallon
* **Le manuel Johnson & Johnson des premiers soins,** Dr Stephen Rosenberg
* **Les maux de tête chroniques,** Antonia Van Der Meer
Maux de tête et migraines, Dr Jacques P. Meloche et J. Dorion
Millepertuis, la plante du bonheur, Dr Steven Bratman
La médecine des dauphins, Amanda Cochrane et Karena Callen
Mince alors… finis les régimes !, Debra Waterhouse
Perdez du poids… pas le sourire, Dr Senninger
Perdre son ventre en 30 jours, Nancy Burstein
La pharmacie verte, Anny Schneider
Plantes sauvages médicinales, Anny Schneider et Ulysse Charette
Pourquoi les femmes vivent-elles plus longtemps que les hommes ?, Royda Crose
* **Principe de la technique respiratoire,** Julie Lefrançois
* **Programme XBX de l'aviation royale du Canada,** Collectif
Qi Gong, L.V. Carnie
Renforcez votre immunité, Bruno Comby
Le rhume des foins, Roger Newman Turner
Ronfleurs, réveillez-vous !, Jocelyne Delage et Jacques Piché
La santé après 50 ans, Muriel R. Gillick
Santé et bien-être par l'aquaforme, Nancy Leclerc
Savoir relaxer — Pour combattre le stress, Dr Edmund Jacobson
* **Soignez vos pieds,** Dr Glenn Copeland et Stan Solomon
Le supermassage minute, Gordon Inkeles
Vaincre les ennemis du sommeil, Charles M. Morin
* **Vaincre l'hypoglycémie,** O. Bouchard et M. Thériault
Vivre avec l'alcool, Louise Nadeau

—

* Pour l'Amérique du Nord seulement.

(2001/05)

Cet ouvrage a été achevé d'imprimer
au Canada en juillet 2001.